MÉTODO DE ESPAÑOL PARA EXTRANJEROS

PRISMA
AVANZA

PRISMA DEL PROFESOR

Equipo prisma

EDITORIAL EDINUMEN

NIVEL **B2**

Equipo prisma: Cristina Blanco, Raquel Blanco, Isabel Bueso, Gloria Caballero, Esther Fernández, Raquel Gómez, Ainhoa Larrañaga, Adelaida Martín, Silvia Nicolás, Carlos Oliva, Isabel Pardo, Marisa Reig, Marisol Rollán, María Ruiz de Gauna, Ruth Vázquez, Fausto Zamora

© Editorial Edinumen

© Autores de este nivel: Gloria María Caballero, Esther Fernández, Raquel Gómez, Ainhoa Larrañaga, Adelaida Martín, Silvia Nicolás, Carlos Oliva, Isabel Pardo, Marisa Reig, Marisol Rollán, María Ruiz de Gauna y Ruth Vázquez

© Autora del apéndice de fonética correctiva: Ruth Vázquez
Coordinadora del nivel B2: Ruth Vázquez

ISBN 84-95986-23-X
Depósito Legal: M-17.569-2 004
Impreso en España
Printed in Spain

Coordinación pedagógica:
María José Gelabert

Coordinación editorial:
Mar Menéndez

Ilustraciones:
Miguel Alcón y Carlos Casado

Diseño de portada:
Juan V. Camuñas y Juanjo López

Diseño y maquetación:
Juanjo López

Fotografías:
Archivo Edinumen, Elena Crespo y Fernando Ramos Jr.

Impresión:
Gráficas Glodami. Coslada (Madrid)

Fotomecánica:
Reprosagasta. Madrid

Agradecimientos:
A todas las personas y entidades que nos han aportado sugerencias, fotografías e imágenes y, de manera especial, a la Corporación de Promoción Turística de Chile por la fotografía *Pingüino Papúa* de Olivia Blank (pág. 63).

Instituto Cervantes

Este método se ha realizado de acuerdo con el Plan Curricular del Instituto Cervantes, en virtud del Convenio suscrito el 3 de agosto de 2001

La marca del Instituto Cervantes y su logotipo son propiedad exclusiva del Instituto Cervantes

Editorial Edinumen
Piamonte, 7. 28004 - Madrid
Tels.: 91 308 51 42 - 91 319 85 37
Fax: 91 319 93 09
e-mail: edinumen@edinumen.es
www.edinumen.es

MÉTODO DE ESPAÑOL PARA EXTRANJEROS

PRISMA

AVANZA (B2)

introducción

PRISMA es un método de español para extranjeros, estructurado en **6 niveles: Comienza (A1), Continúa (A2), Progresa (B1), Avanza (B2), Consolida (C1)** y **Perfecciona (C2)**, según los requerimientos del *Marco de referencia europeo* y del *Plan Curricular del Instituto Cervantes*.

El *Marco de referencia europeo* nos proporciona una base común para la elaboración de programas de lenguas, orientaciones curriculares, exámenes, manuales... en toda Europa. Describe de forma integradora lo que tienen que llevar a cabo los estudiantes de lenguas con el fin de utilizar una lengua para comunicarse, así como los conocimientos y las destrezas que deben desarrollar para poder actuar de manera eficaz y el contexto donde se sitúa la lengua. El *Marco de referencia* define, asimismo, niveles de dominio lingüístico que permiten comprobar el progreso de los alumnos en cada fase del aprendizaje. Al ofrecer una base común para la descripción explícita de los objetivos, el contenido y los métodos, el *Marco de referencia* favorece la transparencia de los cursos, los programas y las titulaciones, fomentando de esta forma la cooperación internacional en el campo de las lenguas modernas.

PRISMA aúna diferentes tendencias metodológicas desde una perspectiva **comunicativa**, con lo cual se persigue atender a la diversidad de discentes y docentes. El objetivo general de **PRISMA** es dotar al estudiante de las estrategias y conocimientos necesarios para desenvolverse en un ambiente hispano en el que convergen diferentes culturas a uno y otro lado del Atlántico.

Cada nivel puede abarcar **140** horas lectivas y se compone de **PRISMA del alumno (80** horas**), PRISMA del profesor (60** horas complementarias**)** y uno o dos **CD** de audiciones.

PRISMA B2 del profesor abarca unas **60** horas lectivas complementarias y recoge:

- ■ **Propuestas, alternativas y explicaciones** para la explotación de las actividades presentadas en Prisma del alumno, prestando especial atención al **componente cultural y pragmático** con el fin de que el estudiante adquiera un aprendizaje global.

- ■ **Fichas** fotocopiables tanto de refuerzo gramatical como para desarrollar situaciones comunicativas o tareas, dentro y fuera del aula, para que el estudiante tome conciencia de la diferencia de los intereses individuales, de su visión del mundo, y en consecuencia de su aprendizaje. Así pues, pueden ofrecerse al estudiante de manera opcional según sus necesidades e intereses y, ser en consecuencia, alternativas al libro de ejercicios.

- ■ **Material para transparencias** de apoyo para el proceso de enseñanza/aprendizaje.

- ■ **Apéndice de fonética correctiva** con ejercicios prácticos.

- ■ **Transcripciones** de las audiciones.

- ■ **Claves** de los ejercicios.

Equipo prisma

En PRISMA del profesor se han utilizado los siguientes símbolos gráficos:

Transparencia   Ficha   Audición

Sumario

Fichas fotocopiables

Apéndice de fonética correctiva

Transcripciones

Claves

Material para transparencias

Transparencia	Título	Unidad
1	Hospital de la Santa Creu i Sant Pau, Bacelona. Actividad de expresión oral	1
2	Pedir y dar consejo	1
3	Léxico específico del correo electrónico	2
4	Los cambios verbales en el discurso referido	2
5	Cuadro de los pronombres y adverbios relativos	3
6	Nos va la marcha. Producción oral	3
7	Perífrasis de infinitivo	4
8	Perífrasis de gerundio y participio	4
9	Argumentos a favor y en contra de la piratería musical	5
10	La geografía de los ritmos latinos	5
11	Juego de las condicionales	6
12	Las condicionales en español	6
13	Usos de *ser* y *estar*	7
14	Usos de *ser* y *estar* (Cont.)	7
15	Una imagen vale más que mil palabras. Comunicación no verbal	9
16	Recursos lingüísticos para atenuar la opinión	9

Material para transparencias (cont.)

Unidades

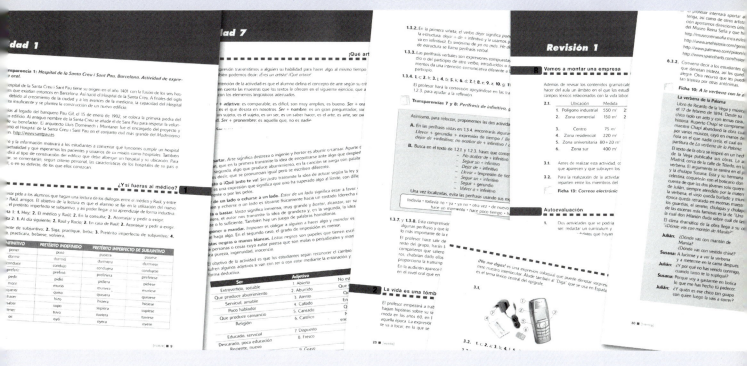

- Sugerencias de explotación
- Claves de las actividades

Unidad 1

Transparencia 1: *Hospital de la Santa Creu i Sant Pau, Barcelona. Actividad de expresión oral.*

El Hospital de la Santa Creu i Sant Pau tiene su origen en el año 1401 con la fusión de los seis hospitales que existían entonces en Barcelona. Así nació el Hospital de la Santa Creu. A finales del siglo XIX, debido al crecimiento de la ciudad y a los avances de la medicina, la capacidad del Hospital resulta insuficiente y se plantea la construcción de un nuevo edificio.

Gracias al legado del banquero Pau Gil, el 15 de enero de 1902, se coloca la primera piedra del nuevo edificio. Al antiguo nombre de la Santa Creu se añade el de Sant Pau para respetar la voluntad de su benefactor. El arquitecto Lluís Domènech i Montaner fue el encargado del proyecto y convirtió el Hospital de la Santa Creu i Sant Pau en el conjunto civil más grande del *Modernismo* catalán. http://www.santpau.es

La foto y la información motivará a los estudiantes a comentar qué funciones cumple un hospital en la actualidad y qué esperamos los pacientes y usuarios de su misión como hospitales. También se aludirá al tipo de construcción del edificio que debe albergar un hospital y su ubicación. Para finalizar, se comentarán, según criterio personal, las características de los hospitales de su país o ciudad, o en su defecto, de los que ellos conozcan.

¿Y si fueras al médico? `1`

1.1. El profesor pide a los alumnos que hagan una lectura de los diálogos entre el médico y Raúl, y entre Rocío y Raúl, amigos. El objetivo de la lectura es que el alumno se fije en la utilización del nuevo tiempo, el pretérito imperfecto se subjuntivo, y así poder llegar a su aprendizaje de forma inductiva.

- **Viñeta 1: 1.** Hoy; **2.** El médico y Raúl; **2.** En la consulta; **2.** Aconsejar y pedir o exigir.
- **Viñeta 2: 1.** Al día siguiente; **2.** Raúl y Rocío; **2.** En casa de Raúl; **2.** Aconsejar y pedir o exigir.

1.1.1. **1.** Presente de subjuntivo; **2.** Siga, practique, beba; **3.** Pretérito imperfecto de subjuntivo; **4.** Siguiera, practicara, bebiese, volviera.

1.1.2.

INFINITIVO	PRETÉRITO INDEFINIDO	PRETÉRITO IMPERFECTO DE SUBJUNTIVO	
poner	puso	pusiera	pusiese
dormir	durmió	durmiera	durmiese
conducir	condujo	condujera	condujese
preferir	prefirió	prefiriera	prefiriese
pedir	pidió	pidiera	pidiese
morir	murió	muriera	muriese
querer	quiso	quisiera	quisiese
hacer	hizo	hiciera	hiciese
saber	supo	supiera	supiese
tener	tuvo	tuviera	tuviese
oír	oyó	oyera	oyese

INFINITIVO	PRETÉRITO INDEFINIDO	PRETÉRITO IMPERFECTO DE SUBJUNTIVO	
huir	huyó	huyera	huyese
construir	construyó	construyera	construyese
caber	cupo	cupiera	cupiese
ser / ir	fue	fuera	fuese
estar	estuvo	estuviera	estuviese

1.2. Para motivar la actividad, el profesor puede preguntar a los alumnos si alguna vez han leído alguna revista de salud y si han encontrado algo que realmente les interesara. También, si tenían algún problema que les preocupara y si encontraron solución al mismo en dicha revista.

1.2.1. Recomendamos utilizar la transparencia 2 para la corrección del ejercicio.

Transparencia 2: *Pedir y dar consejo.*

1.2.2. 1. Abuso de medicamentos: le recomendó que no se dejara influir por los medicamentos anunciados en televisión y en las revistas; **2.** Ejercicio físico: le sugirió que fuera a un gimnasio periódicamente asesorada por un monitor; **3.** Alimentación: le aconsejó que no siguiera las dietas que sus amigas hacían y le aconsejó que eliminara las grasas animales, dulces y bebidas gaseosas en exceso.

1.2.4. • **Verruga:** abultamiento en la piel, generalmente rugoso y con forma redonda.

• **Seguridad Social:** sistema sanitario público.

• **Afónico:** persona que sufre la pérdida total o parcial de la voz.

• **Contractura:** contracción involuntaria de uno o de más grupos musculares.

• **Aliento:** aire que sale de la boca al respirar.

• **Jaqueca:** dolor intenso de cabeza.

• **Urticaria:** enfermedad de la piel caracterizada por la aparición de pequeños granos con manchas rojizas y por un picor muy intenso.

• **Picor:** sensación desagradable o irritación que produce en el cuerpo algo que pica.

Ficha 1: El árbol de la ciencia *de Pío Baroja. Comprensión lectora.*

Pío Baroja nació en San Sebastián en 1872. Estudió Medicina en Madrid y publicó sus primeros libros en 1900. Pertenece a la generación del 98. Durante la guerra civil se exilió a Francia. Murió en España en 1956. Su obra está inscrita dentro de la línea del pesimismo existencial. Entre sus novelas destacan: *Zalacaín el aventurero, Camino de perfección, Las inquietudes de Shanti Andía, Paradox, rey, La busca,* etc.

El texto que presentamos forma parte del libro *El árbol de la ciencia* que pertenece a la trilogía "La Raza" escrita entre 1908 y 1911. La novela es, en parte, una autobiografía de Baroja cuando este era estudiante de Medicina y durante el poco tiempo que ejerció como médico. El ambiente que se vive en la narración es el mismo que le tocó vivir a Baroja en ese tiempo; un ambiente marcado por la diferencia de clases, por la pobreza y la enfermedad.

Andrés Hurtado, el protagonista de esta novela, llega a la Universidad de Madrid con ganas de aprender, de que le enseñen la verdad. Como respuesta, sus profesores acuden a dar las clases desganadamente, sin esforzarse lo más mínimo y preocupándose más por quedar como unos sabios que por la educación de sus alumnos. Ante estas circunstancias, Andrés va a tomar una postura pesimista, no solo ante sus estudios, sino ante el mundo en general. Esta actitud la va a mantener durante toda su vida; incluso cuando concluye su carrera y se dedica temporalmente a la medicina, va a sentir antipatía por una buena parte de sus pacientes y compañeros de trabajo; también muestra su disconformidad con las tradiciones típicas de la España rural del siglo XIX.

La frase significa que es mejor tomar las medidas pertinentes antes de que se produzcan las consecuencias negativas de algo. Es muy frecuente usar esta frase cuando se habla de la salud.

Se les ofrece información práctica a los alumnos sobre Colombia haciendo hincapié en las dificultades que podrían encontrar al llegar allí o a la hora de preparar un viaje.

Las técnicas avanzan que es una barbaridad **3**

La frase remeda una popular canción de la zarzuela *La Verbena de la Paloma* en la que se dice "Hoy las ciencias adelantan que es una barbaridad" haciendo referencia al progreso imparable de la ciencia.

3.2. **1.** d; **2.** f ; **3.** i; **4.** j; **5.** a; **6.** h; **7.** c; **8.** b; **9.** g; **10.** e.

3.2.1. **1.** f; **2.** f; **3.** f; **4.** v; **5.** v; **6.** v; **7.** f.

3.2.3. La utilización del láser **se hizo** indispensable en los campos de la dermatología, odontología, oftalmología, cáncer y estética.

El láser en cirugía **fue** un instrumento **que permitió se realizaran** realizadas intervenciones cada vez más seguras y menos traumáticas. Las operaciones y tratamientos realizados con láser reducían el periodo de recuperación y posoperatorio del paciente. El coste de las operaciones **resultaba** más barato que el de la cirugía convencional.

El láser, además de ser rápido e indoloro, no **representaba** riesgos para la salud en el caso de los problemas dermatológicos. En algunos casos **se requería que se aplicara** anestesia local, pero no **necesitaba que hubiera** cuidados especiales después del tratamiento.

Algunas de las lesiones dermatológicas más tratadas con láser **eran** las lesiones faciales, manchas de nacimiento, verrugas, tumores benignos de la piel, cicatrices, etc.

En oftalmología **era** muy efectivo en cataratas, miopía y astigmatismo. Entre sus ventajas, **permitía** actuar dentro del ojo sin dañar el resto de la estructura ocular. Con el rayo **llegaban** al sitio exacto donde **querían** intervenir. Anteriormente, cuando **querían** hacer lo mismo, **tenían** que abrir el ojo con un bisturí y hacer una incisión lo cual **implicaba** más complicaciones.

En la aplicación del láser en los casos de cáncer **se recomendaba que se tomasen** una serie de precauciones a la hora de su aplicación, especialmente con los láseres tipo 4 que **eran** los más peligrosos. Además, las normas de seguridad **aconsejaban que se usaran** unas gafas específicas con poder de filtración muy superior a las normales.

El cáncer de esófago no **admitía** cirugía, y eso **hacía que solo fuera** posible tratarlo a través del láser.

¿Seguro público o privado? **4**

Sugerimos al profesor que proponga una lluvia de ideas a sus alumnos y provocar un pequeño debate. ¿Tienes únicamente la Seguridad Social o dispones también de un seguro privado? ¿Los has necesitado alguna vez por alguna dolencia importante? Si es así, ¿te han atendido correctamente y de la misma manera en ambos sitios?

4.1. • **Seguridad Social:** Es gratuito; masificado; más medios técnico-quirúrgicos; medicamentos con recetas más baratos; mayor cobertura médica.

• **Seguro Privado:** No hay listas de espera; habitaciones individuales para los enfermos; trato más personalizado; más disponibilidad de médicos especialistas; menos tiempo de espera en urgencias.

4.2.2. • **Constatar una realidad:** Es evidente; está claro; es innegable; es verdad; es indiscutible; está constatado.

• **Emitir un juicio de valor:** Es difícil; no es justo; es muy triste; es vergonzoso; es necesario; considero obligatorio; no es extraño; es injusto.

4.2.3. Las expresiones que constatan una realidad se construyen con indicativo, y las que sirven para dar una opinión o emitir un juicio de valor, con subjuntivo.

 Ficha 2: *Ejercicios de práctica controlada.*

4.2.4. **Información sobre el sistema sanitario español público o Seguridad Social**

El organismo oficial del estado que se ocupa de la salud de los españoles se llama Seguridad Social. Se trata de un servicio de asistencia sanitaria pública para todos los españoles. Los españoles pagan o han pagado una cantidad mensual para poder tener ese servicio. Esta cantidad se llama *cotización a la Seguridad Social* y se descuenta directamente del sueldo de cada mes. Por eso, cuando un español va al médico de la Seguridad Social no tiene que pagar nada por la asistencia que recibe.

Introducida en España en 1908, con la creación del Instituto Nacional de Previsión, la Seguridad Social es un organismo del Estado que consiste en una protección basada en el principio del seguro: esta protección queda garantizada a cambio de una cotización.

Apoyada en el concepto de solidaridad nacional, pretende: conservar la salud, recuperarla en caso de enfermedad o accidente, superar las dificultades que suponen la vejez, el desempleo, etc.

Así, atiende económicamente las necesidades del embarazo, del parto y de la hospitalización; concede pensiones a los jubilados o presta ayudas familiares.

Cuando un ciudadano español necesita que lo vea un médico, deberá dirigirse a su Centro de Salud donde lo atenderá, previa cita, su médico de familia; este lo explorará y, si lo cree conveniente, le dará un pase para el especialista. Si lo considera preciso, le aconsejará que tome algún medicamento. Para ello, extenderá una receta de la Seguridad Social con el nombre del medicamento, la duración del tratamiento y la dosis que debe tomar. El paciente se quedará con una copia de la misma. Los pensionistas no tienen que pagar nada por los medicamentos; el resto paga un porcentaje. Debemos decir que hay algunas prestaciones que están excluidas de la Seguridad Social: la cirugía estética no reparadora o la fecundación "in vitro"; la odontología solo incluye las extracciones.

Cuando se requiere una hospitalización, el paciente ingresa en uno de los diversos hospitales que existen en España. En ellos tiene todo cubierto: pruebas, intervención, estancia en UCI (Unidad de Cuidados Intensivos), alimentación, medicación, etc.

Si no hay camas suficientes, la Seguridad Social concierta con clínicas privadas para intentar disminuir las listas de espera que, de todos modos, siguen suponiendo un grave problema.

• Los hospitales: en los hospitales se tratan las enfermedades importantes, graves. Se realizan operaciones y pasan consulta los médicos especialistas. En estos centros hay numerosas habitaciones para los enfermos que necesitan atención médica constante.

• Los ambulatorios: en los ambulatorios normalmente se realizan las visitas al médico de cabecera o médico de familia, es decir, el médico que se ocupa de medicina interna, de problemas de salud leves como resfriados, gripes, cólicos, jaquecas, dolores leves, etc. En estos centros también se encuentra la enfermería para realizar curas, poner inyecciones, una sala de traumatología donde los enfermos realizan ejercicios de rehabilitación de sus lesiones de huesos y también está el pediatra, que es el médico de los niños. Si tienes problemas con los dientes y las muelas, el dentista de la Seguridad Social solamente podrá sacártelos pero no arreglártelos o curártelos, para eso tendrás que ir a un dentista *de pago*, es decir, particular, privado. Si tienes problemas con los ojos, con la vista, eres miope, por ejemplo, y necesitas gafas, tendrás que ir a una óptica y comprar con tu dinero esas gafas; la Seguridad Social no las paga.

Unidad 2

1.1. Como actividad de precalentamiento, recomendamos utilizar la transparencia 3 para explicarles cómo se llaman las herramientas del correo electrónico en español. Además de para introducir la unidad, esta actividad sirve para ampliar el léxico referido a las nuevas tecnologías.

Transparencia 3: *Léxico específico del correo electrónico.*

1.1.1. Seguía; volvería; es; faltaban; me pusiera; sale; había hecho; había dado; creían; iba a quedar; tenían; me encargara; nos mandaría; dudaba; llegara; tenían; lleva; se había extendido; creía; íbamos; vamos a poner; te preguntara; tienes; se había olvidado; vendría a buscarme; comeríamos; lo discutiríamos.

1.1.2. En el libro del alumno aparecen en negrita las formas verbales para que los alumnos se fijen solo en los cambios verbales que se producen al transmitir las palabras de otra persona. En la actividad 1.1.3. hacemos una reflexión sobre otros cambios como pronombres, adjetivos, marcadores temporales, etc. Se sugiere corregir el ejercicio con la transparencia 4.

Transparencia 4: *Los cambios verbales en el discurso referido.*

1.1.3. En esta actividad hacemos una reflexión oral en común con el profesor, y después comprobamos con la audición.

- Texto original: **1.** el lunes; **2.** el martes; **3.** ponte; **4.** el miércoles; **5.** me (dio); **6.** este; **7.** (puedes) encargarte tú; **8.** os (mandará); **9.** nuestras; **10.** pregúntale; **11.** me (he olvidado); **12.** tus; **13.** buscarte; **14.** el lunes.

- Discurso referido: **1.** hoy; **2.** mañana; **3.** (que) me (pusiera); **4.** pasado mañana; **5.** le (había dado); **6.** ese; **7.** (que si podía que) me encargara yo; **8.** nos (mandaría); **9.** sus; **10.** te (preguntara); **11.** se (había olvidado); **12.** mis; **13.** buscarme; **14.** hoy.

1.1.4. Podemos ayudar a nuestros alumnos con el siguiente ejemplo, pidiéndoles que analicen la diferencia en estas dos frases:

1. *La profesora dijo que **éramos** muy buenos*

2. La profesora dijo que **somos** muy buenos

El ejemplo **número 1** se justifica con la siguiente interpretación: o ya no somos sus alumnos y por lo tanto no es real en tiempo actual, o bien no estamos totalmente de acuerdo con la profesora en lo de que somos buenos alumnos.

El ejemplo **número 2** se puede interpretar con la idea de que seguimos siendo sus alumnos y/o estamos de acuerdo con la profesora en lo de que somos buenos.

Por otro lado, es habitual prescindir de frases y expresiones que solo se dan en la interlocución: fórmulas para introducir el discurso, deseos para la otra persona, interjecciones, etc.

Informaciones que son reales en tiempo actual:

El martes **es** día de cierre ➡ mañana **es** día de cierre.

La revista **sale** el miércoles ➡ la revista **sale** pasado mañana.

El artículo que **lleva** por título *Comprar desde casa* ➡ ese que **lleva** por título *Comprar desde casa.*

Vamos a poner el cómic de Nadia en otra página ➡ **vamos a poner** el cómic de Nadia en otra página.

Pregúntale a Ainhoa si **tiene** ya las fotos ➡ me pidió que te preguntara si **tienes** ya las fotos.

Como **sabes**... ➡ Se omite.

¿Vale? ➡ Se omite.

¡Que **tengáis** un buen día! ➡ Se omite.

1.2.1. ¿Sabes qué? El otro día me estuve tomando un café con Ana y me dijo que ese día la había llamado Laura. ¿Te acuerdas de ella?... Bueno, pues me contó que precisamente se había encontrado en el cine al ex de Laura, Carlos, dos días antes, cuando fue a ver *El Señor de los anillos* y que le dijo que había encontrado a una chica que le gustaba mucho y que habían empezado a salir. A Ana le parecía increíble porque solo había pasado un mes desde que Carlos y Laura habían roto su larga relación y ya estaba con otra. Me dijo que había quedado con Laura al día siguiente porque esta se iba a Milán durante unos días y tenían que contarse muchas cosas. Me dijo que no la veía desde que lo había dejado con Carlos. Estaba un poco preocupada porque no sabía si debía decirle lo de Carlos o no.

1.3. • **Transmitir información:** mensajes 2, 4, 7, 8.

• **Transmitir preguntas:** 1, 3, 5, 6.

1.3.1. Antes de pasar a esta actividad y una vez que hayan clasificado los mensajes en la actividad 1.3., les recordamos el "si" que introduce preguntas indirectas. El objetivo es que los alumnos transmitan la información del mensaje, sin necesidad de reproducirlo literalmente.

1. Llamó Julián para decirte que no podría tener el artículo terminado y que si nos importaba publicarlo la próxima semana.

2. Llamó tu madre para recordarte que el próximo domingo coméis todos en la casa de la sierra.

3. Llamó Raúl para preguntarte si quieres cenar con él alguna noche.

4. Llamó Marta para pedirte que lleves el perro al veterinario el martes.

5. Llamó María, que estaba en el teatro para sacar entradas, para preguntarte si llegarás el jueves a tiempo para la sesión de las 10.30.

6. Llamó Gustavo, el casero, para ver cuándo podéis renovar el contrato.

7. Llamó Marta para pedirte que la llames. Tiene un abrigo nuevo.

8. Llamó tu madre otra vez para recordarte que el 27 es el cumpleaños de tu abuela.

 Ficha 3: *Hablar con los dedos. Producción escrita y oral.*

2 Las aulas autosuficientes

El objetivo de este epígrafe es consolidar el aprendizaje del discurso referido, que antes se ha trabajado de manera más controlada. Se trata de que el alumno se dé cuenta de que la transmisión de una información no consiste solamente en hacer una serie de cambios de tipo gramatical, sino que dicha información se procesa y se interpreta de manera que el discurso referido consistirá en resumir y transmitir el contenido desde nuestro punto de vista.

2.1.1. y 2.1.2. Después de la lectura del texto, pedimos al alumno que lo reelabore resumiendo la noticia. De esta manera, se ponen en funcionamiento estrategias de lectura que le permitirán adquirir la habilidad de extraer la información clave de un texto. Es por este motivo por el que le pedimos que lo resuma por partes y en una sola línea. El trabajo en grupo le permitirá reflexionar sobre este punto.

¡No me digas! es una expresión coloquial que puede denotar sorpresa ante una noticia que nos transmite nuestro interlocutor. Alude también al "Diga" que se usa en España para contestar al teléfono y que es el tema léxico central del epígrafe.

3.1.

3.2. **1.** c; **2.** a; **3.** b; **4.** f; **5.** d; **6.** e.

3.2.1. **1.**Verdadero, noticia 4: el IMEI es un código único de 15 dígitos que identifica a cada aparato; **2.** Falso, noticia 4: más de 30 millones de españoles tenemos móvil; **3.** Falso, noticia 2: los adolescentes envían entre 200 y 300 mensajes al mes y emplean unos 30 ó 40 minutos para hablar por teléfono; **4.** Verdadero, noticia 3: un mensaje de móvil avisa a los padres de que su hijo no ha asistido a clase; **5.** Falso, noticia 1: es importante tener en cuenta si el sistema utiliza los altavoces del coche o no; **6.** Verdadero, noticia 6: la revolución en la atención de las emergencias es la inmediatez del aviso; **7.** Verdadero, noticia 5: los teléfonos móviles con tarjeta prepago van a dejar de ser anónimos.

3.2.3. **1.** Ser amante de lo ajeno; **2.** Acabar entre rejas.

3.3. **1.** d; **2.** h; **3.** g; **4.** c; **5.** j; **6.** a; **7.** b; **8.** i; **9.** f; **10.** e.

3.4. • **Información conocida:** diálogos 2, 4, 6. En los tres casos se muestra indiferencia.
   • **Información desconocida:** diálogos 1, 3, 5, 7, 8.
   • **Muestra sorpresa:** 1, 3 y 8.
   • **Muestra incredulidad:** 5 y 7.

3.4.1. • **Sorpresa:** ¡No me digas!; ¡¿De veras?!; ¿Sí? ¡Es increíble!
   • **Indiferencia:** Sí, ya lo sabía; La verdad es que me da lo mismo; Sí, no me sorprende.
   • **Incredulidad:** ¡Ya será menos!; ¡Eso no te lo crees ni tú!

4.1. Explicamos a nuestros alumnos que un foro es un recurso de Internet que nos permite intercambiar mensajes escritos con otras personas sin que sea necesario que nos encontremos en el mismo lugar o en el mismo espacio de tiempo. De este modo podemos pedir consejos y aconsejar a otras personas, intercambiar opiniones y experiencias, etc.

4.2. El tipo de lengua que utiliza es coloquial; descuidada y se acerca a la lengua oral.

4.2.1. **1.** trabajo; **2.** flirtear, coquetear... fijarse en alguien y que alguien se fije en ti; **3.** una persona que se cree el ombligo del mundo, mejor que los demás; el más guapo, el más inteligente...; **4.** gustar; **5.** persona que presume de sus cualidades personales; **6.** terminar un asunto, ponerle fin; **7.** sirve para manifestar que queremos poner fin a una situación o conversación; **8.** divertirse mucho, pasárselo en grande; **9.** chico, chica.

3 Te odio, te amo, móvil

5.1.1. El objetivo de esta actividad es que debatan y que se den cuenta de que hay aspectos culturales diferentes incluso a la hora de usar un móvil. Por ejemplo, en España nos sienta mal que alguien tenga activado el buzón de voz y en otros países se considera poco cortés no tener activado este servicio.

5.1.3. 1. informal, fijo, argentinas; **2.** Móvil, cercana: amigos, pareja..., españolas; **3.** Informal, sí, que llamó Graciela, argentinas; **4.** No, no, ecuatorianas; **5.** Formal, por Raúl Pérez, españolas; **6.** Formal, Hugo Wingeyer, argentinas; **7.** La madre de Samuel, fijo, españolas.

5.2. 1. Desengañarse; **2.** Engañar a alguien; **3.** Admitir el valor de una persona; **4.** Disfrutar del éxito; **5.** Algunos recogen el éxito del trabajo de otros.

 **Ficha 4: Chat** *para conocer a hispanohablantes.*

Autoevaluación

3. **a.** Imperfecto de indicativo; **b.** Pretérito pluscuamperfecto de indicativo; **c.** Pretérito pluscuamperfecto de indicativo; **d.** Pretérito imperfecto de subjuntivo; **e.** Pretérito pluscuamperfecto de subjuntivo; **f.** Pretérito imperfecto de subjuntivo.

Ficha de claves (3).

Unidad 3

Expresión referida a la necesidad de llamar a las cosas por su nombre y no de una manera eufemística o dando rodeos. La utilizamos como título de la unidad porque el estudiante va a aprender a definir de una forma más precisa.

1.1. Este ejercicio se plantea a modo de precalentamiento para sondear sus conocimientos e introducir el contenido gramatical. Variación: primero escriben el nombre del compañero que imaginan y, después, directamente, se preguntan entre ellos para comprobar sus suposiciones.

1.1.1. Porque el antecedente es desconocido.

1.1.2. El verbo cambia a modo subjuntivo. *No hay nadie en clase que hable chino.*

1.1.3. Que se usa también el subjuntivo. *¿Hay alguien que hable chino?*

1.2. **1.** un coche; **2.** un pez; **3.** un perro; **4.** un loro; **5.** un mono; **6.** una mosca; **7.** relojes; **8.** un amigo; **9.** una guitarra; **10.** locura.

1.2.2. El principal objetivo de este ejercicio es que el alumno entienda que las oraciones de relativo funcionan como un adjetivo. También se trata de que vayan introduciéndose en el lenguaje poético o imaginativo. Por ejemplo, en "tengo un coche *que no anda*" podemos sustituir la oración por "*inmóvil*", nunca diríamos en un contexto no poético "tengo un coche inmóvil" pero sí podemos decirlo en una canción, por ejemplo. Se recomienda explicar a los alumnos en qué contexto sí utilizaríamos *inmóvil* como adjetivo o que fueran ellos los que pusieran ejemplos. Es un ejercicio adecuado para trabajar el diccionario.

1.3. indicativo; subjuntivo; hay; haya; subjuntivo; guste; hable; subjuntivo; guste; hable; hable.

2.1. Iniciamos una serie de actividades de léxico facilitadoras de la actividad final del epígrafe 2. Con el léxico que ya conocen y el trabajo de las greguerías, el profesor intenta que los estudiantes creen sus propias definiciones desviándose de la norma.

2.2. **3.** La "q" es la "p" que vuelve de paseo; **4.** El 6 es el número que va a tener familia; **5.** Los ceros son los huevos de los que salieron las demás cifras; **6.** El lector, como la mujer, ama más a quien más lo ha engañado; **7.** Los niños que serán los hombres precavidos son los que sacan punta a los dos extremos del lápiz; **8.** El día en que se encuentre un beso fósil se sabrá si el amor existió en la época cuaternaria; **9.** El vermú es el aperitivo al que se llama de tú; **10.** El pensador de Rodin es un ajedrecista a quien le han quitado la mesa.

2.3. **1.** g; **2.** c; **3.** l; **4.** a; **5.** b; **6.** d; **7.** f; **8.** h; **9.** i; **10.** j; **11.** k; **12.** e.

2.4. Retomamos el léxico producido en 2.1. para llevar a la práctica los contenidos gramaticales del epígrafe. Recomendamos el uso de la transparencia 5 durante la ejecución del ejercicio.

Transparencia 5: *Cuadro de los pronombres y adverbios relativos.*

Ficha 5: *Greguerías de animales. Léxico.*

3 Pensar en las musarañas

Entre todo el grupo se intenta buscar una explicación a la expresión que quiere decir no pensar en nada, dejar ir la mente. Una musaraña es una sabandija, un insecto o animal pequeño.

3.1. Las actividades bajo esta numeración persiguen trabajar los contenidos gramaticales de los epígrafes anteriores de una forma menos dirigida; asimismo, le sirven al profesor para determinar hasta qué punto sus alumnos han adquirido esos contenidos vistos.

3.1.4. La dinámica del ejercicio es como sigue. Un alumno del grupo elige uno de los objetos que aparecen dibujados en el libro y se lo enseña a sus compañeros. Tiene que tasar el objeto de acuerdo a los criterios de la tasación, intentando resaltarlo. El resto del grupo tiene que pujar poniendo "peros" al objeto de acuerdo a sus defectos, grado de conservación, etc., para conseguir pagar lo menos posible por el mismo.

3.2. Las actividades bajo esta numeración trabajan la comprensión lectora pero, al mismo tiempo, tienen como objetivo introducir el tema del aburrimiento en la juventud actual. El fin es provocar polémica y servir de actividad de precalentamiento para los siguientes epígrafes donde se trata el tema del uso del tiempo libre por parte de los jóvenes.

3.2.1. Crítico.

3.2.2. c) *La protesta no es ya como en mayo, exigiendo la vuelta de la inteligencia. Lo que ahora se quiere es encontrar un antídoto contra el aburrimiento.*

4 ¿Nos echas una mano?

Este epígrafe trabaja el tema del voluntariado como actividad que puede formar parte del ocio. Se retoman las conclusiones de 3.2.4. y se escribe en la pizarra la palabra "Aburrimiento". Tienen que escribir por parejas todo aquello que puede combatir este estado. Después, se pone en común y se sacan conclusiones entre todo el grupo. Se llega al concepto de "Ocio" y se relaciona con la expresión del epígrafe para realizar las actividades posteriores.

4.1. La expresión significa "ayudar".

4.2. Voluntario, solidario, colaborador.

4.4. **1.** Rosa, Cruz Roja, hay momentos en este trabajo muy gratificantes que lo compensan todo; **2.** Gonzalo, *Médicos sin fronteras;* se siente en deuda con los que no han podido estudiar; **3.** Susana, *Mensajeros de la paz,* se siente bien cuando hace este trabajo; **4.** Ramón, *Greenpeace*, es consciente del peligro en el que se encuentra nuestro planeta y piensa que todos debemos ayudar.

4.5. En la línea anterior, la frase tiene la función de provocar para que los estudiantes hablen.

5 Nos va la marcha

La expresión significa que nos gusta salir a divertirnos. En este epígrafe se sigue tratando el tema del ocio para trabajar el lenguaje coloquial relativo a salir de fiesta en España y en Argentina.

5.1. Es una actividad facilitadora para el trabajo de contrastes culturales y fomentar al mismo tiempo la interculturalidad ya sea en grupos monolingües como plurilingües. Se recomienda el uso de la fotografía en color de la transparencia 6.

Transparencia 6: *Nos va la marcha. Producción oral.*

5.2. **1.** c; **2.** n; **3.** b; **4.** k; **5.** g; **6.** a; **7.** m; **8.** o; **9.** i; **10.** ñ; **11.** h; **12.** e; **13.** d; **14.** j; **15.** f; **16.** l.

5.2.1. **a.** 2; **b.** 1; **c.** 4; **d.** 3; **e.** 6; **f.** 5.

Ficha 6: *Pronombres y adjetivos relativos. Ejercicios de práctica controlada.*

Ficha de claves (5 y 6).

Unidad 4

1.1.1. Iniciamos la unidad partiendo del hilo temático con una preactividad que provoque debate y motive a los alumnos a participar del tema de la unidad. El profesor podrá reconducirla a una actividad más dirigida planteando preguntas del tipo: *¿Qué géneros de cine os gustan? ¿Qué directores y películas españolas conocéis? ¿Qué opinión tenéis de ellas? ¿Ponen películas españolas en los cines de tu ciudad o tu país? ¿Es reconocido el cine español en tu país?* Estas preguntas irán encaminadas al trabajo posterior de comprensión lectora sobre la eterna crisis del cine español de la actividad 1.2. y siguientes. Es posible también realizar la preactividad a partir de la foto de la portada de la unidad en la que Pedro Almodóvar recoge el Oscar al mejor guion original por su película *Hable con ella* en el año 2003.

1.2. La ilustración hace referencia al cine como negocio. Se trata de una actividad preparatoria del texto que viene a continuación.

1.2.5. Con esta actividad iniciamos una secuencia de trabajo del léxico del cine.

Un espectador; el público ➡ ver la película; un profesional; el productor ➡ producir, financiar; el director ➡ dirigir.

1.2.6. • **Antes:** un proyecto, la financiación, dirigir una película, la sala de montaje, una secuencia, el cartel, el director, producir una película, el costo, rodar una película, el productor, financiar una película, una gran producción, un profesional.

• **Después:** un espectador, estrellarse, la taquilla, un Goya, una secuencia, los premios de la Academia, la estatuilla, la sala, recaudar, la entrada, el público, estar en la cumbre, una gran producción, un profesional.

1.2.7. el espectador, el público; financiar, producir; la estatuilla, un Goya, los premios de la Academia; un profesional, el director, el productor; una película de alto costo, una gran producción; estrellarse, fracasar; estar en la cumbre, triunfar.

1.2.8. **1.** falso; **2.** falso; **3.** verdadero; **4.** verdadero; **5.** verdadero.

1.2.9. • No me quita el sueño: no me preocupa demasiado, no le doy mucha importancia a algo.

• mola lo suyo: expresión coloquial que significa: me gusta mucho.

• me entra un subidón: me pongo contentísimo, eufórico.

• ¿para qué te vas a amargar?: no merece la pena preocuparse.

• me lo he pasado de miedo: me he divertido muchísimo.

• disfruto de lo lindo: me divierto mucho.

1.2.10. **1.** mola lo suyo; **2.** no me quita el sueño; **3.** me entra un subidón; **4.** ¿para qué te vas a amargar?; **5.** me lo pasé de miedo/disfruté de lo lindo; **6.** disfruté de lo lindo/me lo pasé de miedo.

Conviene aclarar a los estudiantes que "mola lo suyo" y "me entra un subidón" son expresiones coloquiales propias de la jerga juvenil.

1.3. Con esta actividad se pretende introducir la idea de perífrasis de una forma gráfica, para que el concepto se asimile mejor y se aborde el tema gramatical con la mayor motivación posible, ya que suele ser un punto algo amargo para el estudiante.

1.3.1. **1.** Los he puesto/colocado/ordenado...; **2.** ¿Ya has parado de estudiar? ¿Ya no estudias más? ¿Ya has cesado de estudiar?

1.3.2. En la primera viñeta, el verbo *dejar* significa *poner*. El verbo *dejar* en la segunda forma parte de la estructura: *dejar + de +* infinitivo y la usamos para hablar de la interrupción de una acción (que va en infinitivo). Es sinónimo de *ya no más*. *He dejado de estudiar = ya no estudio más*. Este tipo de estructura se llama perífrasis verbal.

1.3.3. Las perífrasis verbales son expresiones compuestas por un verbo seguido del infinitivo, del gerundio o del participio de otro verbo, introducidos o no por una preposición. La unión de estos elementos da una intención comunicativa diferente a la acción expresada por el infinitivo, gerundio o participio.

1.3.4. **1.** c; **2.** h; **3.** j; **4.** b; **5.** k; **6.** d; **7.** f; **8.** e; **9.** a; **10.** g; **11.** i; **12.** m; **13.** n; **14.** l; **15.** o; **16.** p; **17.** ñ; **18.** q.

El profesor hará la corrección apoyándose en las transparencia 7 y 8 y en los ejemplos de 1.2.1. y 1.2.3. para ayudar a la reflexión.

Transparencias 7 y 8: *Perífrasis de infinitivo, gerundio y participio.*

Asimismo, para reforzar, proponemos las dos actividades siguientes:

A. En las perífrasis vistas en 1.3.4. encontrarás algunas formas antónimas, ¿puedes localizarlas?
Llevar + gerundio + expresión de tiempo / llevar sin + infinitivo; seguir + gerundio/ dejar de +infinitivo; no acabar de + infinitivo / acabar + gerundio.

B. Busca en el texto de 1.2.1. y 1.2.3. frases que contengan las estructuras del cuadro.
- *No acabar de* + infinitivo
- *Seguir sin* + infinitivo
- *Dejar de* + infinitivo
- *Llevar* + (expresión de tiempo) + infinitivo
- *Seguir sin* + infinitivo
- *Seguir* + gerundio
- *Volver a* + infinitivo

Una vez localizadas, evita las perífrasis usando sus expresiones sinónimas:

todavía • todavía no • ya • ya no • otra vez • de nuevo • desde hace • hace un instante
hace un momento • hace poco tiempo • hace mucho tiempo.

1.3.7. y **1.3.8.** Esta comprensión auditiva tiene dos objetivos: por un lado, volver a encontrar en contexto algunas perífrasis y que los alumnos, de una forma no controlada, las reproduzcan al querer contar lo más importante de la entrevista, y, por otro, como preactividad para la expresión oral posterior.

El profesor hace salir de clase a la mitad del grupo, pondrá la entrevista y al final hará entrar al resto del grupo, harán la actividad 1.3.8. Volverán a escuchar una segunda vez la audición y los compañeros que salieron opinarán sobre cómo les han transmitido la información sus compañeros; ¿habrían dado ellos la misma información?, ¿qué hubieran añadido u obviado? Al final se les proporciona la transcripción.

En la audición aparece la perífrasis sinónimo de *dejar de* + infinitivo: *parar de* + infinitivo más usada en el nivel oral que en el escrito.

2 La vida es una tómbola

El profesor empezará a trabajar reflexionando sobre el título del epígrafe. Les pedirá a los alumnos que hagan hipótesis sobre su significado. La frase hace referencia al estribillo de una canción que estuvo de moda en los años 60, en la época yeyé, cantada por Marisol, gran estrella de la canción y del cine en aquella época. La expresión significa que la vida es una caja de sorpresas, una lotería, nunca sabes lo que te va a tocar, en lo que se va a convertir tu vida.

2.1. Proponemos al profesor la siguiente preactividad que sirve de pretexto para introducir el trabajo de los verbos de cambio. El profesor llevará a clase fotos de Madonna, Penélope Cruz, Tom Cruise, Pierce Brosnan, Benicio del Toro, Julia Roberts, Brad Pitt, Angelina Jolie y Lucy Liu. Se les preguntará si conocen a estos famosos; de pequeños, todos ellos soñaban con ser: a) monje franciscano; b) monja; c) comefuegos; d) detective; e) bailarina; f) abogado; g) veterinaria; h) periodista; i) enterradora; aunque luego todos ellos fueron actores o cantantes. ¿Podrían adivinar los alumnos a quién corresponden estas profesiones?

Preactividad: Madonna: b); Penélope Cruz: e); Tom Cruise: a); Pierce Brosnan: c); Benicio del Toro: f); Julia Roberts: g); Brad Pitt: h); Lucy Liu: d); Angelina Jolie: i)

1. verdadero; **2.** falso; **3.** verdadero; **4.** falso; **5.** verdadero; **6.** falso; **7.** verdadero; **8.** falso; **9.** verdadero; **10.** verdadero.

2.1.1. ha llegado a ser; convertirse en una de nuestras actrices españolas; hacerse bailarina; quedó tan harta; se volvió vegetariana; se hizo budista; se convertía en una actriz; ha llegado a ser imagen; se puso tan contenta; terminó dando; se ha vuelto muy desconfiada; te ponen nerviosa.

Después del trabajo de la comprensión auditiva, el profesor les facilitará fotocopia de la transcripción para empezar a trabajar los verbos de cambio.

2.1.2. Los medios de comunicación te ponen nerviosa. Se puso rojo como un tomate; Nuestra actriz se ha vuelto muy desconfiada. Se ha vuelto un antipático; Se convertía en una actriz vista en todo el planeta en su papel de personaje ñoño. Se convirtió en el hombre más violento del mundo; Se hizo budista; Ha llegado a ser imagen de la marca Ralph Lauren. Llegó a ser un personaje muy popular; Quedó muy harta de tanta fama; Terminó dando una imagen frívola. Acabó siendo la actriz más famosa de España.

2.2. Posible clave:

1. Mi hermano pidió un crédito al banco y se hizo empresario; **2.** Esta película se ha hecho muy famosa por la escena final; **3.** Cuando me encontré en el tren a mi actor favorito me puse roja como un tomate; **4.** Marta se pone nerviosa al escuchar hablar a ese periodista; **5.** Este director de cine se ha vuelto muy miedoso, siempre va con un montón de guardaespaldas; **6.** Dicen que el guionista de la película se volvió loco después de terminar de escribir el guion; **7.** Tu amiga llegará a ser una persona importante dentro de la empresa, es muy ambiciosa; **8.** Siempre dice que, después de rodar una película, acaba agotado, sin fuerzas; **9.** Después de la fiesta, la casa quedó muy sucia; **10.** La sala de cine que había en mi pueblo se ha convertido en un centro cultural.

2.2.1. Según la posible clave anterior:

• Cambio duradero: 1, 2, 5, 6, 7, 10.

• Cambio más o menos momentáneo: 3, 4, 8 ,9.

2.3. **a.** vergüenza; **b.** miedo; **c.** enfado; **d.** empacho; **e.** envidia.

a. Ponerse rojo, vergüenza; **b.** ponerse blanco, miedo; **c.** ponerse negro, enfado; **d.** ponerse morado, empacho; **e.** ponerse verde, envidia.

2.3.1. El objetivo es que los estudiantes usen, a partir de las viñetas, estos verbos: *hacerse, ponerse, volverse, llegar a ser, acabar, quedar, convertirse.*

Posible clave: Nuestro personaje empezó trabajando en una empresa como administrativo, pero con el tiempo y su trabajo **llegó a ser** director de un departamento importante. Sin embargo, no era feliz, su sueño era otro. Fuera del trabajo, se pasaba las horas en su casa viendo películas y películas en su vídeo; soñaba con **llegar a ser** un director de cine muy famoso. Un día, fue al estreno de una película de su actriz favorita; a la salida, esta le dio un beso en la mejilla, **se puso rojo**, nunca olvidará ese día. Otro día, paseando se encontró un billete de lotería, ¡increíble!, le tocó, **se hizo rico**. Lo primero que hizo fue ir a la empresa y despedirse. **Todos se pusieron verdes** de envidia. Después, fue a un restaurante argentino a festejarlo con sus amigos y **se puso morado** a comer carne, mucha carne; **se puso muy enfermo** y estuvo dos meses ingresado en un hospital. **Se quedó delgadísimo**. Después de esa experiencia, no volvió a comer carne y **se hizo vegetariano**. Viajó por todo el mundo, cambió de religión, **se hizo budista** y conoció en un hotel de lujo a esa actriz que un día le dio un beso en la mejilla. Tuvieron un romance apasionado, **se volvió loco** de amor. Decidió hacer cine, lo que siempre había soñado; ganó premios y **se convirtió en** un director de cine muy famoso.

2.4. Este juego sirve para practicar los verbos de cambio y expresiones con *ponerse* + adjetivo. Funciona igual que el juego de la oca. Cada participante se colocará en la casilla de salida, saldrá primero el que haya sacado el n.º más alto con el dado; avanzará tantas casillas como indique el dado. Hay tres tipos de casillas: unas en forma de viñeta, en donde deberá describir lo que ve y decir qué cambios percibe; otras, en donde deberá responder a una pregunta personal relacionada también con cambios; y otras, especiales: las casillas 5 y 11: "de tómbola a tómbola", que le permitirán pasar de una a otra, si caen en ellas, y podrán tirar de nuevo el dado; la casilla 8: "la calavera": el estudiante que caiga en ella deberá situarse en la casilla de salida; la casilla 15: "la prisión", le dejará dos veces sin jugar.

3 Esto va de cine

3.1. Iniciamos este último epígrafe con una comprensión auditiva cuyo objetivo es trabajar la valoración subjetiva matizada con adjetivos y adverbios que intensifican. También se hará hincapié en los diferentes tipos de registros (coloquial y estándar). La audición se puede trabajar individualmente o también en parejas, puesto que así pueden contrastar informaciones.

Opinión 1 ➡ foto b; opinión 2 ➡ foto d; opinión 3 ➡ foto a; opinión 4 ➡ foto c.

3.1.1. Ernesto: el cine español no le gusta demasiado, sí Amenábar y las comedias, pero lo que le gusta es el cine americano porque hay mucha acción y efectos especiales; Álvaro: el cine americano es comercial y gusta a todo el mundo, pero a él le parece más interesante el cine español porque te hace pensar; Lolo: no le gustan ni el cine español porque siempre hay lo mismo, sexo y drogas, ni el cine americano porque es violento y muy fantástico; Fernando: le gusta todo tipo de cine, no es exigente, el cine español está en crisis porque no hay ayuda del gobierno.

3.1.2. Álvaro: 1. extraordinariamente; **2.** de lo más interesante; **Fernando: 1.** la mar de; **Ernesto: 1.** mogollón de; **2.** a saco, a tope; **3.** un huevo; **4.** la tira de; **Lolo: 1.** sumamente; **2.** el colmo de.

3.1.3. Mogollón de, a saco, a tope, un huevo, la tira de.

3.1.4. • **1.** sumamente; verdaderamente; realmente; **2.** la tira de; cantidad de; el colmo de; mogollón de; **3.** a tope; **4.** un huevo; cantidad. No pertenece a ninguno de los cuadros de lo más + adjetivo/ adverbio.

Ficha 7: *Ficha-tipo para la explotación de películas basadas en obras literarias.*

Esta ficha es un patrón para el trabajo de cualquier película que esté basada en una obra literaria, por ello, los puntos A y B, D y E se mantienen. En cuanto al punto C, el profesor simplemente deberá buscar en la obra literaria el fragmento que quiera trabajar y se corresponda con la escena o escenas que desea explotar de la película en cuestión.

3.2., 3.2.1. y **3.2.2.** Esta actividad se constituye como una especie de tarea final donde los estudiantes podrán integrar las cuatro destrezas y podrán poner en práctica vocabulario, funciones y los elementos gramaticales vistos a lo largo de la unidad, aunque recomendamos que sea una práctica libre en donde ellos puedan pasar un buen rato.

Es imprescindible que el profesor lleve material como por ejemplo cartulinas, rotuladores de colores e incluso periódicos o revistas de videoclub para que ellos puedan recortar la carátula de las películas que van a recomendar (esto último es opcional).

En primer lugar, el profesor hará que sus estudiantes se centren en la lectura para sacar la conclusión de que se trata de una recomendación de una película que puede aparecer en una revista de cine, en el periódico... y que está dirigido al espectador con la función de orientarle a la hora de decidir a qué película ir. Tras esto, se hará en común un sondeo en la clase sobre las últimas películas que los estudiantes han visto; el profesor escribirá la lista en la pizarra. Se les indicará que tienen que hacer tres secciones donde recomienden:

Película para ver: 1. Con los padres/ hijos. 2. Con los amigos y en pandilla. 3. Con tu pareja.

Debajo de cada una de estas secciones, tienen que poner el título de la película, actores protagonistas, breve argumento y breve opinión. Aquí deberán utilizar, jugando con los diferentes registros (recomendación para padres / amigos / novio / novia), las expresiones de valoración trabajadas con anterioridad.

 Ficha 8: ¡Átame! *de Pedro Almodovar. Léxico.*

Esta ficha tiene tres objetivos: por un lado, recoge el trabajo de léxico de toda la unidad; por otro, se trabaja el aspecto cultural; y en tercer y último lugar, nos centramos en el reconocimiento y trabajo en contexto de "los tacos" y su valor expresivo.

Autoevaluación

4.1. **1.** intento; **2.** género; **3.** cineasta; **4.** intento; **5.** cinta; **6.** antaño; **7.** ganas.

 Ficha de claves (8).

Unidad 5

1 Con la música a otra parte

Está expresión introduce el tema principal de la unidad que gira en torno a la música. Irse, marcharse "con la música a otra parte" es despedirse simplemente, utilizando un tono humorístico o, según el contexto, despedir o reprender a alguien que viene a incomodar o con impertinencias.

1.2. El profesor recoge las definiciones de argumentos y elaborará con ellas una que fijará en la pizarra con la ayuda de los estudiantes.

Argumento: Es el razonamiento con el que se arguye o responde. Las acciones que estamos realizando son dos: *argumentar* (dar argumentos para sostener una opinión) y *argüir* (exponer alguien ciertas razones para sostener su opinión contra los otros). *Alegar:* exponer una justificación.

Cuando tenemos una opinión la apoyamos con argumentos y ejemplos. La conclusión de nuestra defensa la hacemos, exponiendo de nuevo nuestras ideas con otras palabras.

1.2.1. • **Argumentos.**

Chat 1: No puedo comprar discos de hasta 22 euros porque no tengo dinero para comprarlos / Si no los pirateo no puedo escucharlos / La gente puede piratear discos porque puede comprarse una grabadora por 100 euros y los CD vírgenes por hasta 30 céntimos.

Chat 2: Estoy a favor de la piratería porque no tengo un sueldo de 1200 euros ni una grabadora / Las discográficas que no estén de acuerdo pueden presionar a las compañías que fabrican CD.

Chat 3: No me puedo permitir comprarme todos los CD que me gustan / La piratería no desaparecerá a menos que los CD originales bajen los precios sustancialmente.

• **Citas.**

Chat 1: Como decía un cantante de un grupo: "Cuando los artistas ganan dinero de verdad es en los conciertos, no con la venta de discos".

Chat 3: Como tú dices: "los precios son excesivos".

• **Ejemplos.**

Chat 1. Como los compro yo.

Chat 3: Como "Kazaa".

1.3.1. Se recomienda la corrección del ejercicio con la transparencia 9.

Transparencia 9: *Argumentos a favor y en contra de la piratería musical.*

1.3.2. Se recomienda corregir este ejercicio con la transparencia 9.

El texto más subjetivo es el que está en contra de la piratería. Los elementos que lo hacen más subjetivo son el uso de adjetivos calificativos, preguntas retóricas, frases exhortativas, etc. Por ejemplo: tema que genera polémica / un grupo de desalmados / muchos profesionales han ido al paro / cada vez... cada vez... cada vez... / consecuentemente se perderán miles de puestos de trabajo / cuatro delincuentes... por la inconsciencia de ... / ¿Es que...? ¿Es que...? / ¿Acaso...? / ¿Creen que el pirata de turno...? / seamos serios / inmigrantes ilegales / ...cometiendo un delito penal / ...es una lacra que debe ser erradicada / los que compran estos discos cometen un delito penal, mantienen toda una mafia / esa delictiva actividad / solo me resta pedirles su colaboración / que sean conscientes.

1.3.3. • **Presentar argumentos:**

- – Texto 1: El tema que hoy vamos a abordar...

- – Texto 2: A manera de introducción, podemos decir que últimamente no es posible ver la televisión, leer un periódico...

• **Organizar argumentos:**

- – Texto 1: Hay que tener en cuenta distintos aspectos. Según...

- – Texto 2: Hay que hablar de diferentes puntos. Lo primero que...

• **Añadir argumentos y opinar:**

- – Texto 1: Además, hay que tener en cuenta...

- – Texto 2: Y mi postura es a favor de la piratería. Esta no es sino un cambio de sistema...

• **Conclusión:**

- – Texto 1: Para terminar, sólo me resta pedirles su...

- – Texto 2: En resumen, se está produciendo un cambio...

¡Como lo oyes! **2**

2.1. *¡Como lo oyes!* es una expresión enfática que confirma al interlocutor que la información que estamos proporcionando es cierta aunque pueda parecerle increíble. Antes, hemos tratado la piratería musical y ahora vamos a tratar los nuevos grupos o cantantes con fines comerciales. Por este motivo, hemos buscado dos grupos muy diferentes y conocidos. Uno es un producto de marketing y el otro se hizo a sí mismo. Hay muchas más diferencias; intentemos que los alumnos las encuentren.

2.2. **1.** c; **2.** d; **3.** g; **4.** e; **5.** f; **6.** a; **7.** b; **8.** h.

2.2.1. y **2.2.2.**

Oyente 1	En contra	¡Claro que no! No se puede aceptar que...
Oyente 2	A favor	Naturalmente. ¿Por qué no?
Oyente 3	En contra	¡Que va! Estoy en contra porque...
Oyente 4	A favor	Hasta cierto punto sí, pero...
Oyente 5	A favor	Sí, pero no deberíamos olvidar que...
Oyente 6	A favor	Me parece bien. Soy partidario de que...
Oyente 7	En contra	Estoy totalmente en contra. Me niego a aceptar que..

2.3. • **Expresar acuerdo:** Estoy de acuerdo; Vale; ¡Claro que sí!; ¡Muy bien dicho!; En efecto; Estoy a favor; Evidentemente; Lógico; Es indudable; Es obvio; Soy de la misma opinión.

• **Expresar parcialmente desacuerdo:** No estoy de acuerdo al cien por cien; No lo veo muy claro que digamos; No es que lo vea mal; Puede ser, pero.

• **Expresar desacuerdo:** No estoy de acuerdo; No lo veo bien; ¡Por supuesto que no!; Eso no tiene sentido; Yo en eso discrepo.

2.3.1. • **Negación enfática:** ¡Jamás de los jamases!; ¡Que te crees tú eso!; ¡Nunca en la vida!; ¡Anda ya!; ¡Estás listo!; ¡Ni de coña!; ¡Ni en broma!; ¡Ni lo sueñes!; ¡Eso!

• **Desacuerdo con implicación:** ¡No digas tonterías!; ¡Tú estás loco!; Pero ¿qué dices?; ¡No me vengas con historias!; ¡Estás mal de la cabeza!; No sabes lo que dices; ¿Y eso, de dónde lo has sacado?; Deja de decir chorradas; Eso no tiene ni pies ni cabeza.

2.3.2. Se trata de que los alumnos lleven a la práctica la argumentación a favor y en contra que hemos estado tratando durante todo este epígrafe. Para ello, les hemos dado todos los conectores y expresiones necesarias. Van a trabajar por parejas y ponerse en las situaciones que se sugieren en las fichas. Se pueden inventar otras como:

- **Dos buenos amigos**

  Situación: Estáis planeando las vacaciones y no os ponéis de acuerdo porque los dos queréis ir a sitios rarísimos y hacer cosas extrañísimas.

- **Pareja (novios)**

  Situación: Estáis haciendo los preparativos de la boda y no coincidís en nada.

- **Compañeros de clase**

  Situación: Vuestro profesor os ha mandado hacer un periódico y no os ponéis de acuerdo en la organización.

- **Padre e hijo**

  Situación: El hijo quiere una moto y el padre quiere comprarle un coche de los que se pueden conducir sin carné.

3 ¿Actuamos como pensamos?

3.1. El profesor dirá a sus estudiantes que se coloquen por parejas en las que uno esté a favor y otro en contra de la piratería. Se hacen las encuestas. Después, tienen que comprobar si realmente han actuado como pensaban de antemano. Es un ejercicio donde tendrán que utilizar todas las expresiones que han aprendido para argumentar y expresar acuerdo o desacuerdo.

4 ¡Azúcar!

Celia Cruz (1929 - 2003)

Nació en La Habana, Cuba y murió en EE. UU. Es considerada la Reina de la Salsa. A principios de los cincuenta ella reemplazó a Myrta Silva en el legendario grupo *La Sonora Matancera*, convirtiéndose en el grupo más memorable de la música afrocubana. En 1960, deja su tierra natal y se muda a los Estados Unidos. Celia Cruz es reconocida por el uso de la palabra "¡Azúúúúúcar!". Según contó en el escenario, esta expresión surgió cuando trataba de conseguir suficiente azúcar para su querido café cubano. Después de contar la historia en varias ocasiones a reporteros y la audiencia, ella decidió repetir la palabra "Azúcar" cada vez que entraba y salía de un cuarto. Se ha convertido en lema de la música latina.

Este epígrafe trabaja la música como unión de culturas y como elemento cultural en sí.

4.1. Esta actividad pretende ayudar al profesor para saber qué conocimientos tienen sus alumnos sobre música latina, tema central del epígrafe, antes de tratar las actividades posteriores.

4.1.1. El tango, el bolero, el merengue, la rumba, la cumbia, el chachachá, la bachata, la ranchera

Proporcionamos información sobre estos ritmos latinos por si el tema mereciera mayor dedicación.

LA CUMBIA

La cumbia es el aire musical más representativo de Colombia. Sobre su origen, la mayoría de los especialistas en folclore reconocen su carácter triétnico; es decir, producto del aporte de tres culturas: negra africana, indígena y blanca.

- La negra aportó la estructura rítmica y la percusión (tambores).
- La indígena aportó las flautas (caña de millo y las gaitas) y, por ende, parte de la línea melódica.
- La blanca, por su parte, las variaciones melódicas y coreográficas, y la vestimenta de los danzantes.

Sea cual fuere el origen primigenio de la cumbia como ritmo y como danza, parece que, al principio, primero se dio la fusión negro-aborigen, en el marco del esclavismo, y luego, se enriqueció con el aporte de los europeos. Hoy por hoy, la cumbia expresa claramente el mestizaje de la cultura colombiana.

EL TANGO

El tango es una música de raigambre popular no folclórica típica de Buenos Aires.

Al igual que el jazz y el rock-and-roll, se concibe de la pluralidad de ritmos traídos a América por las distintas etnias. El tango es una danza de parejas abrazadas, en su origen no necesariamente de hombre y mujer, ya que también se bailaba entre hombres.

LA BACHATA

La bachata es un ritmo de cuerdas y percusión. Tiene su origen en la preciosa isla de la República Dominicana. Este ritmo se podría decir que es una mezcla del bolero de cuerdas y el son cubano. En sus principios, la bachata fue considerada por muchos como un ritmo de la clase baja, música de barrio. A la bachata nunca se le dio el mérito merecido en la República Dominicana y es una pena decir que este ritmo, que ha alcanzado fronteras nunca imaginadas, haya sido discriminado en su propia tierra hasta que un día un músico dominicano llamado Juan Luis Guerra sacó al mercado el álbum *Bachata Rosa* (1989), el cual alcanzó récords de ventas, tanto en su país como en el resto del mundo.

MERENGUE

La pequeña isla que contiene los países de Haití y la República Dominicana ha producido grandes sonidos a través de los siglos. Dentro del ambiente de la música bailable afrocaribeña, el estilo dominicano del merengue ha jugado un papel muy importante. Como baile, el merengue es mucho más sencillo que sus primos cubanos, consistiendo en una danza de dos pasos. Su instrumentación consistía en una güira, la tambora, la marimba y el acordeón de origen alemán. En los años 30, el merengue fue reconocido como símbolo y estilo musical nacional, y a través de su modernización, eventualmente influyó en el ambiente musical latino por su enorme popularidad.

CHACHACHÁ

Ritmo, danza y canción de origen cubano, derivado del danzón y bajo la influencia del son. Tal como recopiló el musicólogo Helio Orovio en su *Diccionario de la música cubana,* el creador del chachachá, Enrique Jorrín, contaba que, a finales de la década de 1940, construyó algunos danzones en los que los músicos de la orquesta hacían pequeños coros. En 1948, decidió independizar del género las últimas partes. De esta manera, nacía el chachachá con melodías casi bailables por sí solas. Pero fue en México donde se dio a conocer mejor y cobró gran popularidad, para luego extenderse al resto de América Latina, e incluso, a Estados Unidos.

Se trata de un baile festivo cuyas canciones contienen letras de tipo picaresco. El nombre de chachachá sugiere los tres pasos seguidos que se ejecutan para acentuar el ritmo de la melodía. Normalmente, lo interpreta una charanga que contiene flauta, violines y percusión, o bien, una orquesta típica.

BOLERO

Algunos estudiosos lo definen como danza centroamericana, originada, quizás, en la región oriental de Cuba o, según los portorriqueños, en Puerto Rico. También es muy popular en la República Dominicana. De una manera general, puede decirse que el bolero portorriqueño es más sentimental que el cubano o el dominicano, que son de texto y carácter mas alegre y zumbón.

En la década de 1950, alcanzó su mayor apogeo en México. La base musical la componían dos guitarras y un requinto para las melodías, a lo que se sumaban dos voces que realizaban las armonías. Así lo idearon Los Panchos en 1944.

A pesar de todas sus modificaciones a lo largo de los años, el contenido de sus letras ha tratado siempre sobre amores imposibles o inútiles. En Cuba, suele llamarse bolero sangriento a aquellas historias narradas en las que la muerte por desamor, el crimen apasionado o el suicidio son capaces de arrancar lágrimas a los oyentes. Las copas y el beso en la penumbra han sido temas también socorridos en este tipo de canción.

LA RANCHERA

Típica canción mexicana, es aquella en la que, con un lenguaje sencillo y cotidiano, se hace referencia al ambiente propio del rancho y su entorno, paisaje, tradiciones, indumentaria, gastronomía, oficios y faenas, relaciones sentimentales, estados de ánimo, etc.

Esta forma de canción se ha dado por igual en los ranchos de todas las regiones de México y contiene, algunas veces, características locales muy propias, y también ha sido punto de inspiración para innumerables compositores, quienes, aun sin ser rancheros de origen, han abordado el tema con talento, ingenio y sensibilidad indiscutibles.

SALSA

¿Salsa o son? La confusión sobre la categorización de la música afrocaribeña tiene que ver tal vez más con estrategias de mercado (y asuntos políticos) que con diferencias actuales de la música. Después de la Revolución cubana y el éxodo de muchos músicos cubanos a los Estados Unidos, tuvo lugar una lógica separación en el desarrollo musical de ambos países. Esta separación causó un extraño debate sobre la terminología que se utilizaba para describir la música de origen cubano en los Estados Unidos. La palabra "salsa" creó tanta controversia desde su "invención" en los principios de los 70 que todavía crea discusiones entre las personas. Muchos cubanos insistían en que la salsa no existía, sino que era sencillamente el son cubano disfrazado para propósitos comerciales. La salsa no es un ritmo ni un estilo, sino más bien un término que sirve para representar la música de origen afrocubano en los Estados Unidos y Puerto Rico.

4.1.2. Se recomienda la utilización de la transparencia 10 para la corrección del ejercicio y la ampliación de los contenidos culturales.

El tango ➡ Argentina; el bolero y la rumba ➡ Cuba; el merengue, el chachachá y la bachata ➡ la República Dominicana; la cumbia ➡ Colombia; la ranchera ➡ México.

Transparencia 10: *La geografía de los ritmos latinos.*

4.1.3. **1.** Tango; **2.** Bolero; **3.** Merengue; **4.** Cumbia; **5.** chachachá, **6.** Bachata; **7.** Ranchera.

4.2.1. Es una bachata.

5 Un número uno

Esta expresión, aparte de hacer referencia a la canción más escuchada y más vendida con respecto a otras que están en el mercado discográfico, también es utilizada para aludir a alguien que es muy bueno en algo en concreto. Por ejemplo: *Mi hermano es un número uno haciendo paellas.* Destacamos en la clave las expresiones de tiempo y los pasados.

5.1. Esta chica es pura magia. Su canción "Suerte" es la culpable de que trillones de caderas se contoneen a un ritmo desenfrenado. El título parece una premonición porque, viendo dónde **ha llegado**, solo podemos exclamar: ¡Menuda suerte! Pero Shakira se lo **ha tenido** que currar de lo lindo para saborear la dulzura de la fama...

Es una joven artista ya veterana en esto de la música. Ahí donde la ves, Shakira lleva cantando i*desde los cinco años! Desde pequeñaja*, **tenía** súper claro que **quería** dedicarse a la música, que **había nacido** por y para ella. Sus padres **flipaban** viendo la decisión de aquella niña que no **levantaba** dos palmos del suelo y que se **encerraba** *día y noche* en su habitación para escribir canciones. Por eso, no **se extrañaron** lo más mínimo cuando, *con ocho años*, Shakira les **enseñó** la primera canción que **había compuesto**: "Tus gafas oscuras", un tema que **dedicó** a su padre. *A partir de entonces*, Shakira **comenzó** a aparecer en cantidad de programas de radio y televisión de su país. *En 1998*, **participó** por primera vez, en el concurso "Buscando artista infantil" y lo **ganó** *durante tres años seguidos*. Este concurso la **convirtió** en una pequeña gran estrella en su país, Colombia, y le **permitió** grabar su primer disco, "Magia", con solo 13 años. Pero el destino le **tenía** preparada la mayor de las muchas sorpresas que **se iba** a llevar *en su vida...*

El gran salto a la fama lo **dio** con 14 años y, gracias a la popularidad que **había alcanzado** en su país, una gran compañía musical le **propuso** a Shakira participar en una prueba. Y lo **hizo** tan realmente bien que la compañía la **contrató** *al momento*. El mundo **empezó** a oír *entonces* su exótico nombre y a quedarse fascinado por su rasgada voz y su impresionante contoneo de caderas sobre el escenario. *En 1993*, Shakira **grabó** su segundo disco, "Peligra", que no **tuvo** demasiado éxito y las dudas la **empezaron** a invadir. Unas dudas que **se convirtieron** en auténtica felicidad con "Pies descalzos", su siguiente y exitoso álbum, que la **dio** a conocer mundialmente. Viajes, conciertos, entradas agotadas y también lleva ganados 21 discos de oro, 54 de platino, los Grammy, los MTV Award... Con "¿Dónde están los ladrones?" y, por supuestísimo, con su último disco, "Servicio de lavandería", Shakira acaba de iniciar una súper maratón que la **ha llevado** a lo más alto del firmamento.

5.2. • **Pretérito perfecto:** 1, 2, 4, 8, 9.

• **Pretérito indefinido:** 1, 8, 9, 13.

• **Pretérito imperfecto:** 3, 6, 10, 11, 12, 14.

• **Pretérito pluscuamperfecto:** 5, 7.

5.2.2. En el caso en el que no haya posibilidad de acceso a Internet por parte de los estudiantes, proponemos al profesor que pida a los alumnos que recaben información de revistas y periódicos o, como alternativa, proponemos la ficha 9.

Ficha 9: *Biografía de Ricardo Arjona. Actividad alternativa al trabajo con Internet.*

5.3. Proponemos una audición para introducir la actividad posterior de expresión oral sobre el fenómeno fan. La audición representa el relato de una anécdota. El profesor puede trabajarla posteriormente para reforzar el tema de los pasados y los elementos que ayudan a contar una anécdota, por una parte, y a reaccionar ante el relato de esta, por otra.

Toca que te toca 6

En este epígrafe se intenta que los estudiantes unan las distintas artes: la música, la pintura y la poesía, y vean cómo se influyen y se inspiran las unas en las otras.

6.1. Después de comprobar entre todos la lista, se les ofrecen cinco minutos más, esta vez con ayuda del diccionario, para ampliarla.

6.2.1. El profesor intentará aportar al aula todo el material disponible sobre Picasso y Juan Gris que tenga, así como de otros artistas cubistas; si hay posibilidad de trabajar con Internet, a continuación aportamos direcciones útiles. Sería interesante hacer entrar a los estudiantes en la página web del Museo Reina Sofia y que hicieran un recorrido, al menos cibernauta, por este museo.

http://museoreinasofia.mcu.es/esp/coleccion.htm

http://www.artehistoria.com/genios/estilos/52.htm

http://www.palmexo.com/piston/cubismo.html

http://www.spanisharts.com/history/del_impres_s.XX/arte_sXX/vanguardias1/i_cubismo.html

6.3.2. Conviene decir a los estudiantes que, antes de hacer su poema, saquen del de Lorca las palabras que denotan tristeza, así les quedará la plantilla lista para escribir su poema al instrumento más alegre. Otro recurso que les puede facilitar la tarea es intentar sustituir esas palabras que denotan tristeza por otras antónimas.

Ficha 10: *A la verbena con la zarzuela.*

La verbena de la Paloma

Libro de Ricardo de la Vega y música de Tomás Bretón, se estrenó en el Teatro Apolo de Madrid el 17 de febrero de 1894. Desde su nacimiento, fue una de las obras más populares del *género chico* (solo un acto y con temas costumbristas de la vida madrileña). Esta obra tuvo su pequeña historia: Ruperto Chapí se comprometió a poner música al libreto. Por diversas circunstancias, el maestro Chapí abandonó la obra cuando ya estaba casi compuesta. El libro, después de pasar por varios músicos, cayó en manos de Tomás Bretón, un salmantino defensor de la ópera española en el que nadie creía, el cual en 19 días, por bares, plazas, bancos y esquinas compuso la partitura de *La verbena de la Paloma*.

El texto de la obra se inspiró en un hecho real acontecido al cajista de la imprenta donde Ricardo de la Vega publicaba sus obras. La acción transcurre en uno de los barrios más típicos de Madrid, cerca de la calle de Toledo, en la noche del 14 de agosto durante la celebración de dicha verbena. El argumento se centra en el pequeño drama de amor entre el honrado cajista, Julián, y la chulapa Susana. Esta y su hermana Casta, que viven con la tía Antonia, una vieja un poco celestina, coquetean con el boticario don Hilarión, un viejo verde que se hace ilusiones, sin darse cuenta de que las dos jóvenes solo quieren jugar con él para divertirse. Este juego causa los celos de Julián, siempre atendido por la maternal y consejera "Señá" Rita. Tras algunas peripecias en la verbena, el viejo queda burlado y triunfa el amor de Julián y Susana. El Madrid castizo de la época queda retratado en escenas maestras en la que aparecen tipos inolvidables: el tabernero, los guardias, el sereno, chulapas y chulapos que ponen contrapunto a la acción principal. Una de las escenas más famosas es la de *"Una morena y una rubia, hijas del pueblo de Madrid..."* en la cual don Hilarión duda sobre cuál de las dos hermanas le gusta más.

El clima dramático de la obra llega a su cénit en el segundo cuadro con la célebre habanera *"¿Dónde vas con mantón de Manila?"*.

Julián: ¿Dónde vas con mantón de Manila?
¿Dónde vas con vestido chiné?

Susana: A lucirme y a ver la verbena
y a meterme en la cama después.

Julián: ¿Y por qué no has venido conmigo,
cuando tanto te lo supliqué?

Susana: Porque voy a gastarme en botica
lo que me has hecho tú padecer.

Julián: ¿Y quién es ese chico tan guapo
con quien luego la vais a correr?

Susana: Un sujeto que tiene vergüenza,
pundonor y lo que hay que tener.

Julián: ¿Y si a mí no me diera la gana
de que fueras del brazo con él?

Susana: Pues me iría con él de verbena
y a los toros de Carabanchel.

Julián: ¿Sí, eh?, ¿Sí, eh?
Pues eso ahora mismo lo
vamos a ver.

Unidad 6

1.1. Preactividad concebida para introducir a los estudiantes en el tema que vamos a tratar, con intención de resaltar el concepto de memoria histórica, es decir, la necesidad de recordar los hechos del pasado para entender mejor los acontecimientos presentes y poder predecir situaciones futuras. La primera cuestión se refiere a la historia como asignatura, como materia de conocimiento. La última pregunta evalúa los conocimientos de los estudiantes y potencia la interculturalidad.

1.2. * Definiciones recogidas en el diccionario de María Moliner.
- Preservar*: servir para evitar que una cosa o persona sufra cierto daño o molestia. Proteger, resguardar.
- Reclamo*: reclamación contra algo.
- Fosa común*: fosa del cementerio donde se entierran los muertos para los que no se paga un enterramiento particular. Fosa: cavidad abierta en la tierra. Hoyo, tumba.
- Globo: Mundo. "Globo terráqueo".
- Paulatino*: se aplica a lo que se produce lentamente.
- Represalia*: daño causado por alguien como respuesta a otro recibido.
- Mundo penitenciario: ambiente o entorno carcelario.
- Pionero*: se aplica al que se adelanta a explorar o colonizar un país o inicia cualquier actividad preparando el camino para los que la siguen después.
- Campo de concentración: terreno cercado donde se tiene recluidas a ciertas personas como castigo o para tenerlas vigiladas.
- Depuración: limpieza.
- Cargos*: acusación, inculpación. "Hacer cargos": acción de atribuir a alguien una falta, culpa o delito.
- Conscriptos*: reclutas.
- Fusilado: ejecutado con fusil. Fusil*: arma de fuego semejante a una escopeta.

1.2.1. y **1.2.2.** Si el profesor así lo considera, puede mandar leer el texto por grupos y hacer una posterior puesta en común, manipularlo sacando algunos fragmentos o cortándolo. En cualquier caso, tras la lectura, se sacará la información relevante por medio de una puesta en común.

1.3. Los ejemplos son libres, no obstante, ofrecemos algunos:

Indicativo	Indicativo/subjuntivo	Subjuntivo
A lo mejor	Tal vez	Puede ser que
A lo mejor llegó anoche.	*Tal vez tuviera/tuvo suerte.*	*Puede ser que le guste.*
Lo mismo	Quizás	Puede que
Lo mismo se vieron en Roma.	*Quizás lo entendiera/entendió.*	*Puede que se lo haya imaginado.*
Igual	Seguramente	
Igual se encontró con el vecino.	*Seguramente vendrá/ venga.*	

1.3.1. La actividad consiste en hacer hipótesis sobre lo que las fotos reflejan y la época en que fueron tomadas. Es importante encontrar relaciones entre las fotografías.

2 Si tú supieras...

2.1. Ejercicio recordatorio de la primera condicional, condicional real de presente.

2.2. Presentación de la segunda condicional. **1.** b; **2.** c; **3.** a; **4.** e; **5.** f; **6.** g; **7.** d.

2.2.1. Pueden recogerse los ejemplos del texto y hacer las transformaciones necesarias, o bien se pueden buscar otros ejemplos por parejas con una posterior puesta en común.
Si imperfecto de subjuntivo + condicional simple.
- Si Dios me obsequiara un trozo de vida, vestiría sencillo.
- Si yo tuviera un corazón, escribiría mi odio sobre el hielo.
- Si supiera que hoy fuera la última vez que te voy a ver dormir, te abrazaría fuertemente.

De + infinitivo + condicional
- De obsequiarme Dios con un trozo de vida, vestiría sencillo.
- De tener un corazón, escribiría mi odio sobre el hielo.
- De saber que hoy sería la última vez que te iba a ver dormir, te abrazaría fuertemente.

2.2.2. Ejercicio de práctica controlada. Si los estudiantes no supieran cómo hacerlo, el profesor puede ayudar dando pautas como: *Imagina que tu trabajo es horrible. Si..., Imagina que descubres que no puedes confiar en tus amigos. Si...,* etc.

2.4. **1.** d; **2.** f; **3.** a; **4.** g; **5.** h; **6.** e; **7.** c, **8.** b.

2.4.1. Texto 1: Capitulaciones matrimoniales. Texto 2: Escritura de préstamo. Texto 3: Reserva en hotel. Texto 4: Carta de presentación.

2.4.2. Como complemento a este ejercicio proponemos la práctica al revés: un estudiante establece las condiciones en las que su compañero tiene que escribir un texto. Por ejemplo: *Si te fueras de vacaciones y después de pagar un pastón a una agencia, tu vuelo saliera con un día de retraso, el hotel en el que te instalaran estuviera a medio construir y no existieran las excursiones que te habían prometido, ¿qué escribirías?*

Una vez escritos los textos, se leerán en voz alta o bien se pasarán a la pareja de al lado, que tendrá que reconstruir las condiciones primeras dadas por el estudiante a su compañero, volviendo así al punto de origen.

3 Salvo que...

3.1. Es importante en este ejercicio que los estudiantes justifiquen su respuesta, ya que más tarde tendrán que vencer sus prejuicios. Es necesario hacer hincapié en que no se trata de visitar el lugar, sino de vivir allí varios años o, incluso, toda la vida.

3.2.1. salvo que; a no ser que; excepto si; excepto que; siempre y cuando; con tal de que; siempre que; a condición de que.

2. Siempre y cuando + subjuntivo
- *Siempre y cuando me escribiesen e insistieran mucho en conocerme.*

3. A condición de que + subjuntivo
- *A condición de que nunca se sintieran obligados conmigo.*

4. Con tal de que + subjuntivo
- *Con tal de que prometieran venir después por aquí.*

2. Salvo que + subjuntivo
- *Salvo que la situación política cambiase.*

3. Excepto si + imperfecto de subjuntivo
- *Excepto si ella pudiera visitarme.*

4. Excepto que + subjuntivo

  – *Excepto que se exiliara como yo había hecho.*

3.2.2. Se trata de dar información del tipo: *Yo no viviría en Nueva York, a no ser que no encontrase trabajo en ningún otro lugar del globo*, es decir, marcar las circunstancias extremas que les llevarían a tomar una decisión que no se quiere tomar.

Transparencia 11: *Juego de las condicionales.*

Juego con dos alternativas de explotación:

1. Para trabajar condicionales irreales de presente. Los alumnos tendrán que relacionar los objetos que aparecen en la transparencia de manera lógica por medio de oraciones condicionales. Por ejemplo: *Si me fallara la luz eléctrica en mi visita al Prado, no podría ver los cuadros. Claro que no podría ver los cuadros, a no ser que llevara una vela.*
Se dividirá la clase por grupos y se dará un tiempo límite (de no más de 10 minutos) para hacer el mayor número de relaciones posibles. Ganará el grupo que haya utilizado mayor número de objetos y con mayor riqueza de marcadores.

2. Para trabajar condicionales irreales de pasado. Un estudiante elige mentalmente un objeto al azar y lo describe a sus compañeros mediante condicionales irreales de pasado. Por ejemplo: *Si Edison no hubiera tenido esta genial idea, no se te encendería una cada vez que tienes una inspiración* (la bombilla). Se trata de que el resto de los alumnos adivinen de qué objeto se trata.

Lo que pudo haber sido | 4

4.1. La audición es larga. Recomendamos que los estudiantes lean antes las preguntas del entrevistador y se resuelvan las posibles dudas que haya sobre el léxico. Después, escucharán y resumirán lo oído en una línea, tal y como establece el ejercicio.

4.1.1. Le pedimos a los alumnos que por parejas reinterpreten la entrevista y se la hagan a su compañero. Entre otras cosas, hay que cambiar el tratamiento de *usted* a *tú*. En 4.1. hay una línea destinada a la realización de este ejercicio. Pueden comparar, si el profesor lo cree oportuno, algunas respuestas de Borges con las que ellos han dado.

4.1.2. ¿Y si hubiera nacido en el siglo XIX?; De haber nacido en un pueblito africano, ¿cómo sería Borges?

4.2. Ofrecemos una ficha como complemento al ejercicio propuesto en el libro del alumno.

Ficha 11: *Abriendo caminos. Comprensión lectora.*

4.3. El texto es largo, por eso, dividimos la clase en dos grupos, que se encargan de leer bien y comprender su fragmento. Después, formando parejas entre miembros de los dos grupos A y B, se hace el ejercicio 4.3.1. de vacío de información. Por último, de nuevo los grupos A y B por separado harán una segunda puesta en común para ampliar o corroborar la información dada por los compañeros.

4.4.1. **a.** 2; **b.** 3; **c.** 1; **d.** 2; **e.** 3; **f.** 2; **g.** 1; **h.** 3; **i.** 1; **j.** 1; **k.** 2; **l.** 3.

4.5. Posibles personajes: Sócrates (filósofo griego), Cleopatra VII (reina de Egipto), Alejandro Magno (conquistador), Galileo (científico), Jesucristo (profeta), Cristóbal Colón (descubridor), Newton (científico), Raúl (futbolista), Magic Jonhson (jugador de baloncesto), Madonna (cantante), George Bush (político), Hitler (político), Gandhi (político), Schummacher (piloto)...

Ficha 12: *Ejercicios de práctica controlada.*

Autoevaluación

Se sugiere hacer la reconstrucción del cuadro de las condicionales entre todos por medio de la transparencia 12.

Transparencia 12: *Las condicionales en español.*

Ficha de claves (11 y 12).

R Vamos a montar una empresa

Además de revisar los contenidos gramaticales tratados hasta la unidad 6, el objetivo de esta tarea es hacer del aula un ámbito en el que los estudiantes entren en contacto con naturalidad con funciones y campos léxicos relacionados con la vida laboral y empresarial.

2.1.

	Ubicación	Medida	Precio	Otros
1.	Polígono industrial	550 m²	2500 euros	Con salida de humos y almacén
2.	Zona comercial	150 m²	2000 euros	Salida a la calle, reformado para oficinas y bien comunicado
3.	Centro	75 m²	1851 euros	Climatizado y con plaza de garaje
4.	Zona residencial	220 m²	2350 euros	Entrada para vehículos y salida de humos
5.	Zona universitaria	80+20 m²	1980 euros	Dúplex con almacén, salida a la calle
6.	Zona sur	400 m²	3000 euros	Local climatizado con buena comunicación

3.1. Antes de realizar esta actividad, conviene que los estudiantes se fijen en las oraciones de relativo que aparecen y que subrayen los verbos en subjuntivo.

3.2. Para la realización de la actividad es necesario utilizar la ficha 13. Se recortan los correos y se reparten entre los miembros del grupo.

 Ficha 13: *Correos electrónicos. Comprensión lectora.*

Autoevaluación

1. Dos actividades que se podrían proponer con este fin, y si los estudiantes no lo hacen, podrían ser: redactar un currículum y preparar, primero, y representar, después, las entrevistas de trabajo a los candidatos que hayan seleccionado.

3. Para practicar el léxico de la salud, por ejemplo: un centro de estética, una clínica, una parafarmacia, un centro de masajes... Para los nuevos medios de comunicación: un negocio de telefonía, servicios técnicos y de instalación, un cibercafé... Para el ocio y tiempo libre: un bar, un restaurante, un videoclub, un gimnasio, una agencia de viajes...

Repetimos desde el principio

1. **1.** b; **2.** a; **3.** c; **4.** a (c); **5.** a; **6.** b; **7.** a; **8.** b; **9.** c; **10.** b; **11.** a.

2. **1.** Llevo leídas cincuenta páginas; **2.** Volvimos a llamar a Luis; **3.** Llevo un año estudiando francés; **4.** Marta y Pedro han dejado de salir juntos; **5.** Sigo trabajando en esa tienda.

3. **1.** Cicatriz, lesión, cataratas, tumor, benigno; **2.** Tango, bolero, chachachá, ranchera, rumba, samba, merengue, bachata; **3.** Espectador, altavoz, taquilla, secuencia, cartel, estreno, pantalla; **4.** Calimocho, resacón, garito, los colegas, basca; **5.** Carcasa, batería, cargador, pantalla (es ambivalente), tecla, SMS.

Unidad 7

Con esta expresión transmitimos a alguien su habilidad para hacer algo al mismo tiempo que lo ensalzamos. También podemos decir: *¡Eres un artista! ¡Qué artista!*

1.1.1. La intención de la actividad es que el alumno defina el concepto de arte según su criterio y, teniendo en cuenta las muestras que los textos le ofrecen en el siguiente ejercicio, que aprenda a definir con los elementos lingüísticos adecuados.

1.2.3. *Ser* + adjetivo: es comparable, es difícil, son muy amplios, es bueno. *Ser* + oración de relativo: es el que desata en nosotros. *Ser* + nombre: es un gran preguntador, son experiencias, es un sujeto, es el sujeto, es un ser, es un saber hacer, es el arte, es arte, ser parte, es la sociedad. *Ser* + pronombre: es aquella que, no es nadie.

1.2.4. **1.** Ser y estar; **2.** Ser; **3.** Estar; **4.** Ser. Estar.

1.3.1. El museo Guggenheim fue inaugurado el 3 de octubre de 1997 y abrió sus puertas al público el día 19 del mismo mes. Muestra una colección permanente y exposiciones temporales de gran prestigio.

1.3.2. Eduardo Chillida: escultor y grabador español. Comienza a estudiar arquitectura en 1941, pero pronto abandona y se dedica al dibujo y a la escultura. En 1948, se traslada a París, donde comienza a hacer sus primeras esculturas en yeso y terracota de tradición clásica. En 1951, regresa a España y será en el País Vasco donde comience a trabajar con hierro y ya en un estilo abstracto. A lo largo de su vida, participó en centenares de exposiciones alrededor del mundo entero y recogió innumerables premios, entre los que destacamos el Príncipe de Asturias en 1998 y la Orden Imperial de Japón en 1991. Asimismo, recibió la distinción como académico de Bellas Artes de Madrid, Boston y Nueva York. Se han celebrado exposiciones de la obra de Chillida en los más importantes museos internacionales.

Adaptado de http://www.picassomio.com/artist-portfolio/686/es/

Con esta expresión transmitimos que algo que acabamos de recibir o que nos ha ocurrido nos va a ser de gran utilidad e incluso nos es necesario. La expresión es "Venirle a alguien algo que ni pintado": *Esta cartera me viene que ni pintada porque ayer se me rompió el cierre de la mía.*

El epígrafe se centra en la vida y obra de Frida Kahlo. A través de las diferentes actividades, los estudiantes van conociendo las circunstancias de su vida y las características de su obra, además de hacer un repaso y ampliación de los usos de *ser* y *estar*.

2.2. **1.** *Accidente* (1926); **2.** *El tiempo vuela. Autorretrato* (1929); **3.** *Frida y Diego Rivera* (1931); **4.** *La columna rota* (1944).

2.3. **1.** *Autorretrato con el retrato del Dr. Farill o Autorretrato con el Dr. Juan Farill,* (1951). El autorretrato en silla de ruedas ante un retrato del médico situado en el caballete, supone una especie de ofrenda al médico que salvó a la pintora en la necesidad y aquí ocupa el lugar de un santo. La pintora pinta con su sangre y utiliza su corazón como paleta.

2. *El camión,* (1929). Aquí expone, como Rivera en sus murales, un tema social. Arquetipos de la sociedad mexicana aparecen sentados en el banco de un autobús: un ama de casa, un obrero, una mujer india dando el pecho a su bebé, un niño pequeño, un burgués y una joven mujer que se parece mucho a Frida Kahlo.

3. *El venado herido* o *El venadito* o *Soy un pobre venadito,* (1946). Mediante un ciervo herido de muerte por flechas, daba la artista expresión a su esperanza frustrada. En 1946, optimista, Frida creía que la operación de la columna en Nueva York la liberaría de su dolor. A su vuelta a México sufría, sin embargo, todavía intensos dolores corporales y, además, profundas depresiones.

4. *El abrazo de amor de El universo, la tierra (México), Diego, yo y el señor Xólotl,* (1949). Frida Kahlo se comportaba a menudo como una madre ante su marido y aseguraba que las mujeres en general y "entre todas ellas -YO- quisiera siempre tenerlo en brazos como a su niño recién nacido". El cuadro contiene, además, muchos elementos de la vieja mitología mexicana: el día y la noche, el sol y la luna, la diosa de la tierra Cihuacoatl. También el perro Itzcuintli es, aparte de una de sus mascotas preferidas, una representación de la figura mitológica con forma de perro Xólotl, el guardián del mundo de los muertos.

5. *Árbol de la esperanza mantente firme,* (1946). Frida Kahlo pintó este autorretrato, tras una operación en Nueva York, para su mecenas, el ingeniero Eduardo Morillo Safa, a quien, en una carta, le hablaba de las cicatrices que le habían dejado los cirujanos. Con la frase que aparece en la banderilla que sujeta en su mano, "Árbol de la esperanza mantente firme", Frida Kahlo parece querer darse ánimos a sí misma. La frase procede de una de sus canciones favoritas.

6. *Henry Ford Hospital* o *La cama volando,* (1932). El cuatro de julio de 1932, Frida Kahlo sufrió un aborto en Detroit. La pequeña figura de la pintora, que yace desvalida en la gran cama ante la extensa llanura, trasmite la sensación de soledad y desamparo. Ello refleja su estado de ánimo tras la pérdida del niño y la estancia en el hospital. La sensación de abandono se ve acentuada por la representación de un inhóspito paisaje industrial en el horizonte, ante el que parece flotar la cama de la enferma.

En Andrea Kettenmann, *Kahlo,* 2003

2.4. *Fue: ser,* pretérito indefinido, tercera persona de singular (él/ella/usted).
Transformada: transformar, participio, concuerda con casa.

2.4.1. **a.** Pasiva de proceso; **b.** Pasiva de resultado.

1. *ser; ser.* Este cuadro *fue* pintado por Picasso.

2. *estar; estar.* El museo *está* restaurado.

2.5. Se recomienda la corrección del cuadro gramatical con la transparencias 13 y 14.

Transparencias 13 y 14: *Usos de* ser *y* estar.

2.5.1. *Es una pintora mexicana* ➡ uso n.º 2; *Estaban inspirados* ➡ Uso de pasiva de resultado; *Era hija* ➡ uso n.º 1; *Fue muy triste* ➡ uso n.º 7; *Era niña* ➡ uso n.º 1; *Fue contagiada* ➡ Uso de pasiva de proceso; *Fue el inicio* ➡ uso n.º 5; *Fueron estudiados* ➡ Uso de pasiva de proceso; *Sería su futuro marido* ➡ uso n.º 1; *Fue animada* ➡ Uso de pasiva de proceso; *Está plasmada* ➡ Uso de pasiva de resultado; *Está representada* ➡ Uso de pasiva de resultado; *Fueron infieles* ➡ uso n.º 7; *Estuvieron a punto de* ➡ uso n.º 10; *Fueron expuestos* ➡ Uso de pasiva de proceso; *Está transformada* ➡ Uso de pasiva de resultado.

3 ¡No es lo mismo!

3.1.2. **1.** b; **2.** i; **3.** d; **4.** c; **5.** j; **6.** g; **7.** h; **8.** a; **9.** e; **10.** f.

3.1.3. **Ser o estar.** *Ser* transmite la idea de cualidad permanente y *estar* la de un estado temporal.

Estar o quedarse. *Estar* transmite la idea de permanecer por un tiempo en algún lugar y *quedarse* la de permanecer para siempre.

Quedarse o parar. *Quedarse* transmite la idea de permanecer para siempre en un lugar y *parar* la de permanecer por un instante quieto, sin moverse.

Arte o hartar. *Arte* significa destreza o ingenio y *hartar* es aburrir o cansar. Aparte de su significación, que en la primera transmite la idea de encontrarse ante algo que despierta interés y, en la segunda, algo que produce aburrimiento, en la canción se juega con palabras homófonas, es decir, que se pronuncian igual pero se escriben diferente.

Ser justo o ¡Qué justo te va! *Ser justo* transmite la idea de actuar según la ley y *¡Qué justo te va!*, es una expresión que significa que uno ha superado algo al límite, con dificultad, apretadamente o por los pelos.

Estar de un lado o echarse a un lado. *Estar de un lado* significa estar a favor de algo o de alguien y *echarse a un lado* es situarse físicamente hacia un costado (derecha o izquierda).

Vasta o bastar. *Vasta* significa inmenso, muy grande y *bastar*, alcanzar, ser suficiente. En la primera, el autor nos transmite la idea de grandeza y, en la segunda, la idea de tener bastante o lo suficiente. También hay un juego de palabras homófonas.

Imponer o mandar. *Imponer* es obligar a alguien a hacer algo y *mandar* es decir a alguien que haga algo. En el segundo caso, el grado de imposición es menor.

Listas negras o manos blancas. *Listas negras* son papeles que tienen escritos los nombres de personas o cosas cuyo autor piensa que son malas o perjudiciales y *manos blancas* significa pureza, ingenuidad, inocencia.

3.2. El objetivo de la actividad es que los estudiantes sepan reconocer el cambio de significado que sufren algunos adjetivos si van con *ser* o con *estar* mediante la entonación y el contexto, de una forma deductiva.

Ser	Adjetivo	Estar
Extrovertido, sociable	1. Abierto	No está cerrado con llave
Que produce aburrimiento	2. Aburrido	Que siente aburrimiento
Servicial, amable	3. Atento	Que presta atención
Poco hablador	4. Callado	En silencio, sin hablar
Que produce cansancio	5. Cansado	Que siente cansancio
Religión	6. Católico	No estar católico: no encontrarse bien de salud
Educado, servicial	7. Dispuesto	Preparado para algo
Descarado, poca educación Reciente, nuevo	8. Fresco	Reciente No caliente
Serio	9. Grave	Muy mal de salud
Egoísta, atraído por lo material	10. Interesado	Sentir interés por algo
Inteligente	11. Listo	Equivocado (irónico), preparado, acabado
Que molesta, que produce molestias	12. Molesto	Que siente incomodidad
Aburrido, soso	13. Muerto	Sin vida
Raza, color	14. Negro	Enfadado
Soberbio, que no admite sus errores	15. Orgulloso	Estar orgulloso de, sentir satisfacción por algo
Tener el color verde Obsesionado por el sexo	16. Verde	No tener experiencia. No estar la fruta madura
Que actúa con violencia	17. Violento	Estar incómodo en una situación
Alegre	18. Vivo	Con vida

Ser	Adjetivo	Estar
Responsable, como una persona adulta	19. Maduro	Que ya se puede comer, que está en su punto
Con mucho dinero	20. Rico	Con buen sabor
Inteligente, espabilado	21. Despierto	No dormido
Insoportable (personas), no ligero (cosas)	22. Pesado	Solo para personas, se refiere al carácter insoportable de una persona, en un momento determinado

3.3. *Son buenísimos* significa que los CD tienen buena calidad. *¡Estaba buenísimo!,* se refiere al dependiente y significa atractivo.

3.4. **Con persona:** Ser bueno ➜ 5; Ser malo ➜ 8; Estar bueno ➜ 6; Estar malo ➜ 3; Estar bien ➜ 12; Estar mal ➜ 11.

Con cosa: Ser bueno, ➜ 10; Ser malo ➜ 4; Estar bueno ➜ 2; Estar malo ➜ 9; Estar bien ➜ 1; Estar mal, ➜ 7.

 Fichas 14 y 15: *Expresiones idiomáticas con **ser** y **estar**. Léxico y comprensión lectora.*

Autoevaluación

2. Es claro: nítido, luminoso, poco espeso, transparente, que transmite la información con claridad.
Está claro: se comprende bien, despejado, evidente.

Es católico: pertenece a la religión católica.
No está católico: está mal de salud.

Es vivo: listo, espabilado, alegre.
Está vivo: tiene vida.

Unidad 8

"Las apariencias engañan" es una frase que se utiliza para decir que, a menudo, el aspecto exterior de algo o de alguien no se corresponde con lo que en realidad es. Se trata de jugar con la palabra "apariencia" que hace referencia a los contenidos gramaticales del epígrafe, los distintos significados de *parecer / parecerse*, así como a los contenidos interculturales que se tratan en el mismo sobre lo "hispano" y sus connotaciones.

1.1. A partir de la fotografía, los estudiantes, en parejas, responden a las preguntas haciendo hipótesis sobre el personaje de la foto. El profesor puede fijar en la pizarra la diferencia entre los exponentes *Me parece que* = *Creo que* (opinar) y *Se parece a* = verbo reflexivo que expresa parecido físico.

1.1.1. Después de escuchar la audición, el profesor invita a los estudiantes a contrastar los resultados de 1.1. con la realidad, retomando el refrán del epígrafe. Puede ampliarse la actividad con otras preguntas del tipo: *¿Cuántos libros **te parece** que ha escrito A. Skármeta? ¿**Te parecen** interesantes? ¿Por qué?*

1.2. Antes de empezar, se puede pedir a los estudiantes que digan, o consulten en el diccionario, palabras derivadas de "hispano" y las escriban en su cuaderno. Entramos de lleno en el trabajo intercultural. En primer lugar, mediante el trabajo en grupos pequeños, se pretende investigar qué ideas preconcebidas tienen los estudiantes sobre lo hispano y que discutan sobre ello. Después, con la lectura del texto, se trata de comparar sus ideas con la realidad para deshacer los posibles estereotipos que tengan, llevándolos a un trabajo de reflexión sobre este tema.

1.2.2. **1.** b; **2.** a; **3.** c.

1.3. Otras expresiones en español: *Dime de qué presumes y te diré de qué careces* (La ostentación y el relieve pueden esconder complejos de inferioridad); *En todas partes cuecen habas* (Una situación problemática no es exclusiva de una persona o un lugar porque en todos los lugares hay problemas más o menos parecidos).

Esta frase es un consejo para que cada persona se relacione con aquellas que se le parecen o sean de su mismo estilo, cultura y/o clase social.

2.1. El profesor puede pedir que se encuentren en el texto sinónimos de las siguientes definiciones: Piel *(cueros)*. Ser humano *(mortal)*. Camino *(senda)*. Planta de hojas espinosas *(cardo)*. Planta de la familia del cactus de hojas con espinas *(chumbera)*. Gesto de enfado consistente en arrugar la frente *(ceño)*. Animal salvaje que se alimenta de la caza menor o del ganado o persona cruel *(alimaña)*. Color rojo en el rostro *(arrebol)*. Para información sobre Camilo José Cela se puede consultar la biografía de la unidad 6, ejercicio 4.4.

2.2. Se puede pedir a los alumnos que cada vez lea uno la frase y que, a medida que lo hagan, vayan subrayando las partículas de comparación; también pueden dejar constancia por escrito de lo que piensan y tachar lo que les hace estar en desacuerdo.

2.2.1. • **Inferioridad:** 4. Menos... que; 7. Menos de lo que pudiera (aunque normalmente van con indicativo, pero también con subjuntivo en un sentido hipotético).
• **Igualdad:** 1. Igual que; 6 y 9. Tantas... como; 8. Tanto como.
• **Superioridad:** 2. Mejor...que; 3. Más de lo que (uso: expectativa / realidad); 5. Peor... que.

2.2.2. a **2.2.6.** El objetivo de estas actividades es que los alumnos comparen, en primer lugar, la familia actual y la familia tradicional en general y, en segundo lugar, a través de los datos que se les ofrecen, los diferentes modelos de familia que se dan en los países hispanos, estableciendo comparaciones con su país.

2.3. Previamente a la realización de esta actividad, se puede comentar el significado de la palabra "pareja" y las diferentes maneras formales e informales que existen de llamarla: con compromiso firme: *cónyuge, marido, mujer, esposo-a, señora, prometido-a, compañero-a sentimental, lío, amiguito-a, amante;* con poco compromiso: *pareja, chico-a;* sin compromiso: *amigo-a, rollo, historia, aventura,* así como algunos apelativos cariñosos como: *cariño, cielo, (mi) rey, corazón, prenda (mora), (mi) vida, (mi) amor, nena...*
Es ahora cuando se debe explicar y fijar en la pizarra con ejemplos la gramática, tanto los superlativos relativos que, por su facilidad, ya conocerá el alumno (*El/la más/menos/mejor/peor... de*) como los absolutos que aparecen en el cuadro de la actividad 2.3.1.

2.3.1. **Uso: relativo:** La forma de ligar más vieja de todas; Los peores momentos de la noche; **Uso absoluto:** La retirada es muy fácil; Es sumamente relajado; Se presentan como extraordinariamente altas, jóvenes, guapas y divertidas; La mar de divertido; Es atrevidísimo-arriesgadísimo-baratísimo-altísimos precios; requetevisto; archiconocido; Método celebérrimo.

2.4. 1. falso; 2. verdadero; 3. verdadero; 4. falso; 5. falso; 6. verdadero; 7. verdadero; 8. verdadero.

2.4.1. Se trata de un ejercicio de escritura creativa que, si el profesor lo cree conveniente, puede dejarse como tarea para hacer en casa. El profesor puede fotocopiar la transcripción de la audición de la actividad 2.4. para que sirva de modelo en la redacción.

2.4.2. Como alternativa, se puede sugerir una actividad de rol-play. Para ello, en parejas, acuden primero a una cita a ciegas y, posteriormente, vuelven a la agencia matrimonial donde comparan sus expectativas con la realidad de lo que han conocido.

 Ficha 16 y 16a: La princesa de Chueca *de Almudena Grandes. Comprensión lectora.*

3 La vida es un carnaval

Esta expresión figurada y familiar alude a la importancia de vivir el momento porque la vida también puede ser, si nos lo proponemos, comparable a una fiesta de carnaval en alegría y bullicio.

3.1.1. 1. Como. Estás comiendo como los niños; 2. Indicativo. Ahora estoy comiendo como tú quieres; 3. Subjuntivo. Oye, que yo me como el trozo de tarta como tú quieras; 4. Subjuntivo. Como si tuvieras prisa; a. Imperfecto de subjuntivo. Es que te la estás comiendo como si alguien te la fuera a quitar; b. Pluscuamperfecto de subjuntivo. Vamos, como si no hubieras comido tarta en tu vida.

3.2. Pirata y piloto comercial.

3.2.1. 1. a. No; b. Parte real: *Se puso una pata de palo.* Parte imaginaria: *como si estuviera cojo;* c. La acción se realiza al mismo tiempo que la frase real; d. Pretérito imperfecto de subjuntivo porque la acción es irreal, supuesta o imaginaria en el momento en que se está enunciando; e. Esta frase es sobre todo una comparativa de modo porque se refiere a la relación de igualdad o semejanza entre dos oraciones: *Se puso una pata de palo igual que si estuviera cojo.*

2. a. No; b. Parte real: *Llevaba un parche en el ojo.* Parte imaginaria: *como si se hubiera quedado tuerto;* c. La acción se realiza antes de la acción de la frase real; d. Pretérito pluscuamperfecto de subjuntivo porque se trata de una acción cuya realización fue imposible o inexistente en el pasado; e. Se trata de una comparación.

3.3. Es conveniente recordar a los estudiantes el significado de "catarsis" (purificación ritual del hombre a quien se considera impuro por haber transgredido algún precepto religioso o moral) y "cuaresma" (tiempo de cuarenta días desde el miércoles de ceniza hasta el día de la Resurrección de Jesucristo).

3.3.1. Máscara: disfraz, antifaz, careta; Gestas: conjunto de hazañas de un personaje o un pueblo; Carnestolendas: carnaval; Desfile: hecho de marchar en fila o formación; Comparsa: conjunto de personas que en algunas festividades van disfrazadas con trajes de una misma manera; Atuendo: ropa, vestido que lleva una persona; Cascabel: bola hueca de metal provista de una ranura, y con algo en su interior que la hace sonar; Cencerro: campana pequeña que se ata al cuello de las reses para localizarlas; Patria: tierra donde se ha nacido o a la que se siente uno ligado por vínculos afectivos; Multitudinario: que reúne gran cantidad de personas o cosas; Arraigo: fijación de un sentimiento o una costumbre de forma permanente; Reiterado: repetido; Colmado: establecimiento o chiringuito donde se sirve bebida o comida; Copla: poesía corta, generalmente de cuatro versos, que se utiliza como letra de las canciones populares; Parodiar: hacer una imitación burlesca de una persona o cosa; Bombo: tambor muy grande que se emplea en las fiestas y en las bandas militares; Bandurria: guitarra pequeña de doce cuerdas, unidas de dos en dos, y que se toca con una púa; Laúd: instrumento musical de cuerda parecido a la guitarra, pero más pequeño y con la caja ovalada; Piropo: cumplido, galantería, lisonja o requiebro; Puntos calientes: lugares más frecuentados; Carroza: cualquier carruaje adornado, utilizado en desfiles y fiestas; Repertorio: conjunto de obras preparadas para ser interpretadas por un artista o compañía.

3.4. Quedarse de una pieza: mostrarse muy sorprendido; Caer rendido a los pies de alguien: entregarse totalmente a alguien en sentido amoroso; Colgarse de alguien: enamorarse; Írsele la olla a alguien: volverse loco, perder la cabeza; Disparatarse: decir o hacer una cosa fuera de sentido; Ser de piedra: no tener sentimientos, ser excesivamente frío y duro; Dejarse llevar: permitir que los acontecimientos dirijan nuestras vidas en lugar de imponer nuestra propia voluntad ante los mismos; Prometer la Luna: ofrecer lo imposible.

3.4.1. **1.** A Teresa le parece que el disfraz de Isabel es similar al de una mujer pantera y que por esa razón va a parecer muy atractiva; **2.** El objetivo de Isabel es sorprender gratamente y en consecuencia enamorar a Iñaki; **3.** ¡Estás explosiva! / ¡Se va a quedar de una pieza! / Eres una exagerada / Contrólate / Luego lo pasas de pena / Se te va la olla / Te disparatas / Te dejas llevar / Y terminas como terminas.

3.4.2. *Y estoy con él como si nos conociéramos de toda la vida* y *¡Ni que llevarais meses!* → amistad o amor cultivados a través de un largo periodo de tiempo; *¡Como si fuera la primera vez que te cuelgas de alguien en dos días!* → persona muy enamoradiza y fácil de engañar en el amor; *¡Ni que quisieras que me saliera mal!* → deseo o voluntad de que ocurra algo malo; *como si nunca hubiera estado con nadie* → nunca ha mantenido una relación; *¡Ni que tú fueras de piedra!* → alguien frío e inhumano; *¡Ni que te hubiera prometido la luna!* → ofrecimiento de algo imposible.

Autoevaluación

2. Ejemplo: Es el más guapo de todos / Es guapísimo.

3. Las dos son comparativas irreales introducidas por *como si*. En la primera *(como si estuviera de vacaciones)* las acciones son simultáneas y en la segunda *(como si hubiera estado de vacaciones)* la acción irreal es anterior a la real.

Ficha de claves (16).

Unidad 9

1 Le pusimos a parir

El título del epígrafe hace referencia a una expresión sinónimo de criticar a alguien, poner verde a alguien. La expresión introduce una preactividad (1.1.) en la que se introducirá la macrofunción comunicativa: hablar de los demás. En esta unidad se trabajarán los distintos matices y variaciones de dicha función teniendo en cuenta el elemento sociolingüístico y pragmático.

1.2. Esta actividad y las siguientes (1.2.1., 1.3. y 1.3.1) están enfocadas al léxico y al trabajo de diccionario. Se empieza trabajando adjetivos de carácter con connotación negativa y de registro coloquial dentro de la variedad de España, para terminar trabajando la intensificación a la hora de hablar del aspecto negativo del carácter de una persona.

1. a; **2.** b; **3.** d; **4.** e; **5.** f; **6.** c; **7.** g; **8.** h; **9.** i; **10.** j; **11.** l; **12.** k; **13.** m; **14.** n.

1.3. **1.** pija; **2.** cursi; **3.** carca; **4.** hortera; **5.** agarrado; **6.** pardillo; **7.** tiquismiquis; **8.** pendeja; **9.** plasta; **10.** muermo; **11.** payaso; **12.** creído; **13.** chulo.

1.4. La audición trabaja elementos pragmáticos (el tono) dentro de la función hablar mal de los demás. Estos elementos cumplen un papel esencial dentro de esa función.

1. Negativo: ¿Será...; va de...; **2.** Negativo: Mira que...; es una pedazo de...; hacerse la; **3.** Prudente: No es muy...; **4.** Prudente: Es un poco...

1.4.1. **1. a.** Ir + de + adjetivo positivo: *Yo creo que va de estrella;* **b.** Hacerse + el/ la + adjetivo positivo: *Y, además, siempre le ha gustado hacerse la original.*

2. a. No + ser + muy + adjetivo positivo: *¡Ya! Pero no es muy inteligente que digamos;* **b.** Ser + un poco + adjetivo negativo: *Este chico es un poco plasta con su mujercita.*

1.5. Esta actividad es preparatoria para la producción oral de 1.5.1. Si los alumnos no encuentran nada criticable, pueden adoptar personalidades ficticias o adjudicarse uno de los adjetivos de carácter negativo que se han estudiado al principio del epígrafe y, así, criticar en función de ellos.

1.5.1. Para abundar en el tema de las palabras malsonantes o tacos, recomendamos el uso de la ficha 17.

 Ficha 17: Los tacos españoles *de Fernando Díaz-Plaja.* **Comprensión lectora.**

2 ¿Sin tapujos?

Expresión que hace referencia al hecho de hablar francamente, directamente, yendo al grano y sin rodeos. Este epígrafe trabaja la opinión y el acuerdo y desacuerdo teniendo en cuenta elementos pragmáticos y socioculturales. Parte del trabajo de la comprensión auditiva para terminar con el de la comprensión lectora y el trabajo de la interculturalidad unido a la producción oral.

2.1.
- **Introductores de opinión:** la verdad es que...; me parece fascinante...; habría que...; creo que...; no creo que ...; que te digo que...; quizás sería mejor que...; es posible que...; lo mejor será...
- **Expresar acuerdo:** a mí me parece buena idea; vale; sí, me parece una idea genial; en eso tienes toda la razón; yo estoy con..
- **Expresar desacuerdo:** sí, claro; bueno, tampoco es para tanto; que no, que te digo ...; ¡Qué dices!; ¿cómo quieres que...?; en eso no estoy de acuerdo.

2.2. Cuando la relación es de mayor confianza:
- Introductores de opinión: que te digo que...
- Expresar acuerdo: vale; sí, me parece una idea genial; en eso tienes toda la razón; yo estoy con...
- Expresar desacuerdo: sí, claro; que no, que te digo...; ¡qué dices!; ¿cómo quieres que...?

Cuando la relación entre los interlocutores es menos estrecha:
- Introductores de opinión: la verdad es que...; habría que ver...; es posible que...; quizás sería mejor que...; lo mejor será...
- Expresar acuerdo: a mí me parece buena idea.
- Expresar desacuerdo: bueno, tampoco es para tanto; en eso no estoy de acuerdo.

Transparencia 15: *Una imagen vale más que mil palabras. Comunicación no verbal.*

Al opinar no sólo utilizamos palabras, sino también gestos. Puede ser que los gestos sustituyan a las palabras, o bien que las acompañen. Se pide a los alumnos que, por parejas, averigüen el significado de las imágenes, relacionándolas con los textos que aparecen debajo (la negrita indica el momento en que se hace el gesto) y comenten si creen que el gesto puede ser independiente o no de las palabras. Los gestos que aparecen pueden usarse en otras situaciones.

2.5. Ejercicio para introducir el cuadro donde se proponen las estructuras más frecuentes que se usan para atenuar la opinión, según la situación en la que nos encontremos y el grado de confianza con el interlocutor. Se trata de que el alumno utilice sus conocimientos de la lengua y, sobre todo, su intuición para hacer el ejercicio. Después de ver el cuadro, se puede volver a revisar el ejercicio.

b, d, e, c, f, a.

Transparencia 16: *Recursos lingüísticos para atenuar la opinión.*

2.6.
- Seguridad: No, es profesora; sí, sí, seguro; yo siempre la he visto haciendo eses... ; creo que es mejor salir a tomar algo por ahí...; uno cree que es mejor.
- Probabilidad: Parece ser que ella es enfermera; quizás sólo algunas veces, no creo que siempre... ; Seguramente no saldremos; quizás sería mejor que se lo comentaras antes; A lo mejor, lo que le apetece es tomar un poco de aire fresco y desconectar; Puede ser...
- Imposibilidad: ¡Imposible!; ¿cómo quieres que organice algo?

2.7.1. **1.** Residencias para la tercera edad; **2.** Suprimir; **3.** Aborregados; **4.** Ajustarse el cinturón; **5.** Ávidos; **6.** Asequibles; **7.** Remunerar; **8.** "Pa amb tomàquet".

2.8. El profesor distribuirá una tarjeta por alumno en la que hay uno de los adjetivos de carácter estudiados en el epígrafe 1 que condicionará las opiniones de los alumnos. Estos adjetivos son: *carca, moderna, tiquismiquis, campechano, pijo, recatada, generosa, muermo, prudente, agarrado, pendejo.*

Ficha 18: *Adjetivos de carácter. Tarjetas.*

El precio de la fama **3**

Se hace una lluvia de ideas para llegar al significado de la frase, al concepto de "famoso", "fama", etc. El epígrafe se encarga de trabajar las construcciones impersonales dentro de la función de dar una opinión con mayor o menor implicación por parte del hablante.

3.2. Posible clave: Se sabe que cada persona es un mundo. Por eso, afortunadamente, no todo el mundo piensa igual. Por eso, si se ve un vaso así, uno puede pensar dos cosas: que está medio lleno o que está medio vacío. Se dice que depende de la visión del mundo que tenga cada uno, de si se es optimista o pesimista.

3.4. La actividad propuesta va encaminada a la práctica oral de las construcciones impersonales. Se debe hacer hincapié en que los alumnos utilicen estas construcciones para dar su opinión en el debate.

4 Háblame en cristiano

4.1. El profesor puede escribir en la pizarra la siguiente frase: *Háblame en cristiano y no me hables en chino, por favor* y pedir a los alumnos su interpretación.

Esta expresión significa: hablar claro, antónima de: *hablar en chino*.

Este epígrafe está dedicado a los refranes y dichos y su repercusión como elemento cultural dentro de una lengua.

4.2. **1.** Verdadero; **2.** Falso; **3.** Falso; **4.** Falso; **5.** Verdadero.

4.3. **1.** h➡2; **2.** c➡10; **3.** f➡4; **4.** i➡9; **5.** j➡5; **6.** g➡8; **7.** b➡7; **8.** e➡1; **9.** d➡3; **10.** a➡6.

4.3.1. **1.** De tal palo, tal astilla; **2.** Quien calla, otorga; **3.** A rey muerto, rey puesto; **4.** Más vale tarde que nunca; **5.** Afortunado en el juego, desafortunado en amores; **6.** Sobre gustos, no hay nada escrito.

4.4. Se inicia una serie de actividades sobre el *spanglish*. El profesor puede empezar preguntando a los alumnos qué saben sobre Puerto Rico. La información quedará reflejada en la pizarra y el profesor acudirá a ella después de leer el texto para afirmar, negar, ampliar, etc.

4.5. **1.** María tiene que ir al doctor, pues tiene una cita a las 3:00; **2.** Tengo que limpiar la alfombra con la aspiradora; **3.** Mi jefe me pagó en efectivo por haber hecho horas extra; **4.** Todas las noches, mi hijo toma un vaso de leche; **5.** Anoche fui a ver una película con mi novia; **6.** Mi mamá fue al supermercado para comprar la comida de la semana; **7.** José, ayúdame a empujar el carro para delante; **8.** Es que no sé cómo deletrearle mi nombre.

 Ficha de claves (17 y transparencia 15).

Unidad 10

El título del epígrafe corresponde al estribillo de una canción que publicitaba un producto alimenticio infantil muy conocido. El objetivo de la unidad es reflexionar sobre la relación que tenemos con la comida y cómo, a través de ella, expresamos sentimientos, sensaciones y deseos.

1.2. Se trata del juego de las categorías. Un estudiante va diciendo en voz baja el alfabeto hasta que otro dice: "basta" y, entonces, todos se ponen a escribir palabras que empiecen por la letra en la que se quedó el alumno. El primero que complete las categorías dice "vale" y todos dejan de escribir para comprobar. Cada respuesta acertada son 10 puntos, si alguien coincide con otro en la respuesta son cinco puntos.

Este juego pretende revisar y ampliar el vocabulario. Aconsejamos el uso del diccionario para trabajar el léxico.

1.3. Esta actividad de comprensión auditiva sirve de introducción a una serie de ejercicios que trabajan la función de rectificar o corregir una información errónea.

No, no dice que practique una cocina complicada, sino que practica una cocina sencilla; No, no son unas gotas de vino lo que echa, sino unas gotas de vinagre de Módena; No, no es estresante, al contrario, es relajante; No, no dice que no soporte el olor a apio, sino que le agrada; No, no es postre lo que toma después de comer, sino café; No es el "all i pebre" lo que destaca, sino la escalivada.

También puede servir de actividad introductoria para hacer unas "jornadas gastronómicas" en la clase trabajando más en profundidad la cocina vasca y catalana. Se podrá trabajar en grupos sacando información de libros e Internet y llegar a hacer un libro de cocina española "de la clase". La cocina vasca es una de las más prestigiosas y variadas del mundo. Si se quiere saber más acerca de ella, se puede consultar la siguiente página web: www.juandegaray.org.ar/fvajg/docs/Breve_introduccion_a_la_cocina_vasca.

Este epígrafe introduce, por una parte, la relación íntima que siempre ha existido entre la gastronomía y la literatura y, por otra, refleja la expresión de sensaciones y sentimientos.

2.1.1. Posible clave: **1.** A; **2.** A; **3.** A; **4.** A, B, C; **5.** A; **6.** B, C; **7.** A, B; **8.** A; **9.** C; **10.** C.

2.1.2. **Expresiones relacionadas con comer con placer (A):** comer como una lima; ponerse como el quico; ponerse morado; ser un glotón; tener un estómago sin fondo; ponerse las botas. **Expresiones relacionadas con comer con asco (B):** comer como un pajarito; hacer ascos; tener o hacer remilgos; no me dice/n nada; a mí, ni fu ni fa; comer a la fuerza.

2.3. **1.** viñeta E; **2.** viñeta C; **3.** viñetas A, B, D, G; **4.** viñeta F.

2.4. **Transparencia 17:** *Cuadro de expresiones de sentimientos y sensaciones.*

En esta transparencia se propone una relación de expresiones que se puede proyectar al tiempo que se ponen en común las respuestas de los estudiantes, de manera que puedan producir otras frases con las mismas estructuras que las propuestas.

2.5. El Aconcagua es la montaña más alta del continente americano (6959 m). El parque provincial del Aconcagua se encuentra en la provincia de Mendoza, Argentina. Tiene 71 000 ha. El Aconcagua muestra flancos imponentes de cambiantes coloridos y textura rocosa, ventisqueros, enormes agujas o penitentes de hielo, grandes acarreos, ríos subterráneos, arroyos, glaciares colgantes y, sobre todo, nieves eternas. La Laguna glaciar de Horcones, a 2950 m, es el portal de entrada de la ruta más importante, con 80 m de diámetro y escasa profundidad, alimentada por las surgentes del Cerro Tolosa. En esta inmensa montaña es posible realizar alpinismo de alto nivel, interrelacionado con una gran dosis de aventura. El "Centinela de Piedra", hierática pirámide para los incas siglos atrás, aún atesora misterios y su magnífica silueta atrapa los sueños de muchos alpinistas.

Adaptado de www.viajeamendoza.com/altamontana/parqueaconcagua.shtml
y de www.aconcagua.com.ar/centineladepiedra.html

2.5.1. **1.** estuviera; **2.** llevaran/llevaban; **3.** hablara; **4.** llamara; **5.** consideraran; **6.** envíen.

2.6.1. Una variación lúdica de esta actividad sería que cada estudiante escribiera en un papel sus manías; el profesor recogería los papeles, los mezclaría y los repartiría, después, los estudiantes tendrían que adivinar de quién es esa manía.

3 ¡Esto me huele mal!

Este epígrafe está dedicado a la forma de expresar las sensaciones relacionadas con olores y sabores.

3.1. La expresión se corresponde con la ilustración número 2 y la expresión sinónima es la A, "Aquí hay gato encerrado". Estas dos expresiones se usan para indicar que sospechamos que hay algo extraño o poco claro, un misterio o secreto. "Llevarse como el perro y el gato" significa llevarse mal, tener malas relaciones con alguien. "Dar gato por liebre" quiere decir "engañar".

El profesor irá descartando posibilidades con los alumnos para acabar destacando de la expresión fija la presencia del pronombre "me" y el demostrativo "esto": el basurero diría: esto huele mal o esta bolsa huele mal. La chica diría: este perfume huele mal, no usaría el neutro "esto" ya que el elemento está claramente identificado, es un perfume. En el caso de la bolsa de basura se podría admitir "esto" puesto que es un conjunto de desperdicios no identificados recogidos en una bolsa. El uso de "me" respondería a una función enfático-afectiva; el hablante hace más suya la acción.

3.2.1. Posible clave: A, A, C.

 Ficha 19: Para huir. El rechazo *de Manuel Vicent. Taller de escritura.*

4 Lo que no mata engorda

Esta expresión se utiliza cuando nos arriesgamos a comer algo desconocido, raro o que no tiene muy buen aspecto. El epígrafe persigue un objetivo meramente cultural: dentro de nuestra cultura, el cerdo representa el alimento por excelencia, no solamente en España, sino también en Hispanoamérica. Está presente en nuestra gastronomía y en tiempos duros fue fundamental en nuestra dieta. Su importancia se refleja en la lengua en forma de numerosos refranes y dichos. El resto de actividades tienen un objetivo intercultural y trabajan la opinión sobre el hecho de experimentar o probar con la comida.

4.2.1. **1.** Falso; **2.** Falso; **3.** Falso; **4.** Verdadero; **5.** Verdadero; **6.** Falso; **7.** Verdadero; **8.** Verdadero.

4.3. **1.** mono; **2.** caracol; **3.** conejo; **4.** rana; **5.** caballo; **6.** serpiente; **7.** ternera; **8.** canguro; **9.** ciervo.

4.3.1. Proponemos explicar, con la ayuda de la ficha 20 y la transparencia 18, para qué se usa en España, gastronómicamente hablando, cada una de las partes del cerdo. Se puede hacer una lectura del texto, ayudándonos de la transparencia, para después pasar a la actividad propuesta en el libro del alumno.

Ficha 20: *Explicación del despiece del cerdo. Léxico.*

Transparencia 18: *El despiece del cerdo.*

4.4. **1.** Ghana, rata, sí, estaba para chuparse los dedos; **2.** No lo dice, sesos de cordero, no, estaban asquerosos, aquello sabía fatal; **3.** Australia, canguro, sí, estaba de muerte; **4.** Zimbawue, serpiente, no, no hay bicho que se lo coma; **5.** Corea, perro, sí, estaba deliciosa, me puse como el quico.

4.4.1. **1.** d; **2.** b; **3.** a **4.** h; **5.** f; **6.** c; **7.** g; **8.** e.

Autoevaluación

1. **1.** e; **2.** d; **3.** a; **4.** b; **5.** c.

3. Por ejemplo, en el pretérito imperfecto de subjuntivo es muy útil recordar la tercera persona plural del pretérito indefinido de indicativo.

4 **1.** c; **2.** b; **3.** c; **4.** b.

5 **1.** huele que apesta; **2.** come como un pajarito; **3.** ponerse como el quico; **4.** tienen un estómago sin fondo.

Ficha de claves (19).

Unidad 11

1 | El que no arriesga no gana

Esta expresión significa que, para triunfar o ganar, primero hay que atreverse o aventurarse en una empresa o actividad, pudiendo estar uno expuesto durante un tiempo a esfuerzos tanto físicos e intelectuales como a peligros económicos.

1.1. A modo de precalentamiento, además de los logotipos, el profesor puede comentar con los alumnos si conocen a sus equipos locales, sus uniformes, sus himnos deportivos...

1. Fútbol, Liga de Campeones; **2.** Campeonato de tenis; **3.** Vuelta ciclista a España; **4.** Campeonato mundial de Fórmula 1; **5.** Liga americana de baloncesto; **6.** Olimpiadas; **7.** Vuelta ciclista a Francia.

1.1.2. Posibles respuestas: Negocio: fútbol; Violencia: boxeo; Relax: senderismo, hípica, yoga; Individualidad: atletismo, motociclismo; Rivalidad: fútbol, baloncesto, balonmano, automovilismo.

1.2. **1.** e; **2.** d; **3.** f; **4.** g; **5.** i; **6.** a; **7.** h; **8.** c; **9.** b; **10.** j.

1.2.2. **Riesgo:** paracaidismo, ultraligero, parapente, motociclismo, alpinismo, escalada, automovilismo, vuelo sin motor, ala delta, espeleología, *rafting;* **Tierra:** esgrima, *rugby*, boxeo, judo, halterofilia, esquí, hípica, motociclismo, alpinismo, escalada, tenis, senderismo, ciclismo, polo, automovilismo, baloncesto, balonvolea, balonmano, patinaje, espeleología, gimnasia rítmica, fútbol, lucha grecorromana; **Agua:** submarinismo, vela, natación, buceo, *windsurf*, pesca submarina, esquí acuático, *rafting;* **Aire:** paracaidismo, ultraligero, parapente, vuelo sin motor, ala delta. **Vehículo:** ultraligero, parapente, motociclismo, vela, ciclismo, automovilismo, *windsurf*, vuelo sin motor, ala delta, esquí acuático, *rafting;* **Animal:** hípica, polo.

1.3. Opinan sobre qué deporte es más adecuado para cada edad.

1.3.1. **1.** Falso. Todos no, el preparador físico dice que los deportes de riesgo no los deben hacer los mayores; la madre y la profesora opinan que algunos no son recomendables para los niños; **2.** Falso. El hombre mayor en ningún caso dejaría de hacer deporte porque es lo que le hace feliz. **3.** Verdadero; **4** .Verdadero.

1.3.3. **1.** c; **2.** a; **3.** c; **4.** b; **5.** b; **6.** d.

1.3.4. El profesor debe proporcionar a los estudiantes una copia de la transcripción de la audición 38. Mediante este ejercicio, se pretende introducir las concesivas a los alumnos y que reflexionen sobre las funciones comunicativas que conllevan. Asimismo, es una forma de reflexión sobre el modo y los tiempos con que se construyen las oraciones concesivas *(aunque)*.

Dos partes contrastan: la Parte A (PA) es información nueva que dificulta la realización de la Parte B (PB), que, a pesar de esas dificultades, se llevará a cabo. La PA va con el verbo en indicativo.

Aunque ha empezado a soplar el viento monzón,   *subiremos a la cumbre.*
             (PA)   (PB)

Si la PA es una información conocida o supuestamente conocida por el oyente, entonces el verbo va en subjuntivo. En este caso, el hablante no toma en cuenta esta información para llevar a cabo la PB.

Aunque haya empezado a soplar el viento monzón, subiremos a la cumbre.

Información desconocida para el interlocutor: Aunque tengo 65 años, siento que mi cuerpo está muy ágil; En general, los de riesgo no me gustan nada, aunque mi marido practica ala delta.

Información conocida para el interlocutor: Aunque hagan cursos, no saben que hay que prepararse muchísimo; Aunque me dijeran los médicos que sí, yo no lo haría; Yo creo que estos deportes no son para los niños aunque estén de moda ahora; Es mucho mejor para ellos a pesar de que últimamente se estén promocionando otro tipo de deportes.

1.3.5. **1.** Indicativo. *En general los de riesgo no me gustan nada, aunque mi marido practica ala delta;* **2.** Subjuntivo. *Yo creo que estos deportes no son para los niños, aunque estén de moda ahora;* **3.** Pretérito imperfecto de subjuntivo. *Aunque me dijeran los médicos que sí, yo no lo haría.*

1.4.1. El objetivo de este ejercicio es que el estudiante reflexione y consolide la diferencia y matices de información en el uso de expresiones concesivas con indicativo o subjuntivo.
he tirado; hayas tirado; he acercado; hayas acercado; he conseguido; te hayas desprendido; era; fuera.

1.5. **Dificultades. 1.** Se necesitan una barca hinchable y un montón de cosas; **2.** Tiene un poco de vértigo; **3.** Todavía no se ha comprado la caña; **4.** No tiene ni idea de astronomía.
Soluciones. 1. Alguien te las prestará; **2.** Se verá compensado por la emoción de volar; **3.** Puede pescar con la caña que tiene, lo importante es la licencia; **4.** Siempre se puede aprender.

1.6.1. Se recomienda la corrección del ejercicio mediante la transparencia 19.

Transparencia 19: *Defender la propia opinión. Cuadro de funciones comunicativas.*

1.6.2. Es aconsejable que el profesor también recuerde a los estudiantes la existencia del uso de *aunque* + subjuntivo con matices polémicos, al expresar opiniones para quitar importancia a las cosas o decir que las cosas no son verdad. Ejemplo:

- *Hacer senderismo es el deporte más seguro de todos.*

- *Aunque a ti te parezca que es el senderismo, yo creo que la pesca no encierra riesgo alguno.*

Ficha 21: *Un mundo con limitaciones. Exponer las razones de algo.*

Esta expresión significa que una persona está dispuesta a realizar un gran esfuerzo para llegar a conseguir lo que se ha propuesto.

2.1. Posible clave: Deportes antiguos o tradicionales: lanzamiento de disco y jabalina, cortar troncos, levantar pesos, tirar dos equipos contrarios de una misma cuerda, maratón, esquí, trineo, patinar, natación... Deportes modernos: *snowboard, paddle, squash...*

2.1.1. **1.** d (tenis); **2.** e (natación); **3.** a (vela); **4.** c (montañismo); **5.** b (golf).

2.2.1. Posible respuesta: Requisitos físicos: excelente complexión física a nivel respiratorio y muscular. Requisitos psíquicos: fuerza de voluntad, templanza, dureza de carácter, tesón y disciplina.

2.2.2. Personalidad: polémico y controvertido, ególatra e indiferente, inhumano, egoísta, dominante, perfeccionista, irritante y autoritario, apasionado, honesto y fiel a sus ideales. Modo de actuar: obsequió a un compatriota con una botella de oxígeno; ha invitado a algún montañista mexicano a sus expediciones siempre que ha podido; ayudó a bajar desde el campo II hasta el campo base a un compatriota en el Everest y después le cedió su lugar en un helicóptero para que pudieran atenderlo pronto de su estado de congelación; tanto a sus clientes como a los miembros de NUVALP los ha puesto siempre en las metas que se proponen; es un buen ejemplo de montañismo mexicano.

2.2.3. **1.** Verdadero; **2.** Falso; **3.** Verdadero; **4.** Falso.

2.2.4. **2.** *Digan lo que digan:* Le es indiferente lo que la gente opine sobre la importancia que para él tiene el dinero: él escala por puro deleite; **3.** *Costara lo que costara:* Le dio igual la envergadura del esfuerzo que tuvo que hacer con tal de poder alcanzar su principal objetivo que era escalar; **4.** *Pase lo que pase:* No hay que dar prioridad o excesivas vueltas a otros sucesos de la vida: lo importante es ser el mejor y sacrificarse mucho.

2.3. Esta actividad sirve de precalentamiento para una serie de ejercicios de comprensión lectora que desarrollan estrategias de aprendizaje y comunicación. El objetivo es que el estudiante alcance la comprensión global del texto salvando la dificultad del léxico desconocido.

2.3.4. Posible clave: colorido ocre, casas de barro regadas por lomajes, parajes, abruptamente, rústica senda adoquinada(s), luz del ocaso, poblado, angosto camino, panorámica, alto de la montaña o hanacpacha, cielo andino.

 Ficha 22: *Un viaje de estudios. Ejercicio de práctica controlada.*

3 La copa de la vida

La frase del epígrafe hace referencia al título de la canción de Ricky Martín que van a leer en la actividad. 3.1.2. Dicho título juega con el doble sentido de la palabra "copa": copa, como trofeo, y copa, como recipiente.

3.1.1. El objetivo de este ejercicio es que el estudiante relacione el léxico bélico con el que se utiliza para describir, periodísticamente, los partidos de fútbol y prepararlo, posteriormente, para su análisis.
Posible Clave: luchar, atacar, vengar, ganar, pelear, salvar el honor, matar, morir, sobrevivir, disputa, competición, duelo, reo, víctima, agredir, verdugo, bendición, instinto, vencer, árbitro, juez, rival, contrincante, cruel...

3.2. Favorable: 1, 2, 5, 6, 13; Desfavorable: 3, 4, 10, 11, 12; Le da igual: 7, 8, 9, 14.

3.3.3. Comparaciones con: la liberación de la ciudad por los aliados en 1944; victorias bélicas; dar a luz, tocarle a uno la lotería.

Autoevaluación

3. **a.** Paracaídas; **b.** Esquíes; **c.** Manillar; **d.** Chirucas.

 Ficha de claves (21 y 22).

Unidad 12

1.1. Este refrán refleja una superstición popular que dice que uno no se puede casar ni viajar en martes, extendiéndose a otras actividades. Desde muy antiguo, el martes fue considerado día aciago por ser el dedicado a Marte, dios de la guerra y de las desavenencias. La circunstancia de que determinadas derrotas se produjeran precisamente en ese día de la semana no hizo sino reforzar la secular creencia en el carácter infausto del martes. Existe una continuación a este refrán: "ni de tu casa te apartes". La frase remite al tema que domina la unidad, los viajes y, en concreto en este epígrafe, a los problemas que puede uno encontrarse al viajar, proporcionándole al alumno los recursos lingüísticos necesarios para hacer reclamaciones y expresar indignación.

1.2.2. **1.** Equipaje o pertenencias; **2.** Indemnización; **3.** Deterioro; **4.** Prescribir; **5.** Cumplimentar; **6.** Requisito.

1.2.4. **1. a.** Al mostrador de información; **b.** Con una señorita bastante antipática; **c.** Que coja un folleto de derechos del viajero y que vaya al mostrador de pérdida de equipajes.

2. a. Al mostrador de pérdida de equipajes; **b.** Un chico mucho más amable; **c.** Le pide el resguardo, que rellene el PIR y que identifique su maleta. Le da un resguardo con el número que tiene que dar cuando llame para preguntar por su maleta. También le da un número de teléfono.

1.2.5. Se pretende llevar a cabo un análisis lingüístico sobre el texto auditivo. Primero, se les pide a los estudiantes que anoten todo lo que para ellos demuestre indignación. Tras escuchar dos veces, se les deja un tiempo para que clasifiquen los exponentes que han reconocido en: 1) Expresiones y palabras, 2) Sinónimos del verbo *decir*, 3) Conectores, 4) Exageraciones, 5) Despedidas.

Expresiones y palabras: **estoy hasta el gorro, estaba que trinaba, estaba harto, estar cabreado, cabrearse, y no te digo cómo estoy, cada vez me pongo más de los nervios, me parece alucinante, el teléfono ese, me la refanfinfla, ya lo que me faltaba, estoy que echo chispas;** Sinónimos del verbo *decir:* **me sale con que, le solté, me saltan con lo de que;** Conectores: **encima;** Exageraciones: **una hora de reloj;** Despedidas: **Muchas gracias y adiós (irónico).**

1.2.6. Se trata de simular la situación en la que se encontró Diego, el protagonista de nuestra tarea, con el propósito de verbalizar la indignación en las diferentes situaciones en las que se encontró y teniendo en cuenta el registro del interlocutor. Se recomienda reforzar la actividad con otras posibles situaciones que vayan surgiendo en el desarrollo del ejercicio y que, por supuesto, puedan expresar enfado o indignación.

1.2.7. Para hacer este ejercicio, es necesario volver sobre el texto de "Incidencias con el equipaje" de la actividad 1.2.1. Se les deja unos minutos para que busquen la información en el texto y piensen lo que Diego tiene que hacer. Luego hablan entre ellos y, finalmente, se ponen en común todas las opiniones.

Tiene que ir al aeropuerto, volver a hablar con la compañía y exigir que le den el dinero de indemnización por los 9 días que ha estado sin sus cosas. Según el texto, dicha reclamación puede hacerla en un plazo de 6 meses. En cuanto a la indemnización, a Diego le corresponde, como máximo, la misma cantidad de dinero que pagó por su viaje, aunque no está estipulado. Hay que tener en cuenta que su vuelo era nacional.

2 ¡Qué plantón!

"Dar un plantón a alguien" o "Dejar plantado a alguien" es una expresión coloquial que usamos cuando alguien no se presenta a una cita. También es sinónimo "Dejar tirado a alguien" que aparece en la instrucción de 2.2.6. En el epígrafe se trabajan las expresiones de rechazo y finalidad partiendo de una situación en la que un grupo de amigos rechazan la propuesta de otro para viajar.

2.2.1. Se propone una actividad de análisis textual donde, además de dar cuenta de los elementos lingüísticos propiamente dichos, se acerca al alumno a fórmulas de cortesía absolutamente imprescindibles para llevar a cabo la función de rechazar una propuesta con amabilidad.

Párrafo 1: Se empieza mostrando interés por la otra persona ("¿Qué tal?", "¿Cómo estás?", etc.). Después se habla de la situación personal del que escribe (trabajo, familia, amores...). Se prepara el terreno para el rechazo, que llegará después.

Párrafo 2: Rechazo a la propuesta o invitación. Extensa justificación y disculpas.

Párrafo 3: Dejar la puerta abierta para el futuro. Dejar claro que no se tiene nada personal contra la persona que ha hecho la propuesta o invitación. Hacer cumplidos para dicha persona.

Párrafo 4: Despedida cariñosa.

2.2.2. **Rechazar indirectamente:** Sé que te han dicho que no a la propuesta de tu viaje por los Países Bajos. Sé que te hacía ilusión y que yo era tu última esperanza; Me dirás que es una locura; Quizás ha llegado el momento de lanzarme; Podríamos reservar la idea del viaje para el año que viene...

Hacer cumplidos: Me parece genial el itinerario que pensaste; ¡Escribe una guía, que los de las editoriales se enteren de cómo se hace!; Que está muy bien; Seguro que encontrarás algo interesantísimo que hacer y luego me moriré de envidia.

2.2.4. **2.** Salí por salir; **3.** Ya no sé qué hacer con tal de olvidar a mi ex...; **4.** Quizás ha llegado el momento de lanzarme e intentarlo con él, con la esperanza de que salga bien; **6.** ¡Escribe una guía, que los de las editoriales se enteren de cómo se hace!

2.2.5. Posible clave: Llamé para informarme; No te lo dije para que te lo tomaras así de mal; Haremos lo que sea con tal de llegar a tiempo al aeropuerto; Dile todo lo que piensas, que sepa con quién está tratando; Hablaré con ella para que lo haga; Reclamé con la esperanza de que me hicieran caso; Aceptó el trabajo en su afán de ganar más; Habla por hablar, pero en realidad no tiene ni idea.

2.2.7. El objetivo de este ejercicio es llevar a la práctica, de forma más libre, la expresión de la finalidad. Se propone al estudiante que, a través de una producción escrita, convenza a su amigo para que realice el viaje solo.

 Ficha 23: Ventanas de Manhattan *de Antonio Muñoz Molina. Comprensión lectora.*

3 Chile

El epígrafe tiene dos objetivos: el primero, ahondar en el conocimiento de Chile (que conocen si han trabajado con PRISMA continúa (A2) donde se habla de este país en la ficha 40 del libro del profesor) en su aspecto geográfico y, por otro, la reflexión sobre la variedad léxica del español y los posibles malentendidos que esta variedad puede ocasionar. La unidad termina con una tarea que propone la elaboración, por parte del alumno, de un diario de viajes, siguiendo un modelo y las instrucciones necesarias.

3.1. Para obtener información exhaustiva sobre Chile, recomendamos consultar la página web http://chile.com/. A continuación, ofrecemos una breve reseña informativa.

Chile es una estrecha y larga franja de tierra, en el extremo suroccidental de América, entre la cordillera de los Andes y el océano Pacífico; posee una parte de la Antártida y más de 5800 islas e islotes. Limita, al norte, con Perú, al sur, con el Polo, al este, con Bolivia y Argentina y, al oeste, con el océano Pacífico. Más de 4000 km entre Arica, la ciudad más septentrional y Puerto Williams, el centro urbano más austral del país y del mundo. Tiene una superficie de 756 626 km², una longitud de 4270 km y una anchura media de 200 km (máximo 400 km).

Posee paisajes, clima, flora y fauna muy diversos, con geografía accidentada y montañosa. La mayor parte de su longitud es seguida por la cordillera de los Andes, que, al mismo tiempo, sirve como frontera natural con Argentina.

http://www.phoenix.cl/presentacion.htm

3.1.1. Recomendamos consolidar las palabras que aparecen subrayadas en "Posible clave" ya que su conocimiento facilitará la comprensión del diálogo.

Posible clave: **1.** Montaña: cordillera, cima, nieve, hielo, lago, volcán, termas, granito, llama, guanaco, ñandú; **2.** Desierto: sequía, arena, cambios bruscos de temperatura, oasis, camello; **3.** Glaciares: nieve, hielo, iceberg, navegar; **4.** Playa: arena, olas, barca, tripulación; **5.** Ciudad, pueblo: edificios, rascacielos, autopistas; **6.** Isla: islote, archipiélago.

3.2. Se introduce el tema de la variedad lingüística del español con una reflexión sobre la situación en su propio país y en su propia lengua o países y lenguas que sean conocidas por el estudiante. Se propone trabajar la actividad con un enfoque plurilingüe.

3.2.1. Damos algunos ejemplos sobre la comida: hay muchas diferencias en el léxico de los bares, no solo entre los países de habla hispana, sino también entre las regiones de un mismo país. Por ejemplo, lo que en Barcelona es un "bikini", en Madrid es un "mixto", es decir, un sándwich de jamón y queso con el pan tostado. En Colombia, un tinto es un café solo, mientras que en España es un vaso de vino tinto. En Perú, llaman "comer" a lo que en España se llama "cenar", y llaman "almorzar" a lo que en España se llama "comer".

3.2.2. **1.** Lugares: Santiago de Chile; Sitios de interés/animales: Club Hípico; Palacio de la Moneda, Barrios de Providencia y Vitacura; Alguna anécdota: malentendido con la palabra "polla".

2. Sitios de interés/animales: Lago Todos los Santos; Volcán Osorno; Comidas: Curanto; Costumbres y tradiciones: Leyenda del Caleuche, Baile del Costillar.

3. Sitios de interés/animales: Guanaco, Ñandú; Costumbres y tradiciones: El juego de la taba; Alguna anécdota: los tripulantes de las barcas arrancan el hielo de los iceberg y te lo dan para beber whisky.

3.2.3. Timbre: Aparato que se usa para llamar o avisar, y produce el sonido "ring" / estándar; hachazo: golpe dado con el hacha, que es una herramienta cortante que usan los leñadores para cortar árboles / estándar; chupar: Humedecer con la boca y con la lengua / estándar; roto/a: Estar muy cansado / coloquial; apretado/a: Escaso de recursos económicos / coloquial. Se usa con el verbo *andar: Anda muy apretada este mes.*

Ficha 24: ¿Castellano o español? *de Sergio Zamora.*

3.3. Luis Sepúlveda nació en Ovalle, Chile, en 1949. Muy joven aún, decidió ser viajero. De la selva amazónica al desierto de los saharauis, de Punta Arenas a Oslo, de Barcelona a Quito, de las celdas de Pinochet al barco de *Greenpeace*, recorrió casi todos los territorios posibles de la geografía y las utopías. Y, mientras viajaba, escribía. Publicó el primero de sus libros a los veinte años. Ha recibido, entre otros, el Premio *Gabriela Mistral* de poesía, 1976 y el Premio *Rómulo Gallegos* de novela, 1978. Su reconocimiento internacional llegó con *Un viejo que leía novelas de amor,* Premio Tigre Juan (Oviedo, 1989), que fue traducida a catorce lenguas y merecedora de otros premios internacionales.

3.3.1. **1.** avituallarse: abastecerse; **2.** naipes: cartas; **3.** mozo: camarero; **4.** confines: territorios; **5.** deleite: placer; **6.** repleta: llena; **7.** flaco: delgado; **8.** bicho: animal.

Revisión 2

R ¡Parece un museo!

Esta expresión se utiliza cuando un lugar está decorado en exceso, hay demasiados objetos y de diferentes estilos. Tiene un matiz negativo.

Con esta tarea pretendemos que los alumnos conozcan los principales museos virtuales de carácter estatal en España. Según vayamos avanzando en ella, los alumnos conocerán los contenidos, servicios y obras que se ofrecen en estos museos, y adquirirán el vocabulario específico que se utiliza para describir y valorar una obra de arte.

Las dos primeras actividades (1. y 1.1.) consisten en la presentación general del tema de la tarea. A partir de la actividad 2, es imprescindible el uso de ordenadores con conexión a Internet. Consideramos que es necesario un ordenador por cada grupo de alumnos, no siendo los grupos superiores a tres personas. Los estudiantes deben seguir las instrucciones que se les van indicando en el libro del alumno hasta la consecución final de la tarea.

2.1. Para aquellos que no dispongan de Internet, el profesor repartirá a cada grupo de estudiantes un resumen donde se encuentra la información de un museo, sus contenidos, secciones, etc. Esta información se encuentra en las fichas 25, 25a y 25b.

Fichas 25, 25a y 25b: *Resúmenes de los principales museos estatales españoles.*

A continuación, deberán rellenar el cuadro de la actividad 2.1. del libro del alumno partiendo de la información obtenida del museo en Internet o en la ficha de resúmenes.

3.1. Se les proporcionará a los estudiantes una ficha con los personajes del cuadro *Las Meninas* de Velázquez para que puedan reconstruirlo según la descripción de la audición 46.

Ficha 26: *Personajes del cuadro de* **Las Meninas.**

3.2. Para comprobar los resultados de la audición, el profesor remitirá a los alumnos a la reproducción del cuadro que aparece en la portada de la unidad (pág. 183). Recomendamos que el profesor reparta a los alumnos la fotocopia de la transcripción de la audición para analizar el léxico específico que se utiliza para describir una obra de arte. Dichos exponentes estarán marcados, algunos con negrita y otros subrayados. Esta transcripción les servirá de modelo lingüístico.

3.3. Los estudiantes deberán tener delante, para poder elaborar su valoración, la reproducción del cuadro que aparece en la portada.

4. Si no se dispone de Internet, el profesor repartirá a cada grupo una lámina, dependiendo del museo que hayan trabajado en la actividad 2.1. En este caso, la carpeta que realizarán no será virtual sino real; los alumnos deberán meter cada uno de los documentos realizados en una carpeta para formar un dossier con el nombre del museo que hayan analizado.

Transparencias 20 y 21: *Reproducción de seis obras de museos estatales españoles.*

Nota: La ficha *Resúmenes de los principales museos estatales españoles* contiene información sobre las exposiciones temporales. En la mayoría de los casos, estas exposiciones son, como máximo, de carácter anual. Recomendamos al profesor que actualice el contenido cuando realice la tarea, y facilitamos las direcciones de las páginas *web* de cada uno de los museos.

Las obras que aparecen reproducidas en las transparencias 20 y 21 son, por orden de numeración, las siguientes:

1. Diego de Velázquez, *La fragua de Vulcano*, 1630. Óleo sobre lienzo, 223´5 x 290 cm. Museo del Prado, Madrid, España.

2. Domenico Ghirlandaio, *Retrato de Giovanna Tornabuoni*, 1488. Técnica mixta sobre tabla, 77 x 49 cm. Museo Thyssen - Bornemisza, Madrid, España.

3. *Talla antropomorfa, Kankanay*. Provincia Montañosa (Norte de Luzón), Filipinas. Madera, cerámica y cabello humano. Altura: 35´5 cm. Museo Nacional de Antropología, Madrid, España.

4. Joan Miró, *Libélula de alas rojas persiguiendo a una serpiente que se desliza en espiral hacia una estrella - cometa*, 1951. Óleo sobre tela, 81 x 100 cm. Museo Nacional Centro de Arte Reina Sofía, Madrid, España.

5. *Máscara frontal* o *Casco Ceremonial,* siglo XVIII. Cultura Tlingit, Estado de Alaska, EE.UU. Madera policromada, concha, cobre y plata, 18´7 x 17´6 cm. Museo de América, Madrid, España.

6. Detalle del techo de las cuevas de Altamira, Paleolítico Superior. Arte rupestre, pintura policromada. Cuevas de Altamira, Santillana del Mar, Santander, España.

Repetimos desde el principio

1. **1.** abras; **2.** respires; **3.** tosas; **4.** dijeras; **5.** haces; **6.** fumo; **7.** gusta; **8.** cambies; **9.** seas; **10.** pienses; **11.** fumes; **12.** resultaría; **13.** ayudara; **14.** mande; **15.** mejorará; **16.** mandara; **17.** mejoraría; **18.** intentaré.

2. **1.** Se nos cayeron / han caído los libros; **2.** En México se puede conseguir un buen tequila; **3.** Se ruega a los pasajeros que tengan a mano su pasaporte; **4.** En Puerto Rico nunca se llega temprano a una fiesta; **5.** En los bares no se puede pagar con tarjeta de crédito. Se trata de oraciones impersonales.

3. **1.** Los planos del museo fueron terminados por los arquitectos hace dos semanas; **2.** La nueva estación de metro fue inaugurada por el alcalde; **3.** Los ministros han sido destituidos por el presidente antes de las elecciones; **4.** El Santo Grial fue encontrado por los arqueólogos.

4. Diga lo que diga, nunca me escucha; Caiga quien caiga, seguiré con la investigación; Coma lo que coma, todo me engorda; Haga lo que haga, nunca es suficiente para mi jefe.

Fichas fotocopiables

eta el texto con la forma y

guió salir del laberinto. Si (1) (t...
tenido una señal que seguir. D...
y las ratas se las hubieran como...
mino, (3) (poder) ...
ar con el Minotauro. Claro que ...
naza, como un ser salvaje y ter...
ej) .... un mal día, pa...
ría escapar a no ser que el mism...
hubiese ayudado a salir al Toro, s...
drecitas (8) (tirar) ...
estaban los dos, juntos, tristes y ...

las frases de forma que signi...

era una mínima oportunidad de ...
r que ...
ba los exámenes, que haga lo qu...
ra aprobado los exámenes, habrí...
elga si no revisan sus condicione...
que ...
den con educación, no pondrá ni ...
que ...
s hecho lo que tenías que hacer, r...
solo si me obligaran.
s ganas, íbamos a la playa, si no, no...
cuando ...
nas iré a la playa, si no, me quedar...
e ...
matemáticas si hay plaza.

ntesta a estas situaciones más o ...

días si ...
n fugitivo de la Justicia solo si ...
asistir al colegio de educación primar...
cepto que ...

A ¿Sabes qué tienen en común los mensajes cortos del móvil y el *chat*? El ...
que utilizan es el mismo. Aquí tienes la traducción SMS de algun...
Relaciona las columnas.

1	Aburrido	•	• %-/
2	Borracho	•	• b (-)
3	Calvo	•	• c :-X
4	Guiño	•	• d :-(
5	Con walkman	•	• e I-o
6	Feliz	•	• f :-D
7	Sorprendido	•	• g :-)
8	Casi enfermo	•	• h ;-)
9	Llevar gafas	•	• i :-O
10	Muy feliz	•	• j 8-)
11	Carcajada	•	• k [:-)
12	Tener resaca	•	• l :-)]
13	Triste	•	• m #:-)
14	¡Uf, qué nochecita!		
15	Un beso		

B Ahora, con tu compañero, ¿por qué no intentas ...
mensajes? Pensad que, normalmente, omitimos ...
de letras.

1. a q hr qdmos? _¿A qué hora quedamos?_ 9. ...
2. como t va? _¿Cómo te va?_ 1...
3. compra 2entrdas+ _Compra dos entradas más_ 1...
4. qndo akba la peli? .... ? 1...
5. 2min y sigo ....
6. spro brt mñna ....
7. toy n ksa ....
8. mñn tngo exam ....

B Mantén con tu compañero la siguiente conve...
mejor necesitas inventar algunas palabras. U...

alumno a

- Invita a tu amigo al cine
- Explícale viene mañana
- Le preguntas a qué hora puede ...
quedar

A Lee este testimonio de una mujer ecuatoriana emigrada a los EE. ...
lo a cada sección y resalta la idea principal en los cuadros corresp...

a. Creando oportunidades • b Cargo de conciencia • c. Por mi acento.

Cecilia Alvear Treviño es periodista. Nació en Ecuador y vive en E...
desde 1965. Actualmente trabaja como productora de noticias en la ...
nal NBC y es presidenta de la Asociación Nacional de Periodista...
Estados Unidos.

Me gusta regresar al Ecuador. Salí cuan...
do era joven, y volver es como una oportuni-...
dad de explorar qué hubiera sido si no hubie-...
ra salido. Es como dicen: uno llega a encru...

lar ahí. Pero pocos años d...
de periodistas de Los Áng...
ria chicanos, comenzaron ...
de perió..."...
uno de l...
.... Nos...

Velázquez

Infanta M...

Ficha 10

A LA VERBENA CON LA ZARZUELA

A ¿Sabes qué es la ópera? ¿Has ido alguna vez al teatro a ver alguna ópera...
¿Has oído hablar de la zarzuela? ¿Qué te sugiere esta palabra?

B En el siguiente texto vas a conocer su historia.

Zarzuela:

Es un género musical parecido a la ópera. Lo que la diferencia de la ópera es qu...
representación la mitad es hablada y la otra mitad cantada. La lengua es el castellano ...
malmente se representan temas costumbristas de la época. La zarzuela nació en el ...
XVII en el pabellón del Palacio de la Zarzuela (lugar llamado así por el gran número d...
zas que lo rodeaban) en la época de Felipe IV. Gran amante del teatro, este monarca er...
cionado a los espectáculos musicales cargados de efectos; así, gustaba de celebrar re...
sentaciones nocturnas, fiestas cortesanas, con música. Aprovechando los momentos de ...
canso con sus cortesanos, y para distraerse, contrataba compañías madrileñas que rep...
sentaban obras donde se alternaba el canto con pasajes hablados. Las primeras zarzue...
nacieron como pequeños experimentos, un género musical que se situaba entre el teat...
el concierto, el sainete y la tonadilla.

Consta de tres partes: introducción, en la que se expone el asunto, dividiénd...
co: sección central, en la ...

Ficha 14

A En el siguiente jeroglífico se esconde una expresión idiomática, descif...
que significa?

B Aquí tienes una serie de expresiones descriptivas incompletas. Les fa...
puedes deducir por la característica del nombre con el que se comp...

1. Estar tan .... como un tomate.   9. Ser tan ....
2. Ser tan .... como un león.   10. Ser tan ....
3. Ser tan .... como el pan.   11. Estar tan ....
4. Ser tan .... como la leche.   12. Ser más ....
5. Ser tan .... como una ardilla.   13. Ser más ....
6. Estar tan .... como una vaca.   14. Estar tan ....
7. Estar más .... que el agua.   15. Ser tan ....
8. Ser tan .... como una mula.   16. Ser tan ....

Ficha 1

EL ÁRBOL DE LA CIENCIA

de Pío Baroja

A **Antes de leer el fragmento, relaciona las palabras con su definición para facilitar la lectura:**

1 Cucurucho •	• a	Que tiende a imitar o mantener formas de vida o costumbres arcaicas.
2 Jovialidad •	• b	Ridículo, extravagante, de mal gusto.
3 Alarde •	• c	Especie de gorro de forma cónica hecho de papel.
4 Capa •	• d	Alegría, buen humor, inclinación a la diversión.
5 Aprensivo •	• e	Masa de tejido nervioso contenido en el cráneo.
6 Sesos •	• f	Placer intenso.
7 Fruición •	• g	Prenda de abrigo larga y suelta, sin mangas, que se lleva encima del vestido.
8 Desdén •	• h	Indiferencia y falta de interés que denotan menosprecio.
9 Atávico •	• i	Que siente un miedo excesivo a contagiarse de alguna enfermedad o a sufrir algún daño.
10 Grotesco •	• j	Ostentación o presentación llamativa que hace una persona de algo que tiene.

El curso siguiente, de menos asignaturas, era algo más fácil: no había tantas cosas que retener en la cabeza. A pesar de esto, solo la anatomía bastaba para poner a prueba la memoria mejor organizada.

Unos meses después del principio de curso, en el tiempo frío, se comenzaba la clase de disección. Los cincuenta o sesenta alumnos se repartían en diez o doce mesas, y se agrupaban de cinco en cinco en cada una (...).

La mayoría de los estudiantes ansiaban llegar a la sala de disección y hundir el escalpelo en los cadáveres como si les quedara un fondo atávico de crueldad primitiva. En todos ellos se producía un alarde de indiferencia y de jovialidad al encontrarse frente a la muerte, como si fuera una cosa divertida y alegre. Dentro de la clase de disección, los estudiantes encontraban grotesca la muerte, a un cadáver le ponían un cucurucho o un sombrero de papel.

Se contaba de un estudiante de segundo año que le había gastado una broma a un amigo suyo que era un poco aprensivo. Cogió el brazo de un muerto, se tapó con la capa y se acercó a saludar a su amigo. "¡Hola! ¿Qué tal?", le dijo, sacando por debajo de la capa la mano del cadáver.

"Bien. ¿Y tú?", contestó el otro.

El amigo estrechó la mano, se estremeció al notar su frialdad, y quedó horrorizado al ver que por debajo de la capa salía el brazo de un cadáver.

De otro caso sucedido por entonces se habló mucho entre los alumnos. Uno de los médicos del hospital, especialista en enfermedades nerviosas, había dado orden de que a un enfermo suyo, muerto en su sala, se le hiciera la autopsia, se le extrajera el cerebro y se lo llevaran a su casa para estudiarlo.

El interno extrajo el cerebro y lo envió al domicilio del médico. La criada de la casa, al ver el paquete, creyó que eran sesos de vaca, y los llevó a la cocina, los preparó, y los sirvió a la familia.

Se contaban muchas historias como esta, fueran verdad o no, con verdadera fruición. Existía entre los estudiantes de Medicina una tendencia al espíritu de clase, consistente en un común desdén por la muerte; en cierto entusiasmo por la brutalidad quirúrgica, y en un gran desprecio por la sensibilidad.

Fragmento de El árbol de la ciencia

B **Habla con tus compañeros sobre el fragmento que has leído teniendo en cuenta los puntos que te damos a continuación.**

1. Comenta el título *El árbol de la ciencia*.

2. Interpreta la actitud de los estudiantes de medicina.

3. Explica cómo se siente el protagonista frente a las reacciones de sus compañeros de clase.

4. ¿Puedes deducir cuáles son o pueden ser los intereses de los profesores?

5. ¿Qué harías tú si estuvieras en su lugar?

Ficha 2

A **Eres asesor de una revista y debes contestar aconsejando a las personas que te escriben contándote estos problemas.**

    1. Tengo jaquecas frecuentes.

      Te aconsejo que te tomes una aspirina y descanses un poco.

    2. Llevo un tiempo en España y me resulta difícil hacer amigos.

    3. Estoy en paro y no sé cómo vestirme para las entrevistas de trabajo.

    4. Con el cambio de horario no puedo dormir por la noche y no me tengo en pie.

    5. He visto al novio de mi mejor amiga besándose en un bar con otra chica.

    6. Quiero aprender a hablar español bien, pero tengo algunas dificultades.

B **Continúa estas frases libremente, utilizando el tiempo y el modo verbal adecuado.**

    1. Es lógico que...

    2. Está visto que...

    3. Era evidente que...

    4. No es obligatorio que...

    5. Sería conveniente que...

    6. No está comprobado que...

    7. Fue sorprendente que...

    8. ¿Es verdad que... ?

    9. Era importante que...

    10. ¿No sería una lástima que... ?

C **Señala las frases que son incorrectas y corrígelas.**

    1. Te recomiendo que pruebas los calamares en su tinta. ¡Están para chuparse los dedos!

    2. Yo en tu lugar comprara un piso en vez de estar pagando un alquiler.

    3. Es lógico que te pidan esos documentos. Son importantes para conseguir el visado.

    4. Está claro que esté de mala uva. ¡No ha parado de dar malas contestaciones!

    5. Sería mejor que viajaras en tren porque si no tendrás que usar cadenas.

    6. Está demostrado que el tabaco perjudica seriamente la salud.

    7. No es justo que me toca trabajar siempre los sábados.

Ficha 3

HABLAR CON LOS DEDOS

A ¿Sabes qué tienen en común los mensajes cortos del móvil y el *chat*? El lenguaje **SMS** que utilizan es el mismo. Aquí tienes la traducción SMS de algunas emociones. Relaciona las columnas.

1 Aburrido •		• a %-/
2 Borracho •		• b (:-)
3 Calvo •		• c :-X
4 Guiño •		• d :-(
5 Con walkman •		• e I-o
6 Feliz •		• f :-D
7 Sorprendido •		• g :-@
8 Casi enfermo •		• h :*)
9 Llevar gafas •		• i :-O
10 Muy feliz •		• j ;-)
11 Carcajada •		• k [:-)
12 Tener resaca •		• l :-))
13 Triste •		• m #-)
14 ¡Uf, qué nochecita! •		• n 8-)
15 Un beso •		• ñ :-)

B Ahora, con tu compañero, ¿por qué no intentas deducir el significado de los siguientes mensajes? Pensad que, normalmente, omitimos vocales y utilizamos sonidos en lugar de letras.

1. a q hr qdmos? *¿A qué hora quedamos?*

2. como t va? *¿Cómo te va?*

3. compra 2entrdas+ *Compra dos entradas más*

4. qndo akba la peli? ....?

5. 2min y slgo ....

6. spro brt mñna ....

7. toy n ksa ....

8. mñn tngo exam ....

9. vng d bcn ....

10. ns ....

11. ns si re ....

12. qtl tdo? ....

13. t nvto cine ....

14. tng zzz ....

15. muak / 1b ....

B Mantén con tu compañero la siguiente conversación a través de mensajes de móvil. A lo mejor necesitas inventar algunas palabras. Utiliza la imaginación.

alumno a

- Invita a tu amigo al cine
- Esperas verle mañana
- Le preguntas a qué hora puede quedar
- Le dices que estarás en casa y que le esperas. Le mandas un saludo.

alumno b

- Hoy no puedes, estás enfermo
- Mañana tienes un examen
- Le dices que después del examen, a las 8 de la tarde
- Estás de acuerdo y te despides.

Ficha 4

SOLO PARA "CHATEROS"

Vais a entrar en un *chat* para tomar contacto con algún hispanohablante pero, antes, y por parejas, tenéis que preparar cinco preguntas que os permitan conocer a esa persona. Después, pactad con el profesor el tiempo de que disponéis para el *chat* y poneos manos a la obra. No olvidéis seguir la netetiqueta; no escribáis en mayúsculas porque pensarán que les estáis gritando, usad los emoticones para transmitir sentimientos, avisad 5 ó 10 minutos antes del final de que vais a acabar la sesión, y quedad para otro momento si os interesa seguir... Después, transmitiréis a vuestros compañeros qué preguntas hicisteis y cuáles fueron las respuestas, haciendo las transformaciones necesarias que exige utilizar el discurso referido.

Foro hispanohablante

Desde: _____ **Hasta:** _____

Vamos al chat: _____

HTTP:// _____

Nuestro objetivo: Conocer a otros hispanohablantes e intercambiar experiencias

Pasos: Saludar

Presentarse

Hacer cinco preguntas

Agradecer

Despedirse

Compartir la información:

Nosotros le hemos preguntado...

Y él/ella nos ha respondido...

Ficha 5

GREGUERÍAS DE ANIMALES

A Vamos a utilizar la imaginación para tratar de adivinar a qué animales se refieren estas greguerías. Pero, antes, define con tu compañero o con la ayuda del diccionario las palabras y expresiones que aparecen a continuación.

a. por su cuenta ....

b. posarse..

c. mecanógrafa ....

d. grúa ....

e. hierba..

f. patas ....

g. lucir ....

h. por fuerza ....

i. trombón..

j. llevar a cuestas ....

k. babero ....

B Relaciona las definiciones de las greguerías con las imágenes del animal al que se refieren.

1. ...., es una maleta que viaja por su cuenta.

2. ...., posándose en todas la flores, es la mecanógrafa del jardín.

3. ...., es una grúa que come hierba.

4. ...., parece que tienen en las patas las muelas que no tienen en la boca.

5. ...., es el animal que luce por fuerza la radiografía interior.

6. ...., debía tocar el trombón que lleva a cuestas.

7. ...., son unos niños que se han escapado de la mesa con el babero puesto.

C Crea, con tu compañero, alguna más sobre el tema que quieras. Los demás compañeros tienen que adivinar de qué se trata.

....

....

....

....

Ficha 6

A Ordena estas definiciones en tres minutos y descubrirás el nombre de algunos objetos.

1. a la vista/una/cosa/donde/en/mensajes/ponen/se ....
2. diapositivas/pueden/aparato/ver/un/el/que/en/se ....
3. aparato/del/calor/sale/que ....
4. guardar/una/cosa/papeles/los/en/que/se/pueden/la ....
5. unimos/papeles/máquina/con/que/la/una ....
6. explican/contienen/se/y/una/de/lengua/las/todas/dicciones/alfabético/comúnmente/libro/que/en/orden/por ....
7. se/material/de/lugar/lleva/trabajo/que/el/en ....
8. demás/aparato/por/los/que/el/comunicamos/nos/con ....

¿Sabes ya qué objetos son?

B Desordena algunas definiciones y que tu compañero las ordene.

C Completa con el relativo correspondiente. Puede haber más de una posibilidad.

1. No hay .... trabaje con este ruido.
2. .... bien te quiere te hará llorar.
3. ¿Qué es .... quieres?
4. Esta es la casa .... nací.
5. No hay nadie .... la aguante.
6. El hombre con .... salía estaba casado.
7. Los estudiantes .... quieran pueden asistir a clase de cultura.
8. A .... madruga Dios le ayuda.
9. .... algo quiere algo le cuesta.
10. Los alumnos, ... estudiaron mucho, aprobaron.
11. Los alumnos .... estudiaron mucho aprobaron.
12. Cuéntame todo .... has oído.
13. Este anillo es .... me regalaron en mi cumpleaños.
14. "En un lugar de la Mancha de .... nombre no quiero acordarme" es el principio de una famosa obra literaria.
15. ¿Cómo se dice en español una cosa con .... puedo unir papeles?
16. Tú sí tienes a .... contarle tus penas.
17. Había un coche detrás del .... se escondió.

D *Por pedir que no quede, ¿qué significa esta frase? Sueña despierto y escribe una carta al genio de la lámpara de Aladino pidiéndole objetos que hagan tu vida más cómoda.*

Querido genio de la lámpara:

....

....

....

....

Ficha 7

FICHA TIPO PARA LA EXPLOTACIÓN DE PELÍCULAS BASADAS EN OBRAS LITERARIAS

A **Muchas veces el mundo del cine se mezcla con el mundo de la literatura. El guion de una película tiene su punto de partida en una historia literaria. Ese es el caso de películas como:** *La Pasión Turca,* **del escritor Antonio Gala;** *La Casa de los Espíritus,* **de Isabel Allende;** *La Tabla de Flandes,* **de Arturo Pérez-Reverte;** *Malena es un nombre de tango,* **de Almudena Grandes, etc.**

¿Podrías ampliar con tu compañero esta lista con otras más? No es necesario que sean hispanas.

B **Ahora, vas a ver la película. Al final deberás recoger datos sobre:**

1. El género de la película
2. El guion
3. Los personajes principales
4. Los personajes secundarios
5. Los decorados
6. La ambientación

C **Después de ver la película, vas a leer el fragmento de la novela que te proporcione tu profesor y, a continuación, volverás a ver la escena correspondiente.**

D **Compara los dos y escribe cuáles son las diferencias y semejanzas, cuál te ha gustado más y por qué. Después, compara lo que has escrito con tu compañero.**

E **Ahora, haz una descripción de la escena que tú quieras siguiendo este esquema. Busca tu escena en el libro y comenta las diferencias y semejanzas al resto de la clase, explica también por qué la elegiste.**

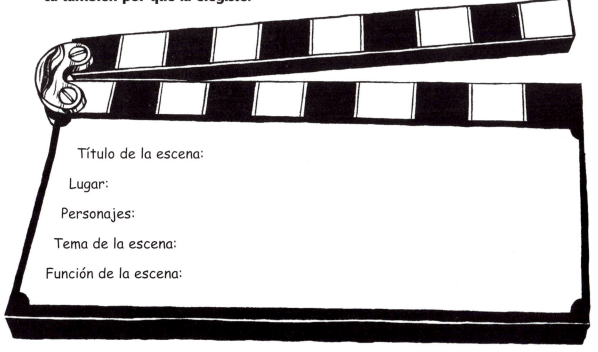

Título de la escena:

Lugar:

Personajes:

Tema de la escena:

Función de la escena:

Ficha 8

¡ÁTAME!
de Pedro Almodóvar

A Esta es una de las películas mejor elaboradas y de mayor éxito en España de Pedro Almodóvar. Además, significó el empujón al éxito para Antonio Banderas. Según Banderas, esta ha sido su mejor interpretación.

¡Veremos qué es lo que piensas tú!

Después de ver la película, ¿podrías responder a las siguientes preguntas? Trabaja con tu compañero.

1. ¿Qué tipo de película es? ....
2. ¿De qué trata? ¿Cuál es la historia? ....
3. ¿Quiénes son los protagonistas? ....
4. ¿Cómo es él? ....
5. ¿Cómo es ella? ....
6. ¿Cómo es la directora del psiquiátrico? ....
7. ¿Y Maxi, el director de cine? ....
8. ¿Cómo es la relación entre los protagonistas? ....
9. ¿Y el final? ¿Qué os parece? ....

B El cine de Almodóvar ha marcado un estilo dentro de este arte, un antes y un después dentro del cine español. Vamos a intentar entrar dentro de "su mundo mágico". Tienes cinco minutos para reflexionar sobre estos puntos para, después, ponerlos en común con el resto de tus compañeros.

- El estilo de Almodóvar (cutre, hortera, cursi, irreal...).
- La imagen en el cine de Almodóvar (vestuario, colores, maquillaje...).
- La ambientación (muebles, colores, decoración, localización...).
- Tipos de personajes (estratos sociales, relaciones entre ellos, sexo...).
- Temas de fondo que trata en sus películas.
- Ideología, actitud que muestra Almodóvar en su cine.
- ¿Hay elementos muy "españoles" en su estilo, tópicos?

C Otro de los elementos clave de Almodóvar es el lenguaje que pone en boca de sus personajes, una lengua viva y real. Con el cine de este director podemos encontrar esa lengua coloquial que a veces nos cuesta entender cuando visitamos España. Vamos a trabajar ese lenguaje coloquial en una escena de la película.

Ella: Oye, ¿qué quieres?

Él: Tranquila... ¡No grites!

Ella: ¡Ah!

Él: Te dije que no gritaras. ¡Mira que se lo he dicho!

[...]

Él: ¡Hola!

Ella: ¿Quién eres?

Él: Soy el que te atacó, ¿te duele? ¡Qué putada! ¡Joder!

CONTINÚA ••••

NIVEL B2. **AVANZA**

Ficha 8a

Ella: ¡Vete ahora mismo de aquí o llamo a la policía!

Él: Tuve que pegarte para que no gritaras, pero no quería hacerte daño, te lo juro.

Ella: He dicho que te vayas.

Él: ¡Joder! Esto parece una farmacia, ¿eh?

Ella: ¡Hijo de puta! No querías hacerme daño, pero me has roto una muela.

Él: Ya te he dicho que lo siento.

Ella: ¿Que lo sientes? ¡Ay! Tú lo que quieres es follarme, ¿no? Pues venga, hazlo rápido y vete.

Él: Tranquila, ya follaremos cuando llegue el momento.

Ella: Entonces, ¿qué quieres?

Él: Ahora te lo cuento. Vamos a la cama, estaremos más cómodos. ¡Cuidado con los cristales! Intenté hablar contigo, pero no me dejaste; así que he tenido que raptarte para que puedas conocerme a fondo. Estoy seguro de que entonces te enamorarás de mí como yo lo estoy de ti. Tengo 23 años y cincuenta mil pesetas y estoy solo en el mundo. Intentaré ser un buen marido para ti y un buen padre para tus hijos.

Ella: ¿Tú eres el que robó en el plató?

Él: Sí, y al final intenté hablar contigo, pero pasaste.

Ella: Tú eres el del pino...

Él: Sí, a veces me tiro esos rollos, y...

Ella: ¡Claro! Por eso me suena tu cara.

Él: Ya nos conocíamos de antes. Hace un año, en un bar que se llama "Lulú" ¿No te acuerdas? Yo acababa de fugarme del psiquiátrico. Te encontré por casualidad en el "Lulú". Después, fuimos a tu piso y echamos un polvo, ¿de verdad no te acuerdas? Prometí que te retiraría de la calle y que te protegería.

Ella: Eso me lo han prometido ya muchos hombres.

Él: Pero yo he vuelto para demostrártelo. ¡Y deja ya de tirar cosas! ¿No? ¿Te ha gustado el detalle del corazón? Un puntito, ¿no?

D **Esta es una de las escenas más famosas de la película. ¿Sabrías decirnos por qué?**

E **En este diálogo, seguro que has encontrado un montón de expresiones que ya habías oído o leído, pero algunas de ellas todavía no sabes exactamente qué significan y en qué contextos se utilizan.**

Haz con tu compañero una lista con las expresiones que conoces y con las que no conoces de la escena e intenta explicar para qué sirven, qué expresan y en qué momentos podemos utilizarlas.

Expresiones	Qué expresan	Cuándo las utilizamos	Expresión no coloquial sinónima

Ficha 9

A **Lee la biografía del intérprete de "Ella y Él".**

Ricardo Arjona nació el 19 de enero de 1964 en Antigua, Guatemala, y se trasladó a vivir a la Ciudad de Guatemala a los 3 años de edad. Su afición por la música comienza desde muy niño. A los ocho años de edad ya sabía tocar la guitarra y durante toda su etapa de estudiante compaginó las asignaturas con la música, con mejores resultados en lo segundo que en lo primero. Para la mayoría, resultaba ser un niño muy rebelde.

A los 21 produjo su primer disco: *Déjame decir que te amo*, un trabajo que aparentemente no gustó nada al autor.

Durante cinco años, Ricardo optó por abandonar la música y dedicarse por entero a la enseñanza, dando clases a niños de escasos recursos de los que él también aprendía. Al mismo tiempo, estudiaba Ciencias de la Comunicación, en la especialidad de Publicidad. Gran aficionado, también, al deporte, se destacó en la práctica del baloncesto, del que formó parte de la Selección Nacional de Guatemala y, aún hoy, conserva el récord del jugador que más puntos ha conseguido en un solo partido.

Aunque la música había pasado a segundo término en sus ocupaciones, un buen día se le ofreció la oportunidad de grabar un disco. El producto final no le pareció muy satisfactorio y nuevamente lo intentó, con resultados más aceptables, en *SOS Rescátame*, en el que ya se apreciaban el estilo y las tendencias musicales de Arjona. Su siguiente disco, *Jesús: verbo no sustantivo*, fue la revelación final de Ricardo Arjona como compositor e intérprete en toda América Latina y Estados Unidos. El tema que daba título al álbum permaneció durante meses en el número uno de las listas de todos los países centroamericanos, siendo el álbum más vendido de la historia en los países de esta región.

La siguiente etapa en la carrera del artista tendría lugar en México. Allí se trasladó para componer el tema principal de *Alcanzar una estrella*, una telenovela de gran éxito que dio a conocer a Ricardo Arjona a nivel internacional, no solo como compositor e intérprete, sino también como actor.

El álbum *Animal nocturno* fue su primer trabajo para Sony Music y también la consolidación definitiva de Ricardo Arjona como uno de los nuevos artistas más valiosos e interesantes de los últimos años.

Sus siguientes álbumes, *Historias* y *Si el norte fuera el sur* fueron también grandes éxitos. Temas como el que titula el disco, junto a *Tu Reputación* y *Ella y él*, contribuyeron a situar a Ricardo Arjona entre los artistas más respetados y admirados del continente. Su álbum *Sin daños a terceros* nos devuelve al Arjona que todos admiramos, sincero, valiente y comprometido con su época, su medio y, por supuesto, con su música y su público.

Para su siguiente trabajo, Arjona se fue al Caribe, le quitó la ropa a sus canciones, y las vistió de tambores, de fiesta y de melancolía. El artista más importante de Latinoamérica, con más de 6 000 000 de discos vendidos, nos presenta su trabajo *Galería Caribe*.

Adaptado de www.todomusica.org/ricardo_arjona/index.shtml

B **Trabajas para una revista de música en el que te han pedido un pequeño artículo sobre Ricardo Arjona en el que cuentes anécdotas interesantes de su vida y, al mismo tiempo, lo compares con la biografía de Shakira que trabajaste en 5.1.**

Ficha 10

A LA VERBENA CON LA ZARZUELA

A ¿Sabes qué es la ópera? ¿Has ido alguna vez al teatro a ver alguna ópera importante? ¿Has oído hablar de la zarzuela? ¿Qué te sugiere esta palabra?

B En el siguiente texto vas a conocer su historia.

Zarzuela:

Es un género musical parecido a la ópera. Lo que la diferencia de la ópera es que en la representación la mitad es hablada y la otra mitad cantada. La lengua es el castellano y normalmente se representan temas costumbristas de la época. La zarzuela nació en el siglo XVII en el pabellón del Palacio de la Zarzuela (lugar llamado así por el gran número de zarzas que lo rodeaban) en la época de Felipe IV. Gran amante del teatro, este monarca era aficionado a los espectáculos musicales cargados de efectos; así, gustaba de celebrar representaciones nocturnas, fiestas cortesanas, con música. Aprovechando los momentos de descanso con sus cortesanos, y para distraerse, contrataba compañías madrileñas que representaban obras donde se alternaba el canto con pasajes hablados. Las primeras zarzuelas nacieron como pequeños experimentos, un género musical que se situaba entre el teatro, el concierto, el sainete y la tonadilla.

Consta de tres partes: introducción, en la que se expone el asunto, dirigiéndose al público; sección central, en la que se sitúa la acción del argumento; sección final, que a menudo no guarda relación con el argumento.

C Lee uno de los fragmentos de una zarzuela que representa una de las escenas más costumbristas del Madrid castizo: *La verbena de la Paloma.*

Julián: ¿Dónde vas con mantón de Manila?
¿Dónde vas con vestido chiné?

Susana: A lucirme y a ver la verbena y a meterme en la cama despúes.

Julián: ¿Y por qué no has venido conmigo, cuando tanto te lo supliqué?

Susana: Porque voy a gastarme en botica lo que me has hecho tú padecer.

Julián: ¿Y quién es ese chico tan guapo con quien luego la vais a correr?

Susana: Un sujeto que tiene vergüenza, pundonor y lo que hay que tener.

Julián: ¿Y si a mí no me diera la gana de que fueras del brazo con él?

Susana: Pues me iría con él de verbena y a los toros de Carabanchel.

Julián: ¿Sí, eh?, ¿Sí, eh? Pues eso ahora mismo lo vamos a ver.

D ¿Dónde crees que tiene lugar la escena? ¿Qué relación crees que hay entre Julián y Susana? Describe a Julián a partir de las preguntas que le hace a Susana. ¿Crees que este diálogo se podría dar en la actualidad? ¿Por qué?

E ¿Te gustaría conocer más zarzuelas? Busca en esta dirección: www.geocities.com/lazarzuela20/ y clasifica los diferentes tipos de zarzuela que encuentres.

Ficha 11

A Lee este testimonio de una mujer ecuatoriana emigrada a los EE. UU. Asigna un título a cada sección y resalta la idea principal en los cuadros correspondientes.

> **a.** Creando oportunidades • **b** Cargo de conciencia • **c.** Por mi acento... • **d.** Encrucijadas

Cecilia Alvear Treviño es periodista. Nació en Ecuador y vive en Estados Unidos desde 1965. Actualmente trabaja como productora de noticias en la cadena nacional NBC y es presidenta de la Asociación Nacional de Periodistas Hispanos de Estados Unidos.

1 ....

"Me gusta regresar al Ecuador. Salí cuando era joven, y volver es como una oportunidad de explorar qué hubiera sido si no hubiera salido. Es como dicen: uno llega a encrucijadas en la vida, ¿no?, y tomas un camino. Y te pones a pensar, ¿qué hubiera pasado si hubiera tomado el otro? ¿Si me hubiera quedado en Ecuador? Y te das cuenta de que al salir, se pierden muchas cosas"…

"¿Qué se pierde? Pues te alejas de gente que te quería, de lugares que son hermosos, de amistades. Es verdad que estás como descubriendo un nuevo mundo, encontrando nuevos retos y superándolos. Pero como dicen en inglés, *There's no free lunch* (no hay almuerzo que sea gratis). O sea, para ganar algo tienes que perder algo. Y la condición de emigrante es así…"

"Yo salí porque era joven, tenía inquietudes, curiosidades, ambiciones...". "Tenía una prima en Los Ángeles, así que vine acá. Desde que llegué, empecé a trabajar y estudiar. Además de trabajar, iba a la escuela nocturna, para mejorar mi inglés y estudiar otras materias. Y poco a poco descubrí mi camino, mi vocación. Empecé a trabajar en noticias, en televisión. Me encantó y aquí estoy".

2 ....

"Había muy pocos latinos en el mundo de la televisión cuando yo empecé a trabajar ahí. Pero pocos años después, un grupo de periodistas de Los Ángeles, en su mayoría chicanos, comenzaron una asociación de periodistas hispanos. Yo me convertí en uno de los primeros miembros".

"Nos reuníamos a conversar, a ver cómo se cubrían los temas latinos, a recaudar fondos para dar becas a otros periodistas hispanos. En 1984, se convirtió en una asociación nacional: la Asociación Nacional de Periodistas Hispanos".

3 ....

"Bueno, yo tengo un acento; entonces yo siempre he sentido que, debido a mi acento en inglés, no me tratan como si fuera una persona en completo control de mis facultades y tengo que hacer más esfuerzo para que comprendan que soy una mujer inteligente, que soy una persona capaz, que puedo hacer mi trabajo. Y lo he logrado a través de los años, pero siempre ha habido ese pequeño problema. Yo trato de explicarles que no es un asunto de inteligencia".

4 ....

"Yo estoy segura que si me hubiera quedado en Ecuador, habría creado mis propias oportunidades y habría podido contribuir más con mi país, y eso me da remordimiento. Creo que últimamente he empezado a tratar de hacer enmiendas".

En http://www.bbc.co.uk/spanish/especiales/mundolatino/vivencias_caminos.shtml

B Ahora, inventa o narra tu propio testimonio, sobre algo que no hiciste o que hiciste, qué pasó y qué hubiera pasado de haber tomado un camino diferente.

Ficha 12

A **Completa el texto con la forma verbal adecuada.**

Nunca consiguió salir del laberinto. Si **(1)** *(usar)* .... la madeja de hilo que Ariadna le proporcionó, habría tenido una señal que seguir. De **(2)** *(echar)* .... miguitas de pan como Pulgarcito, es posible que las ratas se las hubieran comido, pero, si por el contrario hubiera dejado piedrecitas o guijarros en el camino, **(3)** *(poder)* .... recogerlos de nuevo uno a uno en el camino de vuelta después de acabar con el Minotauro. Claro que nunca mató al Minotauro. Solo si lo **(4)** *(ver)* .... como una amenaza, como un ser salvaje y temible, lo habría asesinado, pero no fue así. Excepto que el bicho **(5)** *(tener)* .... un mal día, parecía un ser triste y deprimido, metido en esa cárcel de la que nadie podría escapar a no ser que el mismo Dédalo le **(6)** *(proporcionar)* .... los planos. De hecho, le hubiese ayudado a salir al Toro, siempre y cuando **(7)** *(acordarse)* .... de echar guijarros o piedrecitas o **(8)** *(usar)* .... el hilo de Ariadna y ahora conociese el camino de salida. Pero no; allí estaban los dos, juntos, tristes y condenados a vivir en el laberinto.

B **Completa las frases de forma que signifiquen lo mismo que su par.**

1. Si hubiera una mínima oportunidad de conseguirlo, lo intentaría.
A no ser que ....

2. Si aprueba los exámenes, que haga lo que quiera.
De ....

3. Si hubiera aprobado los exámenes, habría podido hacer lo que quisiera.
Si llega ....

4. Harán huelga si no revisan sus condiciones laborales.
Excepto que...

5. Si se lo piden con educación, no pondrá ninguna pega.
Siempre que ....

6. Si hubieras hecho lo que tenías que hacer, no habría pasado nada.
De ....

7. Lo dejaría solo si me obligaran.
Salvo que...

8. Si teníamos ganas, íbamos a la playa, si no, nos quedábamos en casa.
Siempre y cuando ....

9. Si tengo ganas iré a la playa, si no, me quedaré en casa.
Siempre que ....

10. Estudiaréis matemáticas si hay plaza.
Excepto si ....

C **Reflexiona y contesta a estas situaciones más o menos hipotéticas.**

1. Ayunaría tres días si ....

2. Protegería a un fugitivo de la Justicia solo si ....

3. No volveré a asistir al colegio de educación primaria a no ser que ....

4. No mataría excepto que...

5. Me divorciaría de ....

6. Habría dejado de estudiar español solo si ....

7. Me habría alejado de toda mi familia siempre y cuando ....

8. No habría empezado a estudiar español de ....

9. Seguiré estudiando español excepto que ....

10. Volvería a hacerlo siempre que ....

Ficha 13

a Me llamo Eva, soy alemana, pero llevo cuatro años viviendo en España. Tengo veintiséis años y estoy licenciada en empresariales. Hablo alemán, español e inglés. Tengo conocimientos de informática. Me gustaría que me dieran cita para una entrevista porque el puesto que ofrecen me interesa mucho.

b Soy Alejandro. Tengo veintinueve años y vivo en Sevilla, pero no tendría ningún inconveniente en trasladarme a su ciudad. Como pueden ver en mi currículum, tengo experiencia como administrativo y contable. Actualmente, estoy empleado en una papelería, pero me gustaría volver a trabajar pronto de administrativo pues me gusta y me considero cualificado.

c Mi nombre es Marisa. Tengo treinta y dos años y llevo doce trabajando en el sector turístico. He sido guía, recepcionista en un hotel, animadora, he organizado excursiones y trabajé dos años en agencias de viajes, el primero en París. Hablo francés e inglés y tengo títulos de socorrista y monitora de aeróbic.

d Me llamo Armando y soy cubano. Tengo veintisiete años y vivo desde hace dos en España. Llevo ocho meses trabajando en un laboratorio fotográfico, pero me gustaría encontrar un empleo que me permitiera realizar mi profesión o que, al menos, tuviera relación con la informática, pues yo soy programador titulado.

e Soy Elena. Nací en Costa Rica, pero actualmente resido en España. Tengo treinta y siete años y estoy licenciada en veterinaria aunque no me importa nada trabajar en otros campos pues, de hecho, lo que más me interesa es aprender cosas nuevas y viajar. Tengo experiencia como cuidadora de animales en un zoológico, como adiestradora de perros, también he trabajado de monitora de esquí y *snowboard*, de dependienta, camarera, transportista... incluso fui azafata de vuelo durante dos años. Hablo inglés y portugués.

f Me llamo Alfonso y tengo cuarenta y un años. A lo largo de mis veinte años de vida laboral, he trabajado en varias empresas en recursos humanos, como relaciones públicas y también de director de personal. Recientemente me he licenciado en psicología y busco un empleo que me permita conjugar mi experiencia laboral con mi formación.

g Mi nombre es Patricia. Tengo veinte años y estudio tercero de derecho, por lo que solo podría trabajar a media jornada. Hablo un poco de inglés y tengo conocimientos de informática. He trabajado, como dependienta, en varias tiendas y, durante un tiempo, colaboré con una empresa que organizaba fiestas (bodas, cumpleaños, despedidas de soltero...). no me importaría trabajar por la noche.

h Soy un jubilado con muchas ganas de seguir trabajando. Me llamo Eusebio y, en esta vida, he hecho de todo: camionero, taxista, camarero, panadero, albañil, portero, mecánico, conserje... No hablo idiomas, pero me entiendo con todo el mundo y no me dan ningún miedo las nuevas tecnologías. Tengo una salud excelente y mucha experiencia que ofrecer.

Ficha 14

A En el siguiente jeroglífico se esconde una expresión idiomática, descífrala. ¿Sabes lo que significa?

B Aquí tienes una serie de expresiones descriptivas incompletas. Les falta el adjetivo que puedes deducir por la característica del nombre con el que se compara.

1. Estar tan .... como un tomate.
2. Ser tan .... como un león.
3. Ser tan .... como el pan.
4. Ser tan .... como la leche.
5. Ser tan .... como una ardilla.
6. Estar tan .... como una vaca.
7. Estar más .... que el agua.
8. Ser tan .... como una mula.

9. Ser tan .... como una casa.
10. Ser tan .... como una jirafa.
11. Estar tan .... como una piedra.
12. Ser más .... que un demonio.
13. Ser más .... que el hambre.
14. Estar tan .... como una cabra.
15. Ser tan .... como una pluma.
16. Ser tan .... como un zorro.

C ¿Puedes explicar su significado? ¿Hay en tu lengua una expresión equivalente? ¿Significa lo mismo que en español?

D Describe, usando las expresiones que acabas de aprender, a un amigo, familiar, profesor... y cuenta alguna anécdota que justifique tu descripción.

_____

_____

_____

_____

_____

_____

_____

_____

_____

_____

Ficha 15

A ¿Hay un artista dentro de ti? Si quieres aprender a sacar partido a tu creatividad, aquí van algunos consejos sencillos y útiles para iniciarte en el arte del dibujo y la pintura y saber de qué va eso de "crear una gran obra". Pero hay un problema, el texto está incompleto. Complétalo con algunas de las expresiones comparativas que has aprendido en la ficha 14.

El aprendiz de artista. Guía de iniciación

Hay gente que se cree que el talento para el arte se tiene de nacimiento, como si un hada te tocara con la varita y ¡plof! ya supieras dibujar. El talento y la habilidad para el arte se pueden desarrollar como cualquier otra cosa en la vida. Uno puede aprender cualquier cosa siempre que se interese lo suficiente como para estar motivado y persevere en ello, es decir debemos **(1)** .... para conseguir nuestras metas.

Aprender a pintar o a dibujar tiene el mismo mecanismo que aprender a sumar, a restar o a programar el vídeo de casa: se hace a base de practicar.

Lo verdaderamente importante es que te guste lo que haces y disfrutes con ello.

Todo aprendiz de artista evoluciona y, lógicamente, su estilo irá mejorando con la práctica; por lo tanto, no hay que renegar de los comienzos por malos que nos parezcan, todo sirve para aprender. No hay que pensar que es necesario **(2)** .... Solo debemos pensar en lo que necesitamos y seguro que en tu casa ya cuentas, sin saberlo, con suficientes elementos para crear: lápices, pinturas de colores, bolígrafos, papel, tinta, pinceles, brochas, espátula, botes de pintura... Dibujar o pintar no tiene por qué resultar caro en un principio, aunque, según evoluciones, empezarás a necesitar más elementos, y es posible que gastes más dinero en materiales, eso **(3)** ....

No hay que ser tímido a la hora de incorporar elementos; improvisar un brochazo espontáneo puede dar gran viveza y frescura a la obra y librarla de su rigidez. Para pintar, hay que ser suelto, valiente, intuitivo y **(4)** .... Pero, sobre todo, experimentar, experimentar y experimentar.

El tamaño sí que importa. Es más sencillo manejarse con las pequeñas superficies que con las grandes. Nuestra capacidad de síntesis y encaje se pierde más fácilmente si el soporte total no puede ser abarcado con nuestro campo de visión al completo según lo estamos trabajando. Por eso, es mejor realizar obras de objetos más pequeños o simples que no obligarnos a nosotros mismos a dibujar algo que **(5)** ....

Adaptado de www.ociojoven.com/article/articleview/312311/1/101/

B A partir del texto podemos deducir la idea de arte de su autor. Para ello, extrae las ideas principales del texto y justifica, así, tu respuesta.

C ¿Por qué no propones otros consejos que puedan ayudar a jóvenes artistas?

Ficha 16

A **Antes de leer el texto, define estas palabras y expresiones. Puedes usar el diccionario**

1. Acurrucada ....
2. Rozar ....
3. Orfanato ....
4. Monada (2) ....
5. Chupetes ....
6. Rasgados ....
7. Abrigar ....
8. ¿Qué tiempo tiene? ....
9. Revolverse ....
10. Biberón ....
11. Arriesgarse ....
12. Pulgar ....
13. Infierno ....
14. Caérsele la baba a alguien ....

B **En España, la integración social es uno de los cambios más significativos de los últimos tiempos. Si completas el siguiente texto con las palabras que acabas de aprender, conocerás uno de los nuevos modelos de familia que se está planteando la sociedad española en su proceso de modernización.**

La princesa de Chueca

Es una **(a)** ...., una auténtica **(b)** .... Sentada en su cochecito, con el pelo negrísimo y la piel muy blanca, los ojos oscuros, grandes, **(c)** ...., y el color sonrosado de todos los bebés sanos. Pero si dejo escapar un grito de alegría al ver a sus padres, no es solo por eso:

– ¿Esta es vuestra hija?

– Sí –los dos sonríen a la vez.

– ¡Enhorabuena! –besos, abrazos, más sonrisas– ¿Cuándo os la han dado?

– Hace tres meses, pero no la hemos sacado a la calle hasta ahora, porque tenía muchos problemas, ¿sabes?

– ¿Cómo se llama?

– María. Igual que su abuela... –mira a su derecha, se corrige–. Que sus dos abuelas.

– ¿Y **(d)** ....? ¿Seis meses?

– No. Tiene once, pero es que estos niños, pues... Estaba en un orfanato, un sitio horrible, no por la gente que trabajaba allí, que hacen lo que pueden, sino porque no tienen nada, ni personal, ni comida, ni pañales desechables, ni siquiera **(e)** ....

– Cuando la llevamos al pediatra la primera vez, estábamos muy asustados, pero él nos dijo que a la niña no le pasaba nada, que tenía hambre, que le faltaba afecto, que no la habían cogido en brazos, que no le hablaban ni jugaban con ella... Por eso no crecía, y lloraba todo el tiempo.

– ¡Y ha cambiado! Bueno, no te lo puedes ni imaginar.

– Fui a buscarla con mi cuñada, ya sabes.

– Sí. Fue mi hermana. Yo no pude ir... Pero vamos a dejar de hablar de eso.

En ese momento, como si ella también estuviera de acuerdo, María empieza a llorar, y entonces sus padres la miran, se inclinan sobre ella y empiezan a discutir como todas las parejas en esa situación, ¿se ha hecho pis?, a ver..., no, es que la **(f)** .... demasiado, no, no es eso, aquí no hace calor precisamente, pues yo creo que está agobiada, debe de tener sed, ¿dónde está el **(g)** .... de la manzanilla?, aquí, toma, ¿lo ves como tenía sed?, sí, pero lo que quiere es que la cojan, pues la cojo, ¡que no!, que sí, un poquito solo... ¿Quieres cogerla tú?

Lo intento, pero María no quiere estar conmigo. Llora, **(h)** ...., grita, hasta que unos brazos familiares me la arrebatan con delicadeza. Entonces, **(i)** .... en el pecho de su padre, coge el borde de su camisa con la mano derecha, se mete el **(j)** .... en la boca y sus labios se curvan en esa inefable expresión de felicidad de los bebés satisfechos.

– Es que no le gustan los desconocidos, ¿sabes? –me habla con los labios **(k)** .... el pelo de su hija, besándola en la cabeza entre frase y frase. Les tiene miedo. Yo creo que es por lo del **(l)** ...., no se fía de nadie. Lo ha pasado muy mal, la pobre...

CONTINÚA ⋯⋯

Ficha 16a

Pienso en María, en la imagen que tendrá de sí misma, de sus padres, de su infancia, cuando sea mayor. Entonces recordará que sus padres se querían, y que la querían, que la desearon tanto que mintieron, y engañaron, y desafiaron una legalidad injusta, y **(m)** .... a acabar en la cárcel, y cruzaron un continente entero para ir a buscarla al **(n)** ...., para sacarla de allí.

Entonces entenderá por qué en su DNI aparece el nombre de su tía al lado de la palabra "madre" y también la suerte que ha tenido. Como si lo presintiera, cuando nos despedimos, la princesa de Chueca me sonríe y me dice adiós con la manita mientras a todos se nos **(ñ)** ....

Adaptado de Almudena Grandes, *El País Semanal*

C Contesta a estas preguntas, según tu interpretación del texto.

1. En el texto se habla de legalidad injusta, ¿a qué se refiere? ....
....

2. ¿Por qué crees que los padres adoptivos estuvieron en peligro de ir a la cárcel? ....
....

3. ¿Por qué aparece la tía como si fuera la madre en el Documento Nacional de Identidad (DNI) de la niña? ....
....

D Escribe una o dos frases con las que concluir la historia.

....
....
....

E Y, ahora, lee el final de la historia y comprueba si tu interpretación del texto ha sido correcta.

"Luego, su padre, que se llama José Ramón, le pasa un brazo por los hombros a su otro padre, que se llama Miguel, y se van los tres a casa, tan contentos".

F ¿Por qué la autora titula el artículo *La princesa de Chueca*? Para ayudarte a interpretar el título, lee esta información:

No es el *Village* neoyorkino, ni el *Soho* londinense ni el *Castro* de San Francisco ni *Le Marais* parisino, pero, en un breve espacio de tiempo, el madrileño barrio de Chueca ha logrado posicionarse como el eje de la modernidad española. A las boutiques y calles de la zona envían sus espías las grandes cadenas de moda para conocer las últimas tendencias, en sus peluquerías te ponen los pelos de punta o a lo Bob Marley y en sus centros de *piercing* te horadan los lugares más insospechados.

Este antiguo barrio castizo se ha transformado en la zona *gay* por excelencia, pero, además, aquí cohabitan casi todas las culturas, subculturas y tribus urbanas de la ciudad. En sus calles se mezclan todas las razas con la mayor naturalidad.

Probablemente, Chueca sea el lugar de España donde exista mayor tolerancia. Los modernos, *skaters*, *raperos* y alternativos se han apuntado al carro y han tomado Chueca al asalto. ¿El resultado? El barrio más original de Madrid.

G A través de esta historia, la autora define claramente su postura ante una cuestión que suscita fuertes polémicas tanto en España como en otros países. ¿Estás de acuerdo con ella? ¿Crees que la niña ha sido afortunada al ser adoptada por una pareja homosexual o, por el contrario, piensas que es imposible que sea feliz en un entorno así?

www.viajar.com/reportajes/$s=15404$f=216993

Ficha 17

A Lee el siguiente texto.

Los tacos españoles:

Hace unos años estaba con unos amigos en Santiago de Chile hablando de diferencias y de referencias personales. "Yo sé –dije– que en México los españoles somos gachupines, en Argentina los gallegos y en Perú los godos, pero, y aquí, ¿cómo nos llaman ustedes?" Se miraron dudando. "Por favor, estoy curado de espantos". "Pues aquí –sonrió uno– les llamamos *"coños"*. No hacía falta que me explicaran que el mote era debido al soniquete con que el español puntea continuamente su conversación. Hay quien sin esa muletilla no podría pasar de la segunda frase; como en el caso de Anteo, tiene que tocar una tierra familiar, la del taco, para seguir divagando, explicando y convenciendo. "Yo, entonces, coño, y le digo, coño, ¿pero qué va a ser esto?, coño. Y va él y me contesta, coño, pues si no lo arreglamos así, coño, ya me vas a contar y me lo aclara después, coño, vamos, digo yo, coño...".

Ese es el taco en su versión más suave, la de apoyatura verbal a una locución corriente. Otras veces, la misma palabra sirve para dar mayor énfasis. Puede ser de sorpresa, de alegría, de admiración, de susto, o para refrendar una orden, como supimos todos los españoles en la fecha nefasta del 23 de febrero. El "¡Se sienten, coño!" famoso, que hería tanto a la gramática como a nuestra sensibilidad ciudadana, el coño como cintarazo verbal tras la voz de mando al amparo de unas metralletas.

[...] El español es, naturalmente, mal hablado. Al decir "naturalmente" quiero significar que no se trata de que apele a la palabrota como una catarsis para desahogarse ante un problema que le atosiga, sino a una fórmula tan familiar como un "Buenos días" o un "Buenas tardes". Y de la misma forma casual que se emplea el "coño", el "carajo", la "puñeta" y el "joder" abriendo mucho los brazos, se encarama al estadio superior del taco, que es la blasfemia. Esa defecación literaria tan típica de nuestros labradores y carreteros, hoy al mando de tractores y camiones, pero con la misma tozuda personalidad, indica una familiaridad que muestra los siglos que la Santa Madre Iglesia ha velado por nuestra educación.

[...] Sí, el taco, como la palabrota o la blasfemia, forma parte del lenguaje corriente del español. O sea, que lo revolucionario, lo moderno, lo izquierdista sería no emplearlo.

Fernando Díaz-Plaja, *Manual de cortesía y convivencia* (fragmentos)

B Con la información del texto y el diccionario, explica la diferencia que hay entre taco y blasfemia.

C Explica los posibles usos del taco "coño", en el español peninsular.

D Resume la idea que el autor quiere dar con el texto.

carca

moderna

tiquismiquis

campechano

pijo

recatada

generosa

muermo

prudente

agarrado

pendejo

Ficha 19

TALLER DE ESCRITURA

A **Lee el siguiente texto**

Me gusta jugar al póquer con mis amigos en las tardes del sábado, ver cómo se besan los adolescentes entre **los capós** de los coches bajo el clamor de las ambulancias y las sirenas de la policía, el arroz al horno, los mercados de frutas y verduras, el contacto de la piel con la tela de algodón, las primeras **brevas** de San Juan, los cuentos de Allan Poe, las canciones de Nat King Cole, **la sobrasada** de Mallorca, algunos versos de Safo y el prólogo al *Persiles* de Cervantes. Me gusta perder el tiempo hablando con los amigos, apartar el pie para no pisar una hormiga, los **erizos de mar** en enero y el *Autorretrato* de Durero en cualquier época del año.

No me gustan las manos blandas y húmedas, las pastelerías con luz de neón, los granos de arroz dentro del salero, el helado servido en copa de metal, los coches con alerones, los gritos del megáfono en las **tómbolas** donde se rifan muñecos de peluche, los que soplan en la cuchara de la sopa, las **cunetas** llenas de papeles y botellas, las **vitrinas** polvorientas en los bares de carretera que exhiben productos típicos de la región, los tipos que te hablan muy cerca de la cara echándote el aliento fétido. Odio **los zapatos de rejilla**, los besos en la mejilla demasiado húmedos, los huesos de aceituna sobre el mantel y el **chándal** para dar la vuelta a la manzana los domingos. El infierno de cada día también es eso.

Manuel Vicent, *Para huir. El rechazo* (adaptación)

B **Señala las afirmaciones correctas y justifica tu respuesta.**

☐ 1. El autor hace un inventario sobre las cosas que le gustan en su vida cotidiana.

☐ 2. Se trata de un texto que expresa ideas de forma organizada.

☐ 3. El autor es muy general a la hora de expresar sus gustos.

☐ 4. El autor utiliza frases sencillas y con un estilo simple y sincero a la vez.

C **Escribe palabras que aparecen en el texto que tengan relación con el sentido de la vista, el tacto, el gusto, el olfato y el oído.**

Vista	Tacto	Gusto	Olfato	Oído

D **Ahora te toca escribir a ti. Piensa en cosas, situaciones, personas, ambientes, olores, sensaciones..., y trata de escribir un texto similar al que has leído.**

1. Antes de ponerte a escribir coge un papel, divídelo en dos partes para que escribas las cosas que te gustan y las que no te gustan. **2.** Trata de detallar, como en el texto que has leído, aquello que te gusta o no: por ejemplo, si escribes "Me gusta leer", añade qué, cómo, cuándo... **3.** Ten a mano todas las expresiones referidas a sentimientos que has aprendido en esta unidad, pues utilizar solamente *gustar* y *odiar* puede resultar monótono. **4.** Aprovecha esta tarea para practicar las diferentes estructuras que has aprendido con los verbos de sentimiento con indicativo y subjuntivo.

Ficha 20

EL DESPIECE DEL CERDO

1. Las patas del cerdo reciben el nombre de **manos**. Lo más habitual es conservarlas en salazón para que aporten su sabor y sustancia a sopas y guisos.

2. ¡Mucho **morro**! ¿Te parece repugnante comer semejante parte del animal? Pues vuelve a planteártelo cuando te sirvan deliciosas cortezas fritas como tapa en un bar.

3. La **careta** (nombre carnavalesco donde los haya, sin duda), como las manos y el rabo, suele conservarse en salazón y añadirse a caldos y guisos. Aporta una textura gelatinosa realmente delicada.

4. La **oreja** es parte imprescindible en muchos potajes y recetas tradicionales de la cocina española, sobre todo en el norte de la península.

5. El **rabo** de cerdo no es como el de toro, pero, al igual que las manos y las orejas, se conserva en salazón y da un toque la mar de interesante a muchas sopas y guisos.

6. Jabugo, Guijuelo, bellota, pata negra... o sea, el **jamón**. Placer de dioses cuando se consume en su debido punto de curación y salazón.

7. La hermana pequeña del jamón es la **paleta** o **paletilla**, o sea, lo que vienen a ser los jamones de las patas delanteras. Se le dan las mismas aplicaciones que al jamón.

8. **Panceta, tocino y similares** andan por esta zona. ¡Qué sería de la civilización sin el beicon! Una deliciosa mezcla de grasa blanca y fresca con vetas de la carne más jugosa. Se comercializa de mil maneras, fresco o en salazón (en esta versión forma parte imprescindible de platos como la fabada).

9. Aquí entramos en una zona delicada y de múltiples usos, la de la **chuleta**, el **lomo** y el **solomillo**. Digamos que las chuletas son la parte de la caja torácica, y por tanto la más externa. El lomo, dicho a lo bruto es, en realidad, la misma porción que las chuletas, pero sin el hueso. Aparte de darle los mismos usos, se utiliza también como embutido curado y salado, el famoso lomo embuchado. Y llegamos al solomillo, la pieza rey en estado crudo (porque curado el jamón se lleva la palma, de largo). En filetes o medallones, fritos o a la plancha, es una delicia.

10. Rematemos con la humilde **papada** que tantas hambrunas ha paliado. Ideal para guisos y fritos, y para añadir a caldos y potajes. Cunde mucho, cuesta poco y sabe bien.

Adaptado de www.alamesa.com/monogr/m05.htm

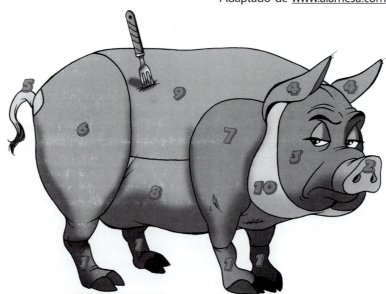

Ficha 21

UN MUNDO CON LIMITACIONES

A Imagina la situación o situaciones en las que alguien puede decir esta frase. Contrasta tu respuesta con tu compañero.

"Su nueva condición los dejó en un mundo con limitaciones, sin trabajo y el rechazo de la sociedad (...)".

B **"A pesar de esto, encontraron la puerta del éxito".** ¿A qué "éxito" crees que se refiere? Contrasta tu respuesta con tu compañero.

C Define, con tus propias palabras, las siguientes expresiones.

1. Írsele a uno las ganas de vivir ....
2. Alcanzar metas ....
3. Evitar la depresión...
4. Hacer a un lado a alguien ....
5. Estar guardado ....
6. Tocar el cielo ....
7. Ser medallista ....

D Lee este texto y comprueba si tus suposiciones son correctas.

El gran reto, calificar para las Paralimpiadas de Atenas

A pesar de su problema de discapacidad, logró triunfar. Gilberto tenía una vida normal hasta que un accidente transformó su destino.

"Yo trabajaba como recogedor de basura, mi compañero no se fija, hace una mala maniobra, me caigo al suelo y me pasan las ruedas del carro de basura con unas 60 ó 70 toneladas de basura encima", señaló Gilberto Álvarez, corredor con discapacidad.

Perdió una pierna y con ella, en un principio, también se fueron las ganas de vivir y luchar para alcanzar sus metas y sueños.

"¡Dios! Fue una experiencia bastante terrible, no estaba preparado para eso, pasé dos años dificilísimos de mi vida entre el alcohol y la farmacodependencia para evitar la depresión", agregó Gilberto.

Los casos de Marta y Javier no fueron menos graves.

"Yo venía en una combi de pasajera y nos arrolló un tráiler por atrás y me pegué en la cabeza y tengo edema cerebral con ceguera total bilateral", comentó Martha Carranza, corredora invidente.

"Por medio de un balonazo perdí la visión por desprendimiento de retinas", dijo Javier Mosqueda, corredor invidente.

Su nueva condición los dejó en un mundo con limitaciones, sin trabajo y el rechazo de la sociedad.

"Nos ven y nos hacen a un lado y nos dicen que no deberíamos estar ahí, que deberíamos estar guardados en nuestra casa", expresó Martha.

Sin embargo, a pesar de esto y con el apoyo de su familia, encontraron la puerta del éxito en el deporte.

"Porque me ha dado la oportunidad de tocar el cielo con las manos, así lo siento porque lo viví al haber sido medallista en los juegos Paralímpicos de Sidney", explicó Gilberto Álvarez.

"Gracias al apoyo de la gente, logré cinco campeonatos nacionales y medalla de plata en los Juegos Panamericanos del 99", concluyó Javier.

Ahora, su gran reto es clasificarse para participar en las Paralimpiadas de Atenas.

http://mx.news.yahoo.com/040206/40/15kqt.html

E Expón, por escrito, las razones por las que el deporte puede ser considerado un medio terapéutico en la rehabilitación de personas con minusvalías.

Ficha 22

UN VIAJE DE ESTUDIOS

La Ruta Quetzal-BBVA es un viaje de estudios para jóvenes de 16 y 17 años procedentes de 41 países que, cada año, recorren España y algunos países americanos durante casi dos meses. El objetivo de este proyecto se centra en la consolidación de los cimientos de la comunidad Iberoamericana de naciones entre todos los hispanos, incluidos Brasil y Portugal. Ruta Quetzal es un programa iniciático, ilustrado y científico en el que se mezclan dos ingredientes básicos: la cultura y la aventura.

A Las altas y verdes montañas del paraíso soñado por Colón existen en la República Dominicana y Puerto Rico. De ello dan fe los jóvenes de 41 países que han vivido la Ruta Quetzal BBVA. Ahora, completa el texto con las expresiones del recuadro.

> **a.** Esté donde esté • **b.** Haya sido como haya sido • **c.** Fueran cuantos fueran • **d.** pase lo que pase
> **e.** cueste lo que cueste • **f.** Estuvieran donde estuvieran • **g.** digan lo que digan
> **h.** Se debiera a lo que se debiera • **i.** lloviera o hiciera sol • **j.** Vengan de donde vengan

Ruta Quetzal representa más que un programa académico, una aventura o un intercambio cultural: es pura convivencia aderezada por la dureza y la intensidad. "**(1)** .... de extrema, he crecido, pero no de tamaño sino de corazón" resume Carolina Calvo, de Costa Rica. Para llegar a esta conclusión es necesario, entre otras cosas, completar la ascensión al Pico Duarte, que, **(2)** ...., es el momento culminante del viaje.

La misión exigió caminar 46 kilómetros durante dos días bajo la lluvia, en el barro, con sed e, incluso, soroche (mal de altura). **(3)** ...., solo unos pocos consiguieron llegar a la cima, cifra suficiente para contagiar al resto de la expedición en lo que se llama "espíritu quetzal". **(4)** ...., todos disponen de 200 dólares para administrarse durante mes y medio, pero nunca se habla de pasta. Para ser feliz, hacen falta otros ingresos más simples: una ducha con los bomberos dominicanos en la Fortaleza Ozama, una camiseta limpia, una ración de comida del ejército o un baile al son de la sanjuanera moza de la Ruta Quetzal.

Son los momentos que forman la burbuja de la que ninguno quiere salir, **(5)** .... en su vida futura, como es el caso del joven paraguayo Alfredo Martínez que vive sin familia y se ve obligado a trabajar al salir de la escuela.

El contacto con la gente aportó la dosis de variedad imprescindible. Por ejemplo, la candidez de los dominicanos se puso de manifiesto durante el recorrido por el Paso de los Hidalgos, el camino a través del cual los conquistadores españoles hicieron su incursión en la isla de Santo Domingo. **(6)** .... Óscar López, salvadoreño, nunca olvidará el momento en el que los habitantes de esta calurosa región salieron al encuentro de los extenuados expedicionarios para darles de beber desde sus cántaros y cantimploras.

Puerto Rico también dejó un reguero de agradables recuerdos entre los aventureros. **(7)** .... –ciudades coloniales de San Juan y Ponce, el castillo de San Felipe del Morro, el bosque del Yunque, las cuevas de Camuy o el observatorio de Arecibo– endulzaron el viaje.

Y llegó la despedida: el final de la etapa en América marcó el ecuador del viaje y el primer momento de nostalgia del grupo. "Dejo atrás una tierra que nos ha acogido con los brazos abiertos, **(8)** ...., y siempre con una sonrisa", dice con añoranza Mairena Ruiz, de Valencia. Ya en España, la ruta dejó su huella en Segovia, Toledo, La Mancha, Madrid y Cataluña, donde los jóvenes visitaron el Monasterio de Montserrat. Pero antes de recorrer la franja mediterránea, partiendo desde Málaga a bordo de una fragata militar, se conquistó el pico del Mulhacén (3487 m) (Sierra Nevada, Granada). **(9)** ...., esta cima no causó tantos estragos como el pico Duarte. Más de 200 pudieron coronarla. La montaña volvió a ser un manantial de ilusión para muchos de los ruteros gracias a una actriz con la que muchos no contaban: la nieve.

El año próximo volverá a ponerse en marcha para recordar el V centenario de la muerte de Isabel La Católica y participar en los actos preparatorios de la celebración del 400 aniversario de la publicación de *Don Quijote de La Mancha.* Es el siguiente peldaño hacia el gran objetivo del aventurero español Miguel de la Quadra-Salcedo quien, **(10)** ...., desea "que algún día la Ruta Quetzal sea inmortal".

(Texto adaptado de la revista *Ábaco*)

Ficha 23

A Lee el texto y ponle un título.

....

Ahíto de sueño, de cansancio, de excitación y de felicidad, le había pedido al taxista que me dejara unas esquinas antes de llegar a mi hotel, y me encontré solo, aterido, al pie de los rascacielos monótonos de acero y cristal de la Sexta Avenida, frente al letrero encendido del Radio City Music Hall, sus neones rosas, azules y rojos brillando para nadie más que para mí, tiñendo de manchas de color el lomo negro y húmedo del asfalto. La soledad me exaltaba y me daba miedo. Me habían dicho que caminar solo y de noche por Nueva York podía ser muy peligroso. Alzaba la mirada y me estremecía el vértigo de la distancia vertical de las torres del Rockefeller Center, adelgazándose hacia la altura y las nubes veloces como agujas de catedrales góticas. En el insomnio de mi habitación veía luego el resplandor de esos edificios y sobre el rumor de las máquinas del patio volvía a escuchar con un recuerdo sensorial y poderoso el seco estrépito de las banderas del mundo agitadas por el viento en torno a la plaza central de Rockefeller Center, su resonancia contra los muros verticales, grandes velas de lona restallando en el temporal, el tintineo metálico de las anillas en los mástiles. Demasiado cansancio, demasiadas imágenes para poder dormir, para que se apaciguara la conciencia ya de antemano trastornada por el cambio de hora. Y además la luz en el botón del teléfono repetía su punzada rojiza en el insomnio, teñía de un rojo amarillento la penumbra de la habitación antes de apagarse y de encenderse de nuevo, como una luz de alarma en un coche policial. Me armé de valor y marqué el número de la recepción, queriendo vencer la timidez para encontrar laboriosamente las palabras inglesas que explicaran lo que estaba sucediendo, pero si me hice entender, cosa que dudo, en cualquier caso no comprendí lo que me decían, la explicación que me daban para la luz intermitente y roja. Me pareció aturdidamente que distinguía la palabra *message*, pero cómo estar seguro con mi inglés precario y libresco que casi nunca había practicado de verdad, y que me parecía más inadecuado aún cuando escuchaba el habla tan rápida de la gente en la calle, tan rápida y desenvuelta, tan agresiva como su manera de caminar, como la premura con que los camareros de los restaurantes servían vasos de agua helada e interrogaban al comensal acobardado, o le recitaban el torrente de platos no incluidos en la carta, la lista incomprensible de los *Today's Specials*. Así que dije *yes* y *thanks* con el abatimiento del recién llegado a un país y a un idioma, colgué el teléfono y por un momento pareció que la luz se había apagado, pero un instante después ya estaba de nuevo encendida, brillando y apagándose, en mi primera noche de insomnio, en mi primera habitación de hotel en Nueva York.

De *Ventanas de Manhattan* de Antonio Muñoz Molina.

B Explica con tus palabras:

1. Cómo describe la ciudad de Nueva York el protagonista.

2. Los motivos por los que llama a recepción y las dificultades que tuvo.

3. La frase: "recién llegado a un país y a un idioma".

C ¿Crees que si conoces una lengua, conoces el país que la habla? Razona tu respuesta y explica situaciones parecidas en las que te hayas encontrado. ¿Qué has hecho para entenderte?

Ficha 24

A ¿Qué término utilizas habitualmente para nombrar la lengua que estás estudiando, castellano o español? ¿Y tu profesor?

B Busca en el diccionario los dos términos, anota todas las acepciones y analiza sus similitudes y diferencias.

> Por ejemplo:
> • *Castellano, -a: adj. Natural de Castilla.*
> • *Español, -a: adj. Natural de España.*

C ¿Quién crees que utiliza cada término? Justifica tu respuesta.

> un madrileño • un vasco • un alemán • un argentino • un chileno • un catalán • un mexicano

D Un español habla castellano, un argentino habla argentino, un mexicano habla mexicano ¿o todos hablan español? Coméntalo con tus compañeros.

E Lee este texto.

¿Castellano o español?

Esta lengua también se llama castellano, por ser el nombre de la comunidad lingüística que habló esta modalidad románica en tiempos medievales: Castilla. Existe alguna polémica en torno a la denominación del idioma; el término español es relativamente reciènte y no es admitido por los muchos hablantes bilingües del Estado Español, pues entienden que español incluye los términos gallego, catalán y vasco, idiomas a su vez de consideración oficial dentro del territorio de sus comunidades autónomas respectivas; son esos hablantes bilingües quienes proponen volver a la denominación más antigua que tuvo la lengua, castellano entendido como 'lengua de Castilla'.

En los países hispanoamericanos se ha conservado esta denominación y no plantean dificultad especial a la hora de entender como sinónimos los términos castellano y español. En los primeros documentos tras la fundación de la Real Academia Española, sus miembros emplearon por acuerdo la denominación de lengua española. Quien mejor ha estudiado esta espinosa cuestión ha sido Amado Alonso en un libro titulado *Castellano, español, idioma nacional. Historia espiritual de tres nombres* (1943).

Volver a llamar a este idioma castellano representa una vuelta a los orígenes, pero renunciar al término español plantearía la dificultad de reconocer el carácter oficial de una lengua que tan abierta ha sido para acoger en su seno influencias y tolerancias que han contribuido a su condición.

Por otro lado, tanto derecho tienen los españoles a nombrar castellano a su lengua como los argentinos, venezolanos, mexicanos, o panameños de calificarla como argentina, venezolana, mexicana o panameña, por citar algunos ejemplos. Lo cual podría significar el primer paso para la fragmentación de un idioma, que por número de hablantes ocupa el tercer lugar entre las lenguas del mundo. En España, se hablan además el catalán y el gallego, idiomas de tronco románico, y el vasco, de origen controvertido.

Adaptado de Sergio Zamora, México. www.elcastellano.org/castesp.html

Ficha 25

Resúmenes de los principales Museos Estatales Españoles

www.cultura.mecd.es/museos/intro.htm

Museo Nacional Centro de Arte Reina Sofía: http://museoreinasofia.mcu.es/

Su objetivo básico es promover el conocimiento, el acceso y la formación del público en relación con el arte moderno y contemporáneo en sus diversas manifestaciones y favorecer la comunicación social de las artes plásticas. Sus funciones principales son:

- Exhibir ordenadamente sus colecciones en condiciones adecuadas para su contemplación y estudio así como garantizar la protección, conservación y restauración de sus bienes culturales.
- Desarrollar programas de exposiciones temporales de arte moderno y contemporáneo.
- Realizar actividades de divulgación de formación, didácticas y de asesoramiento en relación con sus contenidos.
- Establecer relaciones de colaboración con otros museos e instituciones.

Las secciones con las que cuenta la página *web* del museo son: *Información, Museo, Colección, Exposiciones* (Pasadas y futuras), *Biblioteca, Educación, Audiovisuales, Noticias, Publicaciones* y *Convocatorias.*

La instalación de la Colección Permanente establece un recorrido secuencial a través del arte y los artistas españoles del siglo XX, confrontando sus obras con las de diversos creadores internacionales, en especial a aquellos vinculados con la realidad plástica de nuestro país.

Las exposiciones actuales son: André Masson (1896-1987); Nicolás de Lecuona, *Imagen y testimonios de Vanguardia;* Hannah Höch; Pierre Le–Tan; Pertegaz; María Paradimitriou, *We´ll Meet Again;* Galería Cadaqués (1973-1997); Axel Hütte, *Terra Incógnita.*

La oferta educativa del museo se centra en: *Ciclos de conferencias, Lecciones de Artes, Talleres infantiles, Programas de familias, Visitas guiadas, Club Talleres infantiles, Itinerarios, Publicaciones Didácticas, Préstamos de Vídeos* y *Sala de Interpretación.*

Museo Nacional del Prado: http://museoprado.mcu.es/home.html

La creación de este museo se produjo durante el reinado de Fernando VII, de mano de su segunda esposa, María Isabel de Braganza.

Las partes de la página web son las siguientes: *Historia, Información general, Visitas* (se pueden visitar virtualmente las fichas técnicas de algunos de los cuadros que se encuentran en la *Colección Permanente*), *Actividades* y *Medios de Comunicación.*

En la actualidad, las colecciones del museo se encuentran organizadas de la siguiente manera:

- Pintura española (1100-1850): Velázquez, El Greco, Goya, etc.
- Pintura flamenca (de 1430 a 1700): El Bosco, Rubens, etc.
- Pintura alemana (de 1450 a 1800): Durero, Rafael, Mengs, etc.
- Artes decorativas.
- Pintura italiana (de 1300 a 1800): Botticelli, Tiziano, etc.
- Pintura francesa (de 1600 a 1800): Poussin, Claudio de Lorena, etc.
- Escultura: griega, helenística, romana, etc.
- Dibujos y estampas: destaca la presencia de las obras de Goya.

Actualmente, las exposiciones temporales son: *Rubens. La historia de Aquiles* y *Manet en el Prado.*

Los servicios que ofrece el museo son los siguientes:

- Servicios de Educación y Acción Cultural. Las actividades van dirigidas a Centros Escolares (Conferencias, Visitas Guiadas), Profesores (Cursos para Profesores, Exposiciones Itinerantes, Elaboración de unidades didácticas sobre el contenido del museo) y para estudiantes no universitarios (Publicaciones didácticas).
- Biblioteca.
- Tienda del Museo.

Las actividades del museo son las siguientes: *Conciertos y Conferencias, Visitas Guiadas, Exposiciones temporales, El Prado restaura, Archivos, Actividades de Invierno* y *Actividades de Verano.*

Ficha 25a

Museo Thyssen-Bornemisza: http://www.museothyssen.org/conflash.asp

El Museo Thyssen-Bornemisza de Madrid permite recorrer más de siete siglos de la Historia del arte y contemplar obras maestras de la pintura. El viaje se inicia en la segunda planta con las obras del siglo XIII para terminar en la planta baja con obras del siglo XX.

Cuando el barón Hans Heinrich Thyssen-Bornemisza se hizo cargo de la colección centró sus intereses en aquellos periodos de la historia de la pintura a los que su padre había prestado menos atención: *impresionismo, posimpresionismo, fauvismo, los movimientos expresionistas alemanes, las vanguardias* y *la pintura de posguerra europea y americana*. Monet, Van Gogh, Picasso, Mondrian, Bacon o Lichtenstein, nombres fundamentales de la historia de la pintura, forman parte de esta colección.

Las secciones del museo virtual son las siguientes: *Colección, Actividades, Educación, Tienda, Información, Novedades, Visita Virtual* y *EducaThyssen*.

El museo tiene diferentes exposiciones virtuales divididas en: temporales, de contexto, de intercambio. Partiendo de la página web del museo podemos hacer una visita virtual a cada de las colecciones permanentes del museo.

Las actividades que ofrece son: *El cuadro del mes, Conferencias* y *Noticias*.

La oferta educativa del museo se centra en *Programas didácticos, Teleformación* y *Pequeño Thyssen*. Los proyectos educativos abarcan todo tipo de público: educadores, padres, estudiantes y niños, con el objeto de acercar el arte al gran público.

Algunas de las ofertas didácticas que Thyssen ofrece a los niños se pueden hacer desde Internet, facilitando de esta forma el acceso a las manifestaciones artísticas.

Museo Arqueológico Nacional: http://www.man.es

Es de titularidad estatal y gestión directa del Ministerio de Educación, Cultura y Deporte. Fue creado en 1867.

El Museo Arqueológico Nacional destaca por la variedad y relevancia de sus colecciones. La amplitud cronológica y geográfica permite hacer un recorrido histórico desde la Prehistoria hasta el siglo XX, conociendo las excepcionales manifestaciones culturales de los pueblos que han habitado el territorio español. Sobresalen por su interés, las colecciones pertenecientes a la Prehistoria, Protohistoria, Antigüedades egipcias y del Próximo Oriente, Grecia y Roma, Edad Media y Moderna, y Gabinete numismático.

Su finalidad es la conservación, investigación y difusión de los materiales arqueológicos prehistóricos e históricos que constituyen su fondo museístico, además de la documentación y divulgación de las excavaciones arqueológicas, misiones científicas y hallazgos que dan testimonio de nuestra historia y caracterizan las culturas del pasado.

Las secciones de su página *web* son las siguientes: *Presentación, Información General, Exposiciones, Actividades, Servicios, Biblioteca, Publicaciones* y *Congresos*.

La *Exposición Permanente* presenta un recorrido por la Península Ibérica desde la Prehistoria hasta el siglo XIX, también se pueden admirar las colecciones de Egipto y Grecia, y las cien mejores piezas del Monetario. El museo dispone también de la reproducción parcial de la sala de polícromos de la Cueva de Altamira. Es posible visitar algunas de las piezas de la *Colección Permanente* desde Internet.

Las Exposiciones temporales anuales son las siguientes: *Luces de Peregrinación; Pintia cotidiana y simbólica; Últimas obras restauradas* y *Arqueología; Tusculum, Villa Adriana; Testaccio*.

Las actividades que ofrece el museo son las siguientes: *La pieza del mes; Mitos, cuentos y leyendas; Conciertos; Conferencias; Cursos; Piezas Restauradas; Piezas Invitadas; Nuevas adquisiciones; Audiovisuales; Talleres de verano; Itinerarios* y *Visitas Guiadas*.

Ficha 25b

Museo Nacional de Antropología: http://mnantropologia.mcu.es/

Ofrece al público visitante una visión global de la cultura de diferentes pueblos del mundo y asimismo establece las semejanzas y diferencias culturales que les unen o separan para poner de manifiesto la diversidad cultural. Las colecciones que a lo largo del tiempo se han ido incorporando y constituyendo sus fondos son muestras de la cultura material de diferentes pueblos de África, América, Asia, Europa y Oceanía, así como importantes fondos de Antropología física.

El 29 de abril de 1875 el rey Alfonso XII inaugura el "Museo Anatómico", aunque popularmente se le conocerá como Museo Antropológico. Su fundación se debió a la iniciativa personal del médico segoviano Pedro González Velasco, que invirtió todos sus ahorros en la construcción del edificio. En 1910, por medio de un Real Decreto, se convierte en el Museo Nacional de Antropología, Etnografía y Prehistoria, dependiendo ya del Estado.

Las secciones de su página *web* son las siguientes: *Información general, Historia, Bibliografía, Colección, Actividades* y *Servicios*.

El museo ofrece visitas virtuales en su *Colección Permanente*.

Las exposiciones temporales son: *Trajes y joyería tradicionales de Letonia* y *Frutas y castas ilustradas*.

Las actividades que ofrece el museo son: *Conciertos, El Museo para todos* (actividades para niños), *Conferencias* y *Cursos*.

Museo de América: http://museodeamerica.mcu.es/

Por decreto de 19 de abril de 1941 fue creado el Museo de América.

Los fondos custodiados están constituidos por las antiguas colecciones de Arqueología y Etnografía Americanas del Museo Arqueológico Nacional y que antes habían pertenecido al Museo de Ciencias Naturales, así como por las donaciones, depósitos y adquisiciones de nuevas obras. Su temática abarca un dilatado periodo que va desde la Prehistoria americana hasta la actualidad, con especial énfasis en la arqueología precolombina, la etnografía y el arte colonial.

La exposición permanente se estructura en cinco grandes áreas que, con un enfoque antropológico, intentan mostrar la compleja realidad americana. Estas cinco áreas son:

- El conocimiento de América
- La realidad de América
- La sociedad
- La religión
- La comunicación

Las Exposiciones temporales que hay en la actualidad son: *La idea del tango. í2 artistas uruguayos* e *Historia de un olvido. La expedición científica del Pacífico (1862-1865)*.

Las secciones de la página *web* del museo son: *Información, Servicios, Actividades, Historia, Colección* y *Bibliografía*.

Las actividades que ofrece el museo son las siguientes: *Exposiciones temporales, Cursos, Conferencias, Actividades Infantiles, Visitas Guiadas* y *Biblioteca*. Con estas actividades el museo pretende acercar el arte americano a todo tipo de públicos pero, sobre todo, al infantil.

Ficha 26

Velázquez

Infanta Margarita

Isabel Velasco

Agustina Sarmiento

María Bárbola

Nicolás Percusato

Mastín

Marcela de Ulloa

Un caballero

Felipe IV y Mariana de Austria

José Nieto de Velázquez

NIVEL B2. **AVANZA**

Apéndice de
fonética correctiva

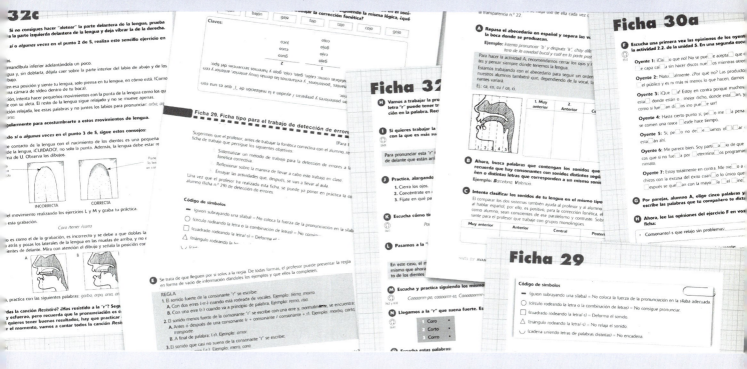

introducción

El Marco de Referencia Europeo marca dos factores genéricos y cualitativos determinantes en el éxito funcional de un estudiante de una segunda lengua: la fluidez y la precisión. Sin duda, el trabajo de la fonética correctiva contribuye, en gran manera, a conseguir el nivel de fluidez establecido por el Marco, que en el caso de B2 es el siguiente: "Produce discursos con un ritmo bastante regular; aunque puede dudar mientras busca estructuras y expresiones, provoca pocas pausas largas.

Participa en la conversación con un grado de fluidez y espontaneidad que hace posible la interacción habitual con hablantes nativos sin producir tensión en ninguno de los interlocutores." (pág. 145).

Para conseguir ese ritmo regular y esa ausencia de tensión, se hace necesario el trabajo de los encadenamientos, de ahí que se eligiera este elemento para trabajarlo en las fichas. A menudo, los alumnos tienen la impresión de que los hispanohablantes hablan demasiado rápido; en realidad, ellos tienen tendencia a intentar escuchar por bloques fónicos que corresponden a palabras y es así como, luego, ellos hablan. De ahí que una sencilla pregunta como: *¿Qué hora es?* que normalmente se formula en un bloque: *"¿keoraes?"* a menudo no sea entendida por los alumnos, que esperan escuchar tres bloques con tres micropausas: *"¿ke ora es?"*. Y, en consecuencia, ellos producen tres bloques al formular la pregunta. Si trabajamos los encadenamientos, no solamente estamos trabajando la producción de nuestros alumnos, sino también su comprensión.

Las fichas de fonética correctiva se han concebido como un complemento al trabajo de las unidades del alumno, como ayuda a las comprensiones auditivas, como rompehielos, como puente entre unidades, etc. De ahí que no se trabajen todos los posibles problemas fonéticos que un estudiante de E/LE pueda tener. Sin embargo, el profesor puede encontrar un ejemplo de método de trabajo de fonética correctiva y aplicar los modelos de fichas a otros sonidos del español problemáticos para sus alumnos.

Se ha optado por trabajar las aproximantes y la consonante "r" por diferentes razones: en primer lugar, porque son, sin duda, elementos característicos del español; en segundo lugar, porque la mayoría de los estudiantes necesitan mejorar la pronunciación de estos elementos.

Por otro lado, se han elegido primero las aproximantes por ser un grupo de consonantes cuyo trabajo de corrección fonética coincide y porque su correcta pronunciación se consigue con facilidad, con lo cual se refuerza la autoestima del estudiante; esto supone una gran ayuda al profesor y un empujón para poder trabajar otros elementos que entrañan mayor dificultad, como puede ser la consonante "r".

En conclusión, aunque en realidad sean tres los elementos seleccionados para el trabajo de fonética correctiva, su elección ha sido cuidadosamente estudiada para que los alumnos noten una notoria mejoría en cuanto a pronunciación y fluidez.

Puntos importantes a tener en cuenta para el trabajo de las fichas

✔ Recomendamos que, desde un principio, el profesor enseñe a sus alumnos que no hay una "única" y "mejor" o "más adecuada" forma de hablar español sino "muchas", "validas" y "parecidas" formas de hablar español. El patrón fonético que los alumnos que no estén en inmersión deben aprender es el de su profesor, pues será la referencia constante que tengan y la que adoptarán. Para ello, el profesor se autoanalizará en su forma de pronunciar con el fin de enseñar a sus alumnos. En las fichas dedicadas al profesor encontrará las vías para hacerlo.

✔ Las fichas que proponemos están pensadas, en su mayoría, para ponerlas en funcionamiento después de haber trabajado las comprensiones auditivas propuestas en el libro del alumno. Por eso, siempre que es posible, se aprovechan los textos orales o escritos de PRISMA del alumno o las fichas. La razón principal es que los alumnos ya han trabajado el contenido y pueden trabajar la forma. Cuando pronuncian saben lo que están diciendo.

✔ En algunos casos, las fichas pueden ser trabajadas como actividades de preaudición en donde se trabaje la articulación de ciertos sonidos conflictivos, para facilitar así la comprensión auditiva.

✔ Las fichas, aunque en algunos casos se requiera la ayuda del profesor, están pensadas, sobre todo, para el trabajo autónomo del alumno; el profesor debe quedar en un segundo plano.

✔ Las fichas que proporcionamos siguen la siguiente secuencia didáctica:

     1. Preactividad para potenciar el elemento afectivo.
     2. Actividad de reconocimiento del entorno fonético.
     3. Actividad de producción, autoevaluación y autodetección de errores.
     4. Actividad de autoevaluación y corrección fonética.
     5. Postactividad para potenciar el elemento afectivo.

La primera y la última parte de la secuencia didáctica están orientadas a eliminar el sentimiento de ridículo o de impotencia que se da muchas veces en el alumno, creando ambientes distendidos. El objetivo del punto 1 y el punto 5, dentro de la secuencia de las fichas, es crear un clima de complicidad y comunión dentro del grupo y ayudar a reflexionar no solamente sobre cómo pronunciamos los hispanohablantes, sino cómo movemos la boca, cómo gesticulamos con la cara, etc.

Si un alumno no consigue subsanar sus problemas con un sonido después de aplicar ejercicios de corrección, aconsejamos no pasar nunca a otro estudiante para que realice los mismos, sino cambiar de fonema o de entorno fonético con el mismo estudiante, sabiendo que con ese tipo de sonido no tiene demasiados problemas; de esta manera, potenciamos su autoestima, elemento de gran peso en la mejora de la pronunciación de un estudiante de segundas lenguas.

✔ En el paso tres y cuatro de la secuencia, tendrá vital importancia, para la corrección fonética, la lectura en voz alta (preferentemente grabada), ya que esta forma de leer no es espontánea, sino calculada y trabajada, es decir, el estudiante pone todo el cuidado para "pronunciar" bien, lo que nos guiará para saber de qué sonidos es consciente (aunque los pronuncie de una manera más o menos incorrecta) y de cuáles es inconsciente (no los produce, por ejemplo, las relajadas intervocálicas: -b-, -v-, -d-, -g-, -r-, -l-,) así como de las transferencias de su lengua (v/b, nasalizaciones, etc.). En este caso, trabajaremos con las transcripciones de las audiciones del libro del alumno siguiendo la idea de que después del contenido nos fijamos en la forma.

Transparencias 22, 23 y 24

Sugerimos que antes de ponerse a trabajar, el profesor analice, cuidadosamente, las transparencias 22, 23 y 24 y contraste con su pronunciación para ver posibles diferencias.

Hemos intentado evitar toda terminología, adoptando términos que faciliten la comprensión de la descripción de los sonidos y sean "más accesibles", tanto para el profesor que no tenga conocimientos de fonética articulatoria como para los propios estudiantes.

Para la pronunciación de una consonante hay que tener en cuenta básicamente lo siguiente:

- El tipo de obstáculo que encuentra el aire para salir de la boca (tradicionalmente llamado punto de articulación); normalmente, intervienen la lengua y otro elemento de la boca como los dientes, labios, etc. (transparencia 24).

- Dónde y cómo debemos situar esos elementos físicos. En este punto es donde el profesor deberá realizar un trabajo previo de autoestudio de su pronunciación y ayudarse de la transparencia 22. Asimismo, recomendamos que sea muy descriptivo a la hora de plantear estas cuestiones a los alumnos, ayudándose de dibujos, esquemas, etc. (un inglés, por ejemplo, pronunciará una "l" que, evidentemente, tendrá puntos en común con la "l" española, pero, también, diferencias. Hagamos reflexionar al alumno, primero, viendo cómo pronuncia él su "l" y, segundo, describiendo cómo pronunciamos nosotros nuestra "l").

- El grado de fuerza o tipo de barrera (total, parcial, casi inexistente, etc.) que emplea ese obstáculo a la hora de impedir salir el aire (tradicionalmente llamado modo de articulación: oclusivas, fricativas, etc.) (transparencia 23). Por ejemplo, la "ch" francesa ofrece un tipo de barrera parcial, es "más suave" que la "ch" española que ofrece un tipo de barrera mixta, en un primer momento, es fuerte y, después, es parcial (es más fuerte que la francesa). El poner mayor o menor intensidad en la barrera hace que nuestros alumnos tengan un "acento" más marcado o menos marcado hablando español. Corregir la intensidad en las barreras es relativamente fácil y tiene resultados muy evidentes; se mejora muchísimo la forma de pronunciar. Esto hace que los alumnos se animen a seguir trabajando "su pronunciación" y se atrevan salvar dificultades mayores.

Ficha 27. ¿Cómo te llevas con la pronunciación en español?

Proponemos esta ficha test que, en realidad, es un cuestionario escondido como primer día de trabajo de fonética. Se plantea como un cambio de impresiones entre los alumnos y como un "estado de la cuestión" para el profesor, es decir, como una guía de cómo deben plantearse las clases. También tiene el objetivo de desmitificar algunas creencias erróneas acerca de la pronunciación del español. La idea es llegar, entre todos, a un acuerdo sobre los problemas que plantea la fonética en español y presentar, al mismo tiempo, los contenidos de las fichas de fonética correctiva. Para aclarar dudas sobre la confección del test, les podemos poner un ejemplo:

1. Hablo español con...
   a) el espejo
   b) mis amigos cubanos
   c) mis compañeros de clase

Les aclaramos que, antes de inventar las opciones, es mejor leer las afirmaciones y empezar por los comentarios y consejos finales para saber cómo colocar las distintas opciones; por ejemplo, en a), vamos a poner todas las respuestas un poco locas, en las que, definitivamente, la pronunciación y ellos no son buenos amigos; en b), ponemos las opciones de alguien que tiene muy buena relación con la pronunciación, y, en c), los que ponen buena intención, pero necesitan tener una relación más estrecha con la pronunciación. De todas formas, es conveniente evitar los ejemplos para que ellos imaginen sus opciones y sea más variado el test.

Al final se puede votar el test más loco, más sesudo, más práctico, etc.

[Para trabajar con unidad 2]

El método de asociación de consonantes y vocales según su realización dentro de la cavidad bucal, como ayuda para conseguir pronunciar sonidos problemáticos para nuestros alumnos, es bastante operativo y con él se obtienen buenos resultados.

Para ponerlo en funcionamiento, tanto el profesor como el alumno deben ser conscientes de qué consonantes/vocales pueden ser favorables y cuáles no para llevar a cabo la corrección fonética de cierto sonido. Para ello, proponemos la siguiente ficha de reflexión-trabajo para el profesor que va complementada, a su vez, con una ficha de reflexión para el alumno (ficha n.º 28).

Esta ficha le servirá al profesor de guía para la corrección de cualquier sonido. La presentamos también en transparencia para que se haga uso de ella cada vez que sea necesario. Las claves las encontrará en la transparencia n.º 22.

A **Repasa el abecedario en español y separa las vocales y consonantes según el lugar de la boca donde se produzcan.**

Ejemplo: *Intenta pronunciar "b" y después "k", ¿hay diferencias? ¿Cuál pronuncias en la parte delantera de la cavidad bucal y cuál en la parte posterior de la misma?*

Para hacer la actividad A, recomendamos cerrar los ojos y no asociar ninguna vocal a las consonantes y pensar siempre dónde tenemos la lengua.

Estamos trabajando con el abecedario para seguir un orden, por eso, debemos tener en cuenta (y nuestros alumnos también) que, dependiendo de la vocal, la realización fonética de algunas consonantes variará.

Ej.: ca, co, cu / ce, ci.

1. Muy anterior	2. Anterior	3. Central	4. Posterior	5. Muy posterior

B **Ahora, busca palabras que contengan los sonidos que corresponden a cada letra; recuerda que hay consonantes con sonidos distintos según las vocales que lo acompañen o distintas letras que corresponden a un mismo sonido.**

Ejemplo: *Barcelona, Valencia.*

C **Intenta clasificar los sonidos de tu lengua en el mismo tipo de cuadro que A.**

El comparar los dos sistemas también ayuda al profesor y al alumno a rectificar posiciones erróneas al hablar español; por ello, es positivo, para la corrección fonética, el hecho de que, tanto profesor como alumno, sean conscientes de ese paralelismo y contraste. Sobre todo, es un ejercicio interesante para el profesor que trabaje con grupos monolingües.

Muy anterior	Anterior	Central	Posterior	Muy posterior

D **a. Según el cuadro de A, vamos a trabajar con un supuesto:** *Un alumno no consigue reproducir el sonido "muy posterior" que corresponde a la letra "j".*

¿Con qué vocales vas a asociar ese sonido para facilitarle su realización, con vocales que se producen en la parte anterior o con vocales que se producen en la parte posterior de la cavidad bucal? Elige dentro de las cinco vocales que tenemos en español.

a	e	i	o	u

b. Es bueno trabajar con palabras bisilábicas para propiciar la concentración en el sonido conflictivo. Ya sabes con qué vocales asociar la "j". Siguiendo la misma lógica, ¿qué palabras del cuadro elegirías para trabajar la corrección fonética?

cajón	bajón	gajo	fajo	tajo	cojo	gojo

Claves:

	1	2
	gajo	guco
	cajo	cuco
	gojo	juco
	cojo	

a. Con "o" y "u", que son posteriores y ayudan a la realización de "j", que es una consonante también posterior.

b. Buscaremos las consonantes "posteriores" y evitaremos las demás (muy anterior, anterior y central). Trabajaremos con palabras como: cajón, gajo, cojo, gojo y haremos secuencias del tipo:

Ficha 29. Ficha tipo para el trabajo de detección de errores

■■

[Para trabajar con unidad 3]

Sugerimos que el profesor, antes de trabajar la fonética correctiva con el alumno, realice previamente esta ficha de trabajo que persigue los siguientes objetivos:

1. Sistematizar un método de trabajo para la detección de errores a la hora de trabajar la fonética correctiva.

2. Reflexionar sobre la manera de llevar a cabo este trabajo en clase.

3. Ensayar las actividades que, después, se van a llevar al aula.

Una vez que el profesor ha realizado esta ficha, se puede ya poner en práctica la correspondiente del alumno (ficha n.º 29) de detección de errores.

Código de símbolos

■ (guion subrayando una sílaba) = No coloca la fuerza de la pronunciación en la sílaba adecuada.

◯ (círculo rodeando la letra o la combinación de letras) = No consigue pronunciar.

▢ (cuadrado rodeando la letra/-s) = Deforma el sonido.

△ (triángulo rodeando la letra/-s) = No relaja el sonido.

◡ (cadena uniendo letras de palabras distintas) = No encadena.

A Gradúa, de más grave a menos grave, estos cinco tipos de errores en la pronunciación a la hora de comunicarse en español. Intenta explicar porqué.

B Ahora, antes de practicar con tus alumnos, vamos a hacer una prueba. Escucha a un estudiante brasileño y localiza, en la transcripción, todos sus problemas, usando el código de detección de errores que se proporciona más arriba. Vas a escuchar un fragmento de la audición de la actividad 4.4. de la unidad 3. En ella habla un doctor.

[47]

> Buenos días. Me llamo Gonzalo. Debido a mi profesión, no puedo dedicar todo mi tiempo a *Médicos sin fronteras*. Soy oftalmólogo y trabajo en un hospital público a tiempo completo. Sin embargo, cada año pido un mes sin sueldo y me voy con la organización a países del tercer mundo donde la cirugía oftálmica está al alcance de muy pocos. Para mí, es una cuestión de justicia social. He tenido la oportunidad de estudiar para dedicarme a hacer lo que más me gusta en este mundo. Estoy en deuda, por tanto, con aquellos que no pueden tener las mismas posibilidades.

Vuelve a escuchar la grabación y comprueba tus anotaciones. Ahora, reflexiona y responde a estas preguntas:

1. ¿Qué sonidos representan un verdadero problema para poder comprender a este alumno?
2. ¿Cómo realiza estos sonidos? ¿Los obstáculos empleados y su posición son los correctos? ¿Dónde sitúa la lengua?
3. Busca los sonidos en español que se parecen en el obstáculo y en la posición de la lengua a ese sonido que representa un problema para el alumno.

Por ejemplo, si pronuncia "v" en "varias" de una forma incorrecta porque los obstáculos que pone al aire son incorrectos: primero, usa los dientes de delante posándolos en el labio inferior cuando los elementos del obstáculo deberían ser los labios inferior y superior tocándose apenas, y segundo, la fuerza de la barrera es equivocada ya que es parcial y debería ser débil o casi inexistente. A este alumno le tenemos que explicar-describir su error y describirle qué partes de la boca forman el obstáculo, cómo ponerlas y qué intensidad dar a la barrera. Vamos a trabajar con sonidos como "p" en donde los obstáculos coinciden aunque se oponen por el grado de fuerza de la barrera (más fuerte en "p" que en "b") Esto se observa si pronunciamos los siguientes enunciados:

*Mi vaca se llama **P**aca.*

*¿Dónde vives? ¿En **P**alencia o en **V**alencia?*

*¡Qué **p**oca **b**oca tienes!*

*A la de la **p**eca le han dado una **b**eca.*

También debemos trabajar con el alumno la relación grafía-sonido: b/v corresponde a un mismo sonido.

Conviene, siempre que se pueda, utilizar enunciados además de palabras aisladas, pues, al no estar rodeadas de otros sonidos e inmersas en un contexto, el alumno tiende a aislarlas y a no establecer conexiones que le puedan facilitar su reconocimiento y producción.

En realidad en "b" se añade un elemento más a la barrera, la vibración de las cuerdas vocales. En nuestra corrección fonética obviamos este elemento ya que es difícil que el alumno llegue a controlar la vibración o no de esa parte del aparato fonador. Trabajar este elemento resulta, la mayoría de las veces, decepcionante para el alumno por los pobres resultados y, por lo tanto, es contraproducente a la hora de la corrección fonética. No hay que olvidar que nuestro objetivo es la efectividad en la mejora de la pronunciación de nuestros alumnos.

Si tienes un grupo grande, realiza, de la ficha del alumno de autodetección de errores, el punto A y mándales como tarea para casa el resto de las actividades. Después, escucha en casa sus grabaciones y analiza los errores recurrentes de tus alumnos para trabajarlos en otras sesiones posteriores y que todos se beneficien de actividades de fonética correctiva de elementos con los que todos tienen problemas. El trabajo de esta ficha es importante porque el paso previo a la corrección de un error es hacerlo consciente, es darse cuenta de que existe ese error.

En este nivel, te ofrecemos unas fichas tipo que podrás usar en clase con tus alumnos y que podrán ayudarte a confeccionar tus propias fichas según los errores del grupo.

Claves:

relaja la "d" intervocálica (*dedicar*).
(*Gonzalo, oftálmica*), exagera o deforma las nasalizaciones de "n" y "m"(*mundo, oftálmica*), no
ciación de "b" y "v" (*Debido, voy*), deforma la "l" en posición intervocálica y final de sílaba
con: no realiza la "r" final (*hacer*), las "s" finales (*Buenos días*); tiene problemas con la pronun-
B El estudiante brasileño intenta subsanar sus problemas de pronunciación pero tiene problemas

A 2, 3, 1, 5, 4.

Ficha 30. Consonantes relajadas en posición intervocálica y final de palabra

[Para trabajar con unidad 5]

A Esta preactividad sirve para crear un ambiente distendido en la clase. Podemos reflejar los resultados finales en una cartulina y pegarla en la pared. Deberán buscar palabras o frases que contengan esos sonidos.

B En este caso, se trata de un trabajo individual de reflexión sobre la forma que tiene cada estudiante de reconocer las características fonéticas del español en su conjunto. Todos podemos imitar la forma de hablar de los franceses sin hablar francés o la forma de hablar de los alemanes sin hablar alemán. El profesor recogerá los papeles y dirá la respuesta general de la clase por mayoría de votos; después, pedirá que levanten la mano aquellos que han contestado "no" a la primera pregunta y les dirá que expliquen por qué, pasando, después, a realizar el ejercicio C de reconocimiento.

1. La boca debe estar relajada; 2. La mayoría de las lenguas presentan mayor tensión a nivel de músculos maxilofaciales que el español, no obstante dejamos a criterio del profesor el constatar el grado.

C Esta actividad trata de verificar físicamente que, efectivamente, los músculos de la cara, cuando hablamos español, trabajan relativamente poco. Por eso, aconsejamos que sea el profesor el primero que empiece a explicar la actividad, cogiéndose las mejillas con los dedos, meneando la barbilla y haciendo movimientos de arriba abajo con los dedos tocándose los labios. Y diciendo a los alumnos: "¿Estáis entendiendo todo lo que os estoy explicando? ¿Hay algún problema de comprensión porque yo me esté tocando la cara?"

Después, les presentamos los sonidos que vamos a trabajar. Tradicionalmente estos sonidos se han llamado "aproximantes" y solamente incluyen las siguientes consonantes en posición intervocálica: -b-, -v-, -d-, -g-. Sin embargo, supeditando la teoría a la práctica, nosotros consideramos, aparte de estas, otras consonantes relajadas (-r-, -l-, -d, -r, -l) Además, todas ellas se relajan en un entorno fonético vocálico, pero también si están acompañadas de: "r" o "l".
Ejemplo: *Ar**d**iente* (entorno: *rd-* donde la "d" se relaja).

*A**d**entro* (entorno vocálico: *-d-* donde la "d" se relaja).

*Me lo sé al **d**edillo* (entorno: *ld-* donde la "d" se relaja).

Uno de los mitos sobre la pronunciación del español entre los estudiantes es que la consonante "r" tiene que sonar fuerte en todos los contextos fonéticos. Para deshacer esta creencia y trabajar la oposición "carro" y "caro", se puede utilizar la ficha de sonidos relajados. Se trata de que la "r" de "caro" no suene rara en boca de nuestros estudiantes. Debemos intentar que "casi" no suene.

D Después de escuchar dos veces las seis instrucciones de C, corregimos. Vamos haciendo un seguimiento de los posibles errores de nuestros alumnos para posibles refuerzos posteriores, anotamos nombres y entornos fonéticos en los que no reconocen la relajación. Por el momento, seguimos en la etapa de reconocimiento, etapa esencial para la producción posterior.

Se señalan en negrita las consonantes relajadas.

1. Mueve el cue**ll**o!; 2. ¡Gi**r**a **l**a ca**b**eza!; 3. ¡Le**v**anta **l**a pierna de**r**echa!; 4. ¡Baja **l**a **b**arbi**ll**a!; 5. ¡Pon los de**d**os en la mesa!; 6. ¡Esti**r**a el cue**ll**o!

E 1. Evidentemente; 2. ¡No digas tonterías!; 3. Bolero; 4. Es indudable; 5. Estoy a favor; 6. ¡Nunca en la vida!; 7. Merengue; 8. Recibiría; 9. Hasta luego; 10. Hola.

F **Oyente 1:** ¡Claro que no! No se puede aceptar que cantantes de toda la vida estén ahora de capa caída sin hacer discos nuevos mientras otros no paran de hacer conciertos.

Oyente 2: Naturalmente. ¿Por qué no? Las productoras están al corriente de la demanda del público y es ni más ni menos lo que hacen, darnos lo que queremos.

Oyente 3:: ¡Qué va! Estoy en contra porque muchos han luchado durante muchos años por estar donde están o... mejor dicho, donde estaban, y que lleguen estos *yogurines* arrasando como si fueran divos ¡no puede ser!

Oyente 4: Hasta cierto punto sí, pero me da pena de los otros cantantes porque muchos no se comen una rosca desde hace tiempo.

Oyente 5: Sí, pero no deberíamos olvidar que los cantantes por antonomasia siempre estarán ahí.

Oyente 6: Me parece bien. Soy partidario de que se les dé una oportunidad a muchos chicos que, si no fuera por determinados programas que arriesgan, siempre estarían en el anonimato.

Oyente 7: Estoy totalmente en contra. Me niego a aceptar que estos listillos usen a estos pobres chicos con la excusa del éxito cuando lo único que están haciendo es aprovecharse de ellos y después se quedan con la mayoría del dinero.

Desde la actividad D y a partir de las anotaciones tomadas, aprovechamos las actividades siguientes para ir explicando a los alumnos la pronunciación relajada de estas consonantes con ejemplos y con repeticiones individuales profesor-estudiante, para comprobar que todos son capaces de pronunciarlas. En principio, este tipo de realizaciones no representan dificultad para los estudiantes. Si la tienen, el profesor se mete un bolígrafo en la boca, como un tercio para inmovilizar la lengua y crear un espacio en la boca y pronunciar sin problema palabras como *abogado*. Es importante crear un buen ambiente y que el profesor sea el primero en hacer el ejercicio para que los alumnos le emulen. Es importante poner atención en que el alumno no introduzca solamente la punta del bolígrafo pues el resultado sería insatisfactorio.

Ficha 31. Encadenamientos

[Para trabajar con unidad 7]

A y **B** Trata de que reflexionen sobre la importancia de ligar las palabras al hablar y de no cortar el hilo de la enunciación. De igual manera que lo hacen en su lengua, deben hacerlo en español.

B Marcamos con una equis todas las situaciones excepto a), puesto que el efecto es el contrario, la entonación es más uniforme.

D 1. Qu**ea**proveche; 2. Que sueñes con lo**s**angelitos; 3. Que tenga**s**un buen viaje; 4. Que tenga**s**una buena**e**ntrad**ay** salida d**ea**ño; 5. Tengo qu**ei**ra casa; 6. Es fácil**h**ace**r**esto; 7. Tengo die**ze**rrore**s**en**el**examen.

E Hacemos que, en parejas, intenten sacar las posibles sinalefas o uniones al hablar en español y lleguen ellos a la regla partiendo de los ejemplos.

Las consonantes son r, s, l, n, z.

F Hay que llamar la atención sobre el hecho de que a veces el hablante elige hacer solo ciertos encadenamientos y no todos los posibles. Hay diferentes razones: para dar énfasis en alguna palabra, porque hay demasiados y necesita hacer una micropausa, etc.

H **Alfredo:** porqueestoy cansado; hoyhe tenidoun día duro...; mehaencantado volvera veros...; tantosaños.

José Luis: Espera queyo.

Resto de amigos: ¿Tehas fijadoen...; noha cambiado...; tantosaños?; loera...; se poníaa contar sushistoriasy sus viajes porÁfrica...; delaburrimiento.

Pedro: no vienea trabajar Marío porquehoy...; seha pedidoel día...

Rosa: queera...

Pedro: mujeres...; convirtióalislamismo.

Pedro: ¡Tú noestás...; meiríaa...; terminaríael trabajo...

K En el caso en el que no contemos con laboratorio, podemos mandar para casa como tarea el ejercicio K diciéndoles que, después de grabarse, transcriban sus encadenamientos. Con sus encadenamientos transcritos, en la sesión siguiente haremos en clase el ejercicio L y la parte de trabajo de corrección fonética M, N, Ñ y O. El profesor actuará de observador y consejero pues la actividad está diseñada para que sea el alumno el que se autocorrija. La supervisión final la llevará a cabo el profesor.

L **1**. ¿Quéhoraes?; **2**. ¿Estálnmaen casa?; **3**. Lahas llamadohoy ¿verdad?; **4**. Vamosahacer gazpacho; **5**. Mehainvitadoa su casa, pero no voyair; **6**. Mi novio esecuatoriano; **7**. Noestoy deacuerdo; **8**. ¡Nihablar! Eso noesasí.

P El profesor podrá deshacer el hielo escribiendo tres frases en la pizarra, tarareará una y los alumnos deberán adivinarla.

Ficha 32. Consonante "R"

[Para trabajar con unidad 9]

A En principio, esta preactividad sirve para presentar en escena el sonido fuerte de la consonante "r". En esta canción, los puntos de mayor fuerza están representados por ese sonido. Aconsejamos trabajar esta ficha después de haber hecho las actividades sobre la canción.

B Se trata de "despistar" al alumno. Indirectamente, al hablar con su compañero y buscar emociones, ya está articulando el sonido"erre", ya se está "enfrentando" a él sin darse cuenta, sin ese miedo escénico que supone tener contacto con la "erre" del español. De igual forma, esta actividad es ideal para que el profesor se vaya paseando por la clase y vaya anotando el estado de producción de este sonido en sus alumnos. ¿Va a haber mucho trabajo de corrección? ¿Hay algún alumno que vaya a requerir una dedicación especial? ¿Qué problemas generales veo en mis alumnos ante este sonido?

En el caso en el que no estén demasiado inspirados a la hora de buscar emociones, el profesor puede empezar por él mismo con un ejemplo. A mí, por ejemplo, este sonido relacionado con esta canción me sugiere la idea de "rabia" (fuerza, enfado, energía, etc.).

C **1**. No; **2**. No; **3**. Sí.

D **1**. Remo, tierra, morro, risa; **2**. Morbo, amor, carta, marzo; **3**. Mero, cara, moro, tira.

E Se trata de que lleguen por sí solos a la regla. De todas formas, el profesor puede presentar la regla en forma de vacío de información dándoles los ejemplos y que ellos la completen.

> **REGLA**
>
> **1.** El sonido fuerte de la consonante "r" se escribe:
> **A.** Con dos erres (-rr-) cuando está rodeada de vocales. Ejemplo: *tierra, morro.*
> **B.** Con una erre (r-) cuando va a principio de palabra. Ejemplo: *remo, risa.*
>
> **2.** El sonido menos fuerte de la consonante "r" se escribe con una erre y, normalmente, se encuentra:
> **A.** Antes o después de una consonante (r + consonante / consonante + r). Ejemplo: *morbo, carta, transporte.*
> **B.** A final de palabra: (-r). Ejemplo: *amor.*
>
> **3.** El sonido que casi no suena de la consonante "r" se escribe:
> **A.** Con una erre (-r-). Ejemplo: *mero, cara.*

F Escucha estas palabras; todas tienen una sola "r" y se pronuncian fuerte, ¿puedes sacar la regla? El sonido fuerte de la consonante "r" se escribe con una erre después de las consonantes: l, n, s.

G **1**. Rabia; **2**. enredar; **3**. sonrisa; **4**. enriquecer; **5**. agarrado; **6**. repipi; **7**. enroscar; **8**. perro; **9**. rubio; **10**. israelí.

I Empezamos el trabajo de producción y corrección. Elegimos cinco ítems solamente para intentar concentrar la atención del estudiante en pocos elementos y así no producir cansancio y desánimo. También, el hecho de poner varias veces la grabación resulta más liviano para el alumno. Empezamos trabajando la pronunciación más fácil, a la que el alumno llegará sin dificultad y la que le dará la energía suficiente para enfrentarse a la que presenta mayor dificultad.
Trabajamos con palabras bisilábicas que son las más cómodas, tres que terminan en vocales cerradas y adelantadas que favorecen el movimiento y posición de la lengua, terminando el ejercicio con una vocal central (a) y una posterior (o) para ver el comportamiento del alumno ante una posición más incómoda. Asimismo, la última palabra es trisilábica, siguiendo la misma idea.

M Buscamos palabras con consonantes de pronunciaciones anteriores como p, t, m, n que ayudan a la pronunciación; seguimos con ejemplos de final de palabra donde no hay ayuda y terminamos con una trisilábica donde la "r" está seguida de una consonante (ca = /ka/) de pronunciación posterior.

N **1**. b.; **2**. c.; **3**. a.

O Buscamos palabras con vocales cerradas y adelantadas que favorecen el movimiento y posición de la lengua aunque terminamos el ejercicio con una vocal posterior (o) para ver el comportamiento del alumno ante una posición más incómoda. Asimismo, terminamos con una palabra trisilábica siguiendo la misma idea.

Q residencias, remunerar, recursos, ahorrar, despilfarro, aborregados, recibir.

W 3. La posición correcta es A.

Ficha 27

A Con tu compañero, crea un test: "¿Cómo te llevas con la pronunciación en español?" a partir de estas diez afirmaciones y realízaselo a otros dos estudiantes. Cada afirmación debe tener tres opciones de respuesta (a, b, c) y, al final, tienes que hacer un comentario o dar consejo, según la mayoría de las respuestas contestadas (comentario para mayoría de respuestas acertadas "a", "b" y "c".)

1. El español es fácil de pronunciar.
2. Hablo español con...
3. Yo creo que mi pronunciación en español es...
4. Las canciones en español suenan a...
5. Me gustaría hablar español con acento de...
6. Veo películas en español.
7. Las vocales en español me parecen...
8. Cuando me escucho hablar español, me siento...
9. Creo que debo trabajar mi pronunciación en español para...
10. Escuchar la radio o ver la televisión en español es importante para...

1. ....
   - ☐ a. ....
   - ☐ b. ....
   - ☐ c. ....

2. ....
   - ☐ a. ....
   - ☐ b. ....
   - ☐ c. ....

3. ....
   - ☐ a. ....
   - ☐ b. ....
   - ☐ c. ....

4. ....
   - ☐ a. ....
   - ☐ b. ....
   - ☐ c. ....

5. ....
   - ☐ a. ....
   - ☐ b. ....
   - ☐ c. ....

6. ....
   - ☐ a. ....
   - ☐ b. ....
   - ☐ c. ....

7. ....
   - ☐ a. ....
   - ☐ b. ....
   - ☐ c. ....

8. ....
   - ☐ a. ....
   - ☐ b. ....
   - ☐ c. ....

9. ....
   - ☐ a. ....
   - ☐ b. ....
   - ☐ c. ....

10. ....
   - ☐ a. ....
   - ☐ b. ....
   - ☐ c. ....

Comentarios y consejos:

• *Si has respondido mayoría **a**, tu relación con la pronunciación en español es* ....
   Nuestro consejo es que debes ....

• *Si has respondido mayoría **b**, tu relación con la pronunciación en español es* ....
   Nuestro consejo es que debes ....

• *Si has respondido mayoría **c**, tu relación con la pronunciación en español es* ....
   Nuestro consejo es que debes ....

B ¿Te han hecho el test? ¿Estás de acuerdo con los resultados? Coméntalo con el resto de la clase.

Ficha 28

A Repasa el abecedario en español y separa las vocales y consonantes según el lugar de la boca donde se produzcan. Sigue los consejos de tu profesor.

	1. Muy anterior	2. Anterior	3. Central	4. Posterior	5. Muy posterior

B Ahora, busca palabras que contengan los sonidos que corresponden a cada letra; recuerda que hay consonantes con sonidos distintos según las vocales que lo acompañen o distintas letras que corresponden a un mismo sonido.

Ejemplo: *B*arcelona, *V*alencia.

C Intenta clasificar los sonidos de tu lengua en el mismo tipo de cuadro que A.

Muy anterior	Anterior	Central	Posterior	Muy posterior

D **a.** Según el cuadro de A, vamos a trabajar con un supuesto: *No consigues reproducir el sonido "muy posterior" que corresponde a la letra "j".*

Señala las vocales que tú crees que van a ayudarte a pronunciar ese sonido y explica por qué.

a	e	i	o	u

b. De estas palabras, señala las que crees que te ayudan a acercarte mejor a la pronunciación de "j" y explica por qué.

cajón	bajón	gajo	fajo	tajo	cojo	gojo

Ahora, ya sabes cómo hacer para mejorar tu pronunciación en español. Ten presente siempre este cuadro y practica en casa periódicamente con palabras cortas y sonidos afines al sonido difícil de pronunciar para ti para facilitarte su pronunciación.

Ficha 29

Código de símbolos

- ▬ (guion subrayando una sílaba) = No coloca la fuerza de la pronunciación en la sílaba adecuada.

- ◯ (círculo rodeando la letra o la combinación de letras) = No consigue pronunciar.

- ☐ (cuadrado rodeando la letra/-s) = Deforma el sonido.

- △ (triángulo rodeando la letra/-s) = No relaja el sonido.

- ◡ (cadena uniendo letras de palabras distintas) = No encadena.

A Gradúa, de más grave a menos grave, estos cinco tipos de errores en la pronunciación a la hora de comunicarse en español. Compara tu clasificación con la de tu compañero y explica tus razones.

B Lee dos veces este texto. La primera en voz baja y la segunda en voz alta. Hazlo de una forma relajada. El fragmento forma parte de la audición de la actividad 4.4. de la unidad 3. En ella habla un doctor.

> Buenos días. Me llamo Gonzalo. Debido a mi profesión, no puedo dedicar todo mi tiempo a *Médicos sin fronteras*. Soy oftalmólogo y trabajo en un hospital público a tiempo completo. Sin embargo, cada año pido un mes sin sueldo y me voy con la organización a países del tercer mundo donde la cirugía oftálmica está al alcance de muy pocos. Para mí, es una cuestión de justicia social. He tenido la oportunidad de estudiar para dedicarme a hacer lo que más me gusta en este mundo. Estoy en deuda, por tanto, con aquellos que no pueden tener las mismas posibilidades.

C Ahora, escucha este fragmento en boca de un hispanohablante. ¿Qué diferencias notas, en líneas generales, entre él y tú?

[48]

D En casa, vuelve a leer el fragmento en voz alta y de una forma relajada, pero, esta vez, graba tu voz. Escucha tu grabación y localiza en el texto todos los posibles problemas que encuentres en tu pronunciación usando el código de detección de errores que tienes arriba.

E Vuelve a escuchar la grabación y comprueba tus anotaciones. Ahora, reflexiona y responde a estas preguntas:

1. ¿Qué sonidos representan un verdadero problema para mí?
2. ¿Cómo realizo estos sonidos? ¿Qué partes de la boca uso? ¿Dónde sitúo la lengua?

Ficha 30

A Por parejas, elegid de los sonidos del español el sonido más...

> violento • relajado • amoroso • estresante

Comentad con la pareja de al lado. ¿Habéis coincidido? Explicad las razones de vuestra elección.

B Ahora, os vamos a plantear dos preguntas; responderéis en un papel que luego guardaréis. A la primera pregunta deberéis responder sí o no, a la segunda, más o menos.

1. ¿Creéis que para hablar en español debemos tener la boca en tensión? Es decir, ¿pensáis que los músculos de la boca trabajan mucho al hablar español?

2. ¿Al hablar español, los músculos de tu boca trabajan más o menos que cuando hablas tu lengua?

C Vamos a comprobar científicamente las respuestas a las preguntas. Lee a tu compañero estas instrucciones en voz alta, pero tus manos van a coger, pellizcar, tocar tus mejillas y tus labios al mismo tiempo que hablas. Tu compañero debe seguir tus instrucciones. ¿Ha entendido lo que has leído?

1. ¡Mueve el cuello!	4. ¡Baja la barbilla!
2. ¡Gira la cabeza!	5. ¡Pon los dedos en la mesa!
3. ¡Levanta la pierna derecha!	6. ¡Estira el cuello!

Como hemos visto, para hablar español "hay que estar relajados".

- En español, no todas las consonantes tienen tanta personalidad como la "erre", la "jota" o la "zeta". Hay algunas que pierden su fuerza, se relajan, cuando están rodeadas de vocales (a, e, i, o ,u) o de (r, l): estas consonantes son:

  -b-, -v-, -d-, -r-, -l-, -ga , -go, -gu.

  Ejemplo: *aca**b**a, ca**v**a, ca**d**a, ca**r**a, ca**l**a, da**g**a, Die**g**o, me **g**usta.*

- En final de palabra también se relajan:

  –d, -r, -l.

  Ejemplo: *Madri**d**, acaba**r**, fáci**l**.*

D Escucha ahora las seis instrucciones de C y señala las consonantes que crees que se relajan.

[49]

E Escucha y completa estas palabras:

[50]

1. E ⬜ i ⬜ entemente
2. ¡No di ⬜ as tonte ⬜ ías!
3. Bo ⬜ e ⬜ o
4. Es indu ⬜ able
5. Estoy a fa ⬜ or

6. ¡Nunca en la vi ⬜ a!
7. Me ⬜ engue
8. Reci ⬜ i ⬜ ía
9. Hasta ⬜ ue ⬜ o
10. Ho ⬜ a

Ficha 30a

F Escucha una primera vez las opiniones de los oyentes de "Música sí" que aparecen en la actividad 2.2. de la unidad 5. En una segunda escucha completa con la letra que falta:

[51]

Oyente 1: ¡Cla□o que no! No se pue□e acepta□ que cantantes □e to□a la vi□a estén aho□a □e capa caí□a sin hacer discos nue□os mientras otros no pa□an de hace□ conciertos.

Oyente 2: Natu□almente. ¿Por qué no? Las producto□as están al corriente □e la □emanda □el público y es ni más ni menos lo que hacen, darnos lo que que□emos.

Oyente 3: ¡Que □a! Estoy en contra porque muchos han lucha□o □urante muchos años por esta□ donde están o... mejor dicho, donde esta□an, y que lleguen estos yo□u□ines arrasando como si fue□an di□os ¡no pue□e ser!

Oyente 4: Hasta cierto punto sí, pe□o me □a pena □e los otros cantantes porque muchos no se comen una rosca □esde hace tiempo.

Oyente 5: Sí, pe□o no de□e□íamos ol□i□ar que los cantantes por antonomasia siempre esta□án ahí.

Oyente 6: Me parece bien. Soy parti□a□io de que se les □é una oportuni□a□ a muchos chicos que si no fue□a por □etermina□os programas que arriesgan, siempre esta□ían en el anonimato.

Oyente 7: Estoy totalmente en contra. Me nie□o a acepta□ que estos listillos usen a estos pobres chicos con la excusa del éxito cuan□o lo único que están haciendo es apro□echarse □e ellos y □espués se que□an con la mayo□ía □el □ine□o.

G Por parejas, alumno A, elige cinco palabras y díctaselas a tu compañero. Alumno B, escribe las palabras que tu compañero te dicta.

H Ahora, lee las opiniones del ejercicio F en voz alta, graba tu voz y rellena la siguiente ficha:

- Consonante/-s que relajo sin problemas:...
....

- Consonante/-s que no relajo completamente: ....
....

I Busca en la unidad del libro del alumno que estéis estudiando 10 palabras que tengan las consonantes que no consigues relajar, escríbelas, léelas en voz alta con un bolígrafo en la boca siguiendo las instrucciones de tu profesor. Después, graba leyendo la palabra con el bolígrafo en la boca y, rápidamente, la palabra sin el bolígrafo, así sucesivamente.

J Escribe en un papel la palabra que tiene, para ti, la pronunciación más relajada; dásela a tu profesor; entre todos elegiréis la palabra relajada de la clase.

[ciento cuatro]

NIVEL B2. **AVANZA**

Ficha 31

A Intenta hablar como un robot en tu lengua, eligiendo dos o tres frases que se repiten mucho, como pueden ser en español:

> ¿qué hora es? • ¿cómo estás? • ¿cuánto es?

B Ahora, repite esas mismas frases de una forma "normal". ¿Qué diferencia hay entre esa forma de hablar y la normal? Marca con una equis (X).

Cuando hablo como un robot:

- ☐ **a.** Mi entonación es más cantarina.
- ☐ **b.** El ritmo es más lento.
- ☐ **c.** Hablo a golpes bruscos.
- ☐ **d.** Hago pausas después de cada palabra.

Comenta tus respuestas con tu compañero.

C Tu compañero y tú tenéis un problema, leed las tarjetas:

alumno a

Esta mañana te has levantado, has probado una marca de café nueva e, inmediatamente después de tomar el café, notas que, cuando hablas, pareces un robot, haces pausas después de cada palabra, además a tu compañero le pasa algo raro porque repite todo lo que tú dices; ya verás, dile estas frases:

1. ¡Que aproveche!
2. ¡Que sueñes con los angelitos!
3. ¡Que tengas un buen viaje!
4. ¡Que tengas una buena entrada y salida de año!
5. Tengo que ir a casa.
6. Es fácil hacer esto.
7. Tengo diez errores en el examen.

alumno b

Esta mañana te has levantado, has probado una marca de café nueva e, inmediatamente después de tomar el café, notas que, cuando hablas, no haces ninguna pausa entre las palabras, además, cada vez que oyes algo lo repites como un loro, pero sin pausas.

1. ¡Que aproveche!
2. ¡Que sueñes con los angelitos!
3. ¡Que tengas un buen viaje!
4. ¡Que tengas una buena entrada y salida de año!
5. Tengo que ir a casa.
6. Es fácil hacer esto.
7. Tengo diez errores en el examen.

D Con tu compañero, escucha cómo pronuncia las frases de C un hispanohablante y señala las uniones de palabras que hace.

[52]

Ficha 31a

E **¿Podéis completar el cuadro según las uniones de palabras que habéis señalado en D?**

- En español, como en otras lenguas, no hablamos aislando palabras, sino encadenándolas. Este encadenamiento se produce entre palabras que terminan en vocal o en las consonantes: ☐, ☐, ☐, ☐, ☐ y palabras que empiezan por vocal.

  Por ejemplo: _____ .

F **Antes de escuchar parte de la audición 3.2. de la unidad 7, separa las palabras que crees que no van a encadenarse.**

1. **Maribel:** ¿Sepuedepasar?

José: Sí, adelante, pasa, pasa.

Maribel: Necesitoelbalancedesiniestralidadlaboraldelañopasado.

Cliente: Sí, cógeloestáenelsegundocajón. Nonecesitaslallaveestáabierto.

Maribel: Bien, yalotengo, aquíestá. Buenomemarcho.

José: Esperaunmomento. ¿Quéteparecetunuevocompañerodedespacho?

Maribel: Esunchicomuytrabajadoryabierto, sehaintegradorápidamentecontodosloscompañerosdel-sector.

2. **Juan:** ¿Sí?

María: ¡HolaJuan! SoyMaría. ¿Quétal? ¿Hacesalgoestanoche? Esqueestoyaburridaaquíencasasinha-cernada, ¿vamosalcine?

Juan: Genial, porquehavenidoapasarunosdíasacasauntíodemipadrequeesmuyaburridoyasímelibrode-élporunashoras. Pasoarecogerteen30minutos.

María: Estupendo, teesperoenmicasaentonces. ¡Hastaahora!

Juan: ¡Hastaahora!

G **Escucha, ahora, parte de la audición 3.2. de la unidad 7. Escucha dos veces y comprueba que las personas que hablan hacen los encadenamientos que tú has dejado en la actividad anterior.**

🎧 [53]

H **Escucha otra parte de la audición 3.2. de la unidad 7 y señala en la transcripción los encadenamientos que realizan.**

🎧 [54]

Marcos: Bueno, chico, yo me voy porque estoy cansado, hoy he tenido un día duro de trabajo. Que lo dicho. Me ha encantado volver a veros después de tantos años.

José Luis: Espera que yo también me voy.

Resto de amigos: ¡Dios mío! ¿Te has fijado en que Marcos no ha cambiado nada después de tantos años? Es tan cansado como lo era hace quince años. Cada vez que se ponía a contar sus historias y sus viajes por África creía que me moría del aburrimiento.

Pedro: Hoy no viene a trabajar Mario porque hoy termina el Ramadán y se ha pedido el día para celebrar Eid Mubarak.

Rosa: ¿Ah, sí? No sabía que fuera musulmán, pensaba que era católico.

Pedro: Su mujer es musulmana y cuando se casó se convirtió al islamismo. Chica, ¡tú no estás muy católica! Yo en tu lugar, me iría a casa y terminaría el trabajo mañana.

Ficha 31b

I Lee a tu compañero la transcripción de uno de los diálogos con los encadenamientos que has marcado, este tendrá que comparar con los suyos y marcar las diferencias. Discutid sobre ellas y volved a escuchar.

J Lee y señala las uniones de palabras.

1. ¿Qué hora es?
2. ¿Está Inma en casa?
3. La has llamado hoy, ¿verdad?
4. Vamos a hacer gazpacho.
5. Me ha invitado a su casa, pero no voy a ir.
6. Mi novio es ecuatoriano.
7. No estoy de acuerdo.
8. ¡Ni hablar! Eso no es así.

K Grábate, intentando memorizar antes cada frase para que sea más natural.

L Escucha a un hispanohablante, compara con tu grabación y marca los puntos que te afecten de esta ficha para autoevaluarte marcando *sí, a veces, no.*

[55]

	sí	a veces	no
1. Tengo problemas con el encadenamiento de VOCAL-VOCAL.	☐	☐	☐
2. Tengo problemas con el encadenamiento de CONSO-NANTE-VOCAL	☐	☐	☐
3. Quiero hacer todos los encadenamientos, entonces me pongo nervioso y no los hago correctamente.	☐	☐	☐

M Selecciona el ejercicio según lo que hayas marcado en L.

N Si has marcado *sí* o *a veces* en la 1, encadenamiento vocal-vocal, y notas que no las encadenas, que haces un corte, haz este ejercicio.

1. Repite estas combinaciones de vocales exagerando su pronunciación y el movimiento de labios.

ae / ea	ai / ia	ao / oa	au / ua	ei / ie	eo / oe	eu / ue	io / oi	iu / ui	ou / uo

2. Ahora, repite estos encadenamientos alargando una de las vocales y reduciendo paulatinamente el alargamiento.

    a. ¿Qué hora es?

        [keeeeoraaaaaes]   [keeeoraaaes]

        [keeoraaes]   [keoraes]

    b. He ido a casa

        [eeeeidoooooakasa]   [..]

        [..]   [..]

    b. Quiero un vaso de agua

        [kieroooooun vaso deaaaaagua]   [..]

        [..]   [..]

Ficha 31c

Ñ **Si has marcado *sí* o *a veces* en la 2, encadenamiento consonante-vocal, prueba a leer cada día un pequeño texto de cinco líneas del periódico, revista, tu libro de español y:**

1. Trata de localizar esos encadenamientos que no son muchos:

> s, n, r, l, z + vocal

2. Aíslalos, como en el ejemplo, siguiendo estos pasos:

"Me encontraba fatal y no podía dormir, me levanté de la cama, apagué el ordenador que había dejado encendido y fui a la cocina, miré el reloj y vi que eran las diez y cuarto..."

– me encontraba **fatal y** no podía dormir.

– Busca micropausas cómodas para ti, como por ejemplo:
meencontraba / fataly / no podía dormir.

– Lee varias veces siendo consciente de las micropausas y alarga las consonantes implicadas:
meencontraba / fatallly / no podía dormir.

– Finalmente, grábate pero sin leer, escúchate y comprueba que:

      1. Has hecho las micropausas.
      2. Has hecho los encadenamientos.

O **Si has marcado *sí* o *a veces* en el punto 3 de la actividad L, te recomendamos que sigas el método de "buscar micropausas cómodas"; también lo haces en tu lengua: las pausas te preparan para el encadenamiento. Si las pausas son incómodas para ti porque suponen un obstáculo y te desconcentran, prueba a alargar una de las letras del encadenamiento, ya sea la consonante en CONSONANTE+VOCAL, ya sea la vocal primera en VOCAL+ VOCAL.**

Retoma el texto de la actividad Ñ, señala los encadenamientos y sigue los pasos.

P **Llamaremos a esta actividad "tener buen oído". En grupos pequeños, id a la actividad J, leed primero todas las frases en voz baja de forma individual; después, por turnos, un alumno escoge una de ellas y la tararea marcando las pausas y los encadenamientos; los demás deberán adivinar de qué frase se trata. Por cada frase acertada, un punto. Gana el alumno que consiga más puntos.**

Ejemplo: *Vamos **al** cine;* tarareo: *tatata tata* o *mmm mm.*

Ficha 32

A Escucha la canción *Resistiré* y decide cuál es el sonido que tiene más personalidad en la canción, ¿Cuál es el que tiene más fuerza? Habla con tu compañero y llegad a un acuerdo.
[56]

B Por parejas, ¿qué emociones podéis relacionar entre este sonido y la canción? Encontrad al menos cuatro.

C Escucha estas palabras. Todas contienen la letra "r" pero... ¿suenan igual sus erres? Escucha y marca con una X en las casillas *sí* o *no*.
[57]

	sí	no
1. Todas suenan igual: fuerte.	☐	☐
2. Algunas suenan fuerte y otras no suenan casi.	☐	☐
3. Unas suenan fuerte, otras suenan y algunas casi no suenan.	☐	☐

Contrasta tus respuestas con las de tu compañero.

D Ahora, escucha otra vez y clasifica.
[57]

Suena muy fuerte	Suena	Casi no suena

Compara tu clasificación con la de tu compañero, ¿hay diferencias? Volvemos a escuchar para verificar.

E La ortografía, generalmente, obedece a las reglas de pronunciación. Según la clasificación de D, ¿podríais tu compañero y tú sacar alguna regla ortográfica con respecto a la letra "r"?

F Escucha estas palabras; todas tienen una sola "r" y se pronuncian fuerte, ¿puedes sacar la regla?
[58]

*A*l*r*ededor, *E*n*r*ique, *I*s*r*ael.

G Escucha y escribe "r" o "rr" según sea: r- / -rr- / nr- / lr- / sr-.
[59]

1. ☐abia   **3.** son☐isa   **5.** aga☐ado   **7.** en☐oscar   **9.** ☐ubio

2. en☐edar   **4.** en☐iquecer   **6.** ☐epipi   **8.** pe☐o   **10.** is☐aelí.

Ficha 32a

H Vamos a trabajar la pronunciación. En las actividades anteriores, has podido ver que la letra "r" puede tener tres pronunciaciones según las letras que la acompañen o su posición en la palabra. Recuerda, con tu compañero, algún ejemplo de cada pronunciación.

I Si quieres trabajar la pronunciación de la que suena más fuerte, empieza practicando con la que es más suave. Escucha estas palabras y repite.

[60]

Pare, cara, tire, Puri, corazón.

Para pronunciar esta "r" tenemos que <u>acercar</u> la punta de la lengua al nacimiento de los dientes de delante que están arriba SIN TOCAR y, si tocamos, tocamos MUY LEVEMENTE.

J Practica, alargando la pronunciación y siguiendo estos pasos:

1. Cierra los ojos.
2. Concéntrate en dónde pones la lengua.
3. Fíjate en qué parte de la lengua estás moviendo.

Los puntos 2 y 3 son muy importntes

K Escucha cómo tienes que hacer y practica:

[61]

Paaaaarrrrrre, tiiiiirrrrrre, Puuuuurrrri, caaaaaarrrrra, coooorrrrazón.

L Pasamos a la "r" que suena un poco más. Escucha estas palabras y repite:

Carpa, carta, Carmen, amor, tener, mercado.

En este caso, el movimiento y la parte de la lengua que usabas al pronunciar la "r" suave es el mismo que ahora; la diferencia está en que el contacto entre la punta de la lengua y el nacimiento de los dientes es MÁS EVIDENTE.

M Escucha y practica siguiendo los mismos pasos que en J.

[62 y 63]

Caaaarrrr-pa, caaaarrrr-ta, Caaaaaarrrrr-men, a-moooorrrr, te-neeeerrrr, meeeerrrr-cado.

N Llegamos a la "r" que suena fuerte. Escucha estas palabras y relaciona:

[64]

1 Coro •	• a suena fuerte
2 Corto •	• b suena suave
3 Corro •	• c suena

Ñ Escucha estas palabras:

[65]

Corre, reto, rima, tarro, carrito.

¿Qué diferencia física (movimiento de lengua, contacto lengua-dientes) crees que hay entre la pronunciación de la "r" de L y esta? Habla con tu compañero y llega a una conclusión. Volved a escuchar para ratificar vuestra opinión.

En este caso, la parte de la lengua que usabas y el contacto evidente entre esta y el nacimiento de los dientes al pronunciar la "r" de L es el mismo que ahora; la diferencia está en que el movimiento de la lengua se hace repetitivo.

Ficha 32b

O Escucha y practica siguiendo los mismos pasos que en J.

[66]

Coorrrrrrre, rrrreto, rrrrrrima, taaaarrrrrro, caaaaarrito.

P Busca en la unidad que estés trabajando en clase, cinco palabras que tengan la letra "r" (doble o no) y díctaselas a tu compañero. Vuelve a leérselas; él tendrá que marcar cuáles suenan fuerte y cuáles no.

Q Lee esta carta de un lector al director de un periódico. Pertenece a la unidad 9, actividad 2.7. Subraya las palabras que contienen el sonido fuerte de la "r". Puedes grabarte.

> Necesitamos crear guarderías. Necesitamos crear residencias para la tercera edad. Necesitamos pisos asequibles para jóvenes y solos. Necesitamos mejorar transportes e infraestructuras. Remunerar mejor la medicina y optimizar la sanidad...
>
> Si hay falta de medios, de recursos económicos para tanta necesidad de primer orden, ¿por qué no ahorrar en campañas electorales? Suprimir tanto letrerito, carteles y fiestas. ¿Por qué este despilfarro en fiestas mayores de distritos? Propongo apretarse el cinturón en cuestiones que -apuesto- el ciudadano vería con buenos ojos a cambio de mejorar otras cosas mucho más necesarias. Celebraría, con mi voto, al político que lo propusiera. Los ciudadanos no somos tan aborregados como piensan algunos y estamos ávidos por mejorar nuestra calidad de vida, mil veces antes que recibir un "pa amb tomàquet" por ir a un mitin.
>
> Elena Martínez. Barcelona

R Ahora, escucha a un hispanohablante leer la carta y comprueba. Señala con otro color las posibles diferencias entre su lectura y la tuya.

[67]

S Marca la casilla:

	sí	a veces	no
1. Tengo dificultad para pronunciar la "r" fuerte a principio de palabra y cuando va entre vocales porque no puedo hacer vibrar la lengua.	☐	☐	☐
2. No puedo colocar la lengua en el sitio adecuado, la tengo en tensión.	☐	☐	☐
3. No puedo colocar la lengua en el sitio adecuado, creo que la doblo mucho y hacia atrás.	☐	☐	☐

T Si has marcado *sí* o *a veces* en el punto 1 de S, sigue estos pasos:

1. Haz los ejercicios L y M.

2. Lee estas palabras de Ñ:

Corre, reto, rima, tarro, carrito.

3. Lee estas cinco palabras combinando *rr / pr / cr / rr* y los alargamientos. Puedes grabarte.
Ejemplo: *Corre / Copre / Coprrrre / Cocre / Cocrrrre / Corre*

Ficha 32c

U ¿Qué tal ahora? Si no consigues hacer "aletear" la parte delantera de la lengua, prueba este truco: apoya la parte izquierda delantera de la lengua y deja vibrar la de la derecha.

V Si has marcado *sí* o *algunas veces* en el punto 2 de S, realiza este sencillo ejercicio en tu casa:

1. Cierra los ojos.

2. Deja caer la mandíbula inferior adelantándola un poco.

3. Relaja la lengua y, sin doblarla, déjala caer sobre la parte interior del labio de abajo y de los dientes de abajo.

4. Permanece en esa posición y siente tu lengua, solo piensa en tu lengua, en cómo está. (Como si tuvieras una cámara de vídeo dentro de tu boca).

5. En esa posición, intenta hacer pequeños movimientos con la punta de la lengua como los que hace un pez con su aleta. El resto de la lengua sigue relajado y no se mueve apenas.

6. En esa posición relajada, lee estas palabras y no juntes los labios para pronunciar: *arba, arpa, arma, arfa, arsa.*

Haz prácticas regularmente para acostumbrarte a estos movimientos de lengua.

W Si has marcado *sí* o *algunas veces* en el punto 3 de S, sigue estos consejos:

1. La zona de contacto de la lengua con el nacimiento de los dientes es una pequeña parte delantera de la lengua, ¡CUIDADO!, no solo la punta. Además, la lengua debe estar relajada no en forma de U. Observa los dibujos.

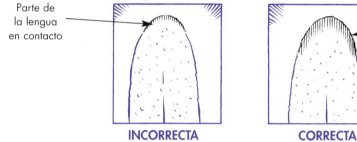

Parte de la lengua en contacto   **INCORRECTA**   **CORRECTA**   Parte de la lengua en contacto

2. Practica el movimiento realizando los ejercicios L y M y graba tu práctica.

[68]
3. Escucha esta grabación.

Cara /tener /carta

Si tu sonido es como el de la grabación, es incorrecto y se debe a que doblas la lengua demasiado hacia atrás y posas los laterales de la lengua en las muelas de arriba, y no en el nacimiento de los dientes de delante. Mira con atención el dibujo y señala la posición correcta.

A 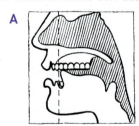 B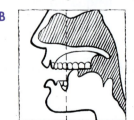

4. Ahora, practica con las siguientes palabras: *garbo, arpa, arsa, arfa, arma.*

X ¿Recuerdas la canción *Resistiré*? ¿Has resistido a la "r"? Seguro que has hecho un gran trabajo y esfuerzo, pero recuerda que la pronunciación es como la práctica de la gimnasia; si quieres tener buenos resultados, hay que practicar con regularidad los ejercicios. Por el momento, vamos a cantar todos la canción *Resistiré* pensando en la erre.

Transcripciones

...que se puede ligar por Internet?

...digas! De momento, me parece que prefiero los métodos tradicionales.

...que hay un diccionario para aprender el lenguaje SMS?

...sabía. ¡Por mí! Nunca escribo mensajes...

...que escribir con mayúsculas en un *Chat* significa que

...eras?

...4

...es que ya existen las universidades virtuales? ¿Qué ser...

...dad es que me da lo mismo.

...5

...dice que puedes hacer una foto y enviarla desde el m...

...rá menos!

...o 6

...l dice que durante el 2003 unos dos millones y med...

...nión Europea.

...no me sorprende.

...go 7

...e han dicho que MOVISTAR quiere volver a poner !

...so no te lo crees ni tú!

...go 8

...uedes reservar un restaurante a través de tu móvil ¿

...Sí? ¡Es increíble!

...logo 1

...¿Hola?

...Hola, ¿está Paula?

...Sí, ¿quién le habla?

...Silvia

...Un minuto, ya te paso.

...iálogo 2

▶ Dime.

▶ Hola, soy yo, ¿a qué hora sales?

▷ 15 minutos, ¿por?

▶ Hazme una llamada perdida y te paso a busc...

▷ Vale, genial. ¿Te apetece ir al cine?

▶ No sé... Ahora lo hablamos.

▷ Vale, besito.

▶ Besito, ¡ciao!

---

[5] Diálogo 1

▶ ¿Se puede pasar?

▷ Sí, adelante, pasa, pasa.

▶ Necesito el balance de siniestralidad laboral del año pasado.

▷ Sí, cógelo, está en el segundo cajón. No necesitas la llave está abierto.

▶ Bien, ya lo tengo, aquí está. Bueno, me marcho.

▷ Espera un momento ¿Qué te parece tu nuevo compañero de despacho?

▶ Es un chico muy trabajador y abierto, se ha integrado rápidamente y todo el mundo le aprecia.

---

[3] **Ainhoa:** ¿Qué tal el fin de semana?

Ana: Bien, corto como siempre.

Ainhoa: ¿Sabes algo de la jefa?

Ana: Sí, me escribió el viernes y nada... que seguía en Milán, pero que volvería hoy. Que mañana es día de cierre y que aún nos faltaban algunas cosas, así que me pidió que me pusiera las pilas, que la revista sale pasado mañana. Que había hecho la entrevista al asesor médico de la DGT, un tío muy amable, y que le había dado algunas sugerencias, que creían que el artículo iba a quedar muy bien y que todavía no tenían las opiniones de los padres sobre ese tema, que me encargara yo, y esas cosas. ¡Ah!, y también que Julián Ortega nos mandaría el artículo sobre la cooperativa de trueque pero que dudaba que llegara a tiempo. Que ya tenían en sus manos el artículo, ese que lleva por título *Comprar desde casa*, ¿sabes cuál te digo?, que le parecía muy bueno, pero que se había extendido y creía que íbamos a necesitar más espacio así que vamos a poner el cómic de Nadia en otra página. Me pidió que te preguntara si tienes ya las fotos. ¡Ah!, y que no se había olvidado de mis vacaciones, que vendría a buscarme y comeríamos juntas hoy, y lo discutiríamos, pero me acaba de mandar un mensaje al móvil para decirme que no vuelve hasta el jueves y que intentemos terminarlo todo a tiempo. ¡Oye!, ¿por qué no nos bajamos a tomar un café?

Ainhoa: ¡Vale, porque estoy dormida! Pero yo invito, ¿eh?

[4] **Ana:** ¿Qué te apetece?

Ainhoa: Un café con leche, corto de café, con sacarina y un vaso con hielo.

Ana: ¡Hija, qué especial eres! Pues yo tomaré un descafeinado de máquina.

Camarero: Tiene que ser de sobre, lo siento.

Ana: De acuerdo, pues descafeinado de sobre, entonces.

Ainhoa: ¿A que no sabes quién me ha llamado hoy?

Ana: ¿Quién? ¿Daniel, "el cachas"?

Ainhoa: ¡Ya me gustaría, ya! Me ha llamado Laura. Ayer, precisamente, estuve pensando en ella porque me encontré con Carlos, su ex, en el cine anteayer cuando fui con Andrea a ver *El Señor de los anillos*. Por cierto, tienes que ir a verla, ¡está genial! Aunque es un poco larga... Bueno, como te estaba diciendo, Carlos, el ex de Laura, me confesó que había encontrado una chica que le gustaba mucho y que habían empezado a salir. ¡Es increíble! Un mes y ya está con otra. ¡Después de tantos años de relación! Hemos quedado para comer juntas mañana, porque pasado mañana coge un vuelo a Milán...

Unidad 2

Unidad 5

...tratar uno de los temas que traen de cabeza a muchos cantantes de l...

...vos recién salidos del horno. Hay programas de tel...

...a música a cambio de una gran...

...entes ¿Están de...

...lo largo de 1934 se suceden los enfrentamientos entre izquierdistas y falangistas, siendo acusado en el Parlamento de posesión ilícita de armas.

En 1935, José Antonio se dedica a realizar viajes por España dando mítines, también se constituye el Sindicato Español Universitario. En las elecciones generales de febrero de 1936, Falange se presenta en solitario, sin conseguir representación parlamentaria. Las elecciones las gano el Frente Popular. La mecha de la Guerra Civil estaba encendida.

Falange Española de las JONS es declarada organización ilegal, y sus dirigentes, incluido José Antonio, son detenidos y encarcelados en la Prisión Modelo de Madrid. Esto no sería obstáculo para que José Antonio siguiera dirigiendo el movimiento desde la cárcel.

El gobierno no para de presentar cargos en contra del líder de Falange y el 5 de junio de 1936 es trasladado a la cárcel de Alicante. En la cárcel de Alicante, José Antonio escribe su manifiesto político en el que reitera su aspiración de Gobierno Nacional desde una perspectiva puramente democrática.

Conoce los planes de sublevación de los militares y da libertad a sus seguidores para unirse a la rebelión, aunque no la llega a aceptar.

A pesar de los intentos de salvarle por parte del Bando Nacional, el 17 de noviembre de 1936 José Antonio es juzgado por rebelión militar; él mismo asumió su propia defensa, la de su hermano Miguel y la esposa de éste, Margarita Larios.

José Antonio es condenado a muerte, mientras que la pena de su hermano Miguel y su cuñada es conmutada por reclusión.

A pesar de la interposición del Presidente de la República, Manuel Azaña, y adelantándose los dirigentes locales a la orden de Madrid, José Antonio era fusilado la mañana del 20 de noviembre en el patio de la cárcel de Alicante, junto a otros cuatro jóvenes del pueblo alicantino de Novelda.

Sus restos mortales yacen en la actualidad en el Valle de los Caídos de Madrid, monumento levantado a los caídos del bando nacional durante la trágica Guerra Civil Española.

Revisión (1)

[21] 1. Local de 550 metros cuadrados, con salida de humos y almacén, situado en polígono industrial. 2500 euros al mes.

2. Piso en planta baja con salida directa a la calle, 150 metros cuadrados, reformado para oficinas, en zona comercial y bien comunicado. 2000 euros al mes, local de 75 metros cuadrados, climati...

...l centro de la ciudad y por solo 185! euros al mes, con entrada para vehículos y salida de humos...

[1] **Rocío:** ¡Buenos días, doctor!

Doctor: ¡Buenos días a usted y a todos los oyentes!

Rocío: Antes de hacerle mi consulta, quería felicitarles por el éxito del programa.

Doctor: Muchas gracias.

Rocío: Verá... Tuve un hijo hace dos años y a los tres meses empecé a engordar sin razón. Desde entonces, he hecho de todo pero sin resultado y estoy desesperada porque ni las dietas ni los medicamentos específicos funcionan.

Doctor: En primer lugar, me gustaría saber qué tipo de dieta ha seguido y si ha practicado algún deporte.

Rocío: En realidad, he seguido varias dietas recomendadas, unas por mis amigas y otras por mi endocrino, pero ha sido inútil. ¿Ejercicio? Pues, la verdad, es que no mucho. Solo paseo un poquito por las mañanas, pero estoy harta de gastar dinero en medicamentos milagrosos que después no dan resultado.

Doctor: Lo primero que le recomendaría es que se olvidara de tomar medicamentos y, especialmente, los que anuncian las revistas y la televisión. Seguir dietas que nos sugieren nuestras amigas no es bueno porque no todos necesitamos lo mismo. Lo que es extraño es que no haya perdido peso con la dieta de su endocrino.

En cuanto a la alimentación, lo que le aconsejaría es que acudiera de nuevo a su especialista y que le hiciera un análisis para comprobar qué alimentos son compatibles con su organismo. A veces ingerimos alimentos que pensamos que no engordan, y a nosotros no nos van; pero, de igual manera, debe evitar comer grasas animales, dulces y bebidas gaseosas. También le sugeriría que acudiera a un gimnasio de forma periódica; puede ayudarle a quemar calorías, siempre y cuando lo haga con moderación y asesorada por un monitor.

Rocío: Muchas gracias por su consejo. ¡Buenos días!

[2] **Javier Aguirre, Ministro de Sanidad:** Es evidente que entre sus inconvenientes hay que destacar las largas listas de espera que tienen que sufrir los pacientes. Es un problema que se está solucionando poco a poco, pero está claro que aún queda mucho camino hasta dar una solución práctica a este problema. Es innegable que tanto en casos de cáncer como de cirugía cuenta con equipos quirúrgicos mucho más modernos, efectivos y completos que los seguros privados. Es difícil que la Seguridad Social recupere al 100% la confianza de los españoles puesto que alguno de los medios de comunicación ha difundido una propaganda perjudicial, no siempre justa. En mi opinión, es bastante probable que la gente vaya confiando cada vez más en la efectividad de la Seguridad Social aunque de momento está constatado que en algunos hospitales la masificación es un hecho, lo que explicaría los problemas de camas y de atención médica que tanto se critica.

No es justo que por el hecho de pagar un seguro privado el trato personal mejore. No hay que olvidar que se trata de los mismos profesionales.

Es muy triste que se piense que el dinero también puede comprar la salud.

Felipe Rodríguez, usuario de la Seguridad Social: Es vergonzoso que un representante del gobierno niegue la evidencia del mal funcionamiento de la Seguridad Social en este país. Es necesario que las autoridades sufran en su persona las largas esperas, las citas a largo plazo (cuando ya no hacen falta) y especialmente considero obligatorio que sean víctimas del trato que, a veces, se nos da a los que no podemos pagar un seguro privado. ¿No es extraño que sean los mismos médicos los que a veces, según tu categoría social, elijan una u otra forma de tratarte? Seguro privado, más educación; seguro público, menos respeto.

Rocío Serrano, directora general de Aresa: Es verdad que la Seguridad Social cuenta con los mejores medios, pero he tenido ocasión de comprobar personalmente las ventajas y los inconvenientes de ambos.

Es indiscutible que es mucho más rápido obtener una cita en un seguro privado. Puedes concertar una cita de un día para otro y no hay que esperar para los resultados de las pruebas. En los casos de permanencia en el hospital no hay que compartir la habitación con más pacientes y no te sientes un número, sino un ser humano. Es injusto que pensemos que todo es malo en la Seguridad Social porque en casos de enfermedad grave responde mejor y de forma más segura que los hospitales privados.

[3] **Ainhoa:** ¿Qué tal el fin de semana?

Ana: Bien, corto como siempre.

Ainhoa: ¿Sabes algo de la jefa?

Ana: Sí, me escribió el viernes y nada... que seguía en Milán, pero que volvería hoy. Que mañana es día de cierre y que aún nos faltaban algunas cosas, así que me pidió que me pusiera las pilas, que la revista sale pasado mañana. Que había hecho la entrevista al asesor médico de la DGT, un tío muy amable, y que le había dado algunas sugerencias, que creían que el artículo iba a quedar muy bien y que todavía no tenían las opiniones de los padres sobre ese tema, que me encargara yo, y esas cosas... ¡Ah!, y también que Julián Ortega nos mandaría el artículo sobre la cooperativa de trueque pero que dudaba que llegara a tiempo. Que ya tenían en sus manos el artículo, ese que lleva por título *Comprar desde casa*, ¿sabes cuál te digo?, que le parecía muy bueno, pero que se había extendido y creía que íbamos a necesitar más espacio así que vamos a poner el cómic de Nadia en otra página. Me pidió que te preguntara si tienes ya las fotos. ¡Ah!, y que no se había olvidado de mis vacaciones, que vendría a buscarme y comeríamos juntas hoy, y lo discutiríamos, pero me acaba de mandar un mensaje al móvil para decirme que no vuelve hasta el jueves y que intentemos terminarlo todo a tiempo. ¡Oye!, ¿por qué no nos bajamos a tomar un café?

Ainhoa: ¡Vale, porque estoy dormida! Pero yo invito, ¿eh?

[4] **Ana:** ¿Qué te apetece?

Ainhoa: Un café con leche, corto de café, con sacarina y un vaso con hielo.

Ana: ¡Hija, qué especial eres! Pues yo tomaré un descafeinado de máquina.

Camarero: Tiene que ser de sobre, lo siento.

Ana: De acuerdo, pues descafeinado de sobre, entonces.

Ana: ¿A que no sabes quién me ha llamado hoy?

Ainhoa: ¿Quién? ¿Daniel, "el cachas"?

Ana: ¡Ya me gustaría, ya! Me ha llamado Laura. Ayer, precisamente, estuve pensando en ella porque me encontré con Carlos, su ex, en el cine anteayer cuando fui con Andrea a ver *El Señor de los anillos*. Por cierto, tienes que ir a verla, ¡está genial! Aunque es un poco larga... Bueno, como te estaba diciendo, Carlos, el ex de Laura, me confesó que había encontrado una chica que le gustaba mucho y que habían empezado a salir. ¡Es increíble! Un mes y ya está con otra. ¡Después de tantos años de relación! Hemos quedado para comer juntas mañana, porque pasado mañana coge un vuelo a Milán y no vuelve hasta dentro de dos semanas y tenemos muchas cosas que contarnos. No la veo desde que lo dejó con Carlos. No sé qué hacer, ¿se lo digo?

[5] **1.** Hola, Andrea, soy Julián, no voy a poder tener el artículo a tiempo. ¿Te importa si lo publicamos la próxima semana? Gracias, lo siento.

2. Hola, soy mamá. Te recuerdo que el domingo próximo comeremos todos en la casa de la sierra. No falles.

3. Hola, soy Raúl. Ya sé que estás muy ocupada, pero ¿quieres que salgamos a cenar una noche de estas? Te echo de menos. Un beso.

4. Hola, soy yo, Marta. No te olvides de llevar el perro al veterinario el martes por la tarde. Yo estaré de viaje y no podré. Además, está más tranquilo cuando lo llevas tú. Gracias.

5. Hola, soy María. Estoy en la cola del teatro y voy a coger las entradas. ¿Crees que llegarás a tiempo el jueves para ir a la sesión de las diez y media? Nos vemos el jueves. Tengo que contarte lo de Samuel.

6. Hola, soy Gustavo, el casero. Ayer hablé con el abogado y quiere que nos pasemos para la renovación del contrato. Dime cuándo te va bien.

7. Hola, soy Marta. Deja de trabajar tanto y llámame para tomar una copa. Tienes que ver mi nuevo abrigo, es chulísimo.

8. Hola, soy mamá otra vez. El 27 es el "cumple" de la abuela. No te olvides de llamarla.
FIN DE LOS MENSAJES NUEVOS.

[6] **Diálogo 1**

▶ ¿Sabías que se puede ligar por Internet?

▷ ¡No me digas! De momento, me parece que prefiero los métodos tradicionales.

Diálogo 2

▶ ¿Sabías que hay un diccionario para aprender el lenguaje SMS?

▷ Sí, ya lo sabía. ¡Por mí! Nunca escribo mensajes...

Diálogo 3

▶ ¿Sabías que escribir con mayúsculas en un *Chat* significa que estás gritando?

▷ ¡¿De veras?!

Diálogo 4

▶ ¿Sabías que ya existen las universidades virtuales? ¿Qué será lo próximo?

▷ La verdad es que me da lo mismo.

Diálogo 5

▶ Aquí dice que puedes hacer una foto y enviarla desde el móvil.

▷ ¡Ya será menos!

Diálogo 6

▶ Aquí dice que durante el 2003 unos dos millones y medio de teléfonos móviles fueron robados en la Unión Europea.

▷ Sí, no me sorprende.

Diálogo 7

▶ Me han dicho que MOVISTAR quiere volver a poner los mensajes gratis.

▷ ¡Eso no te lo crees ni tú!

Diálogo 8

▶ Puedes reservar un restaurante a través de tu móvil o comprar unas entradas.

▷ ¿Sí? ¡Es increíble!

[7] **Diálogo 1**

▶ ¿Hola?

▷ Hola, ¿está Paula?

▶ Sí, ¿quién le habla?

▷ Silvia.

▶ Un minuto, ya te paso.

Diálogo 2

▶ Dime.

▷ Hola, soy yo, ¿a qué hora sales?

▶ 15 minutos, ¿por?

▷ Hazme una llamada perdida y te paso a buscar.

▶ Vale, genial. ¿Te apetece ir al cine?

▷ No sé... Ahora lo hablamos.

▶ Vale, besito.

▷ Besito, ¡ciao!

Diálogo 3

▶ ¿Hola?

▷ Hola, ¿está Hugo?

▶ Sí, ¿de parte de quién?

▷ De Graciela.

▶ No, no se encuentra, ¿querés que le diga algo?

▷ Sí, por favor, decile que llamó Graciela.

▶ De acuerdo, yo se lo digo, adiós.

▷ Gracias, adiós.

Diálogo 4

► ¿Aló?

▷ ¿Se encuentra Isabel?

► ¿De parte de quién?

▷ Javier.

► No, no está, ¿quiere dejarle un mensaje?

▷ No, está bien, llamo en otro momento. Gracias, adiós.

► Adiós.

Diálogo 5

► Buenas tardes, ¿Raúl Pérez?

▷ ¿De parte de quién?

► Llamo de la consulta del doctor Fernández.

▷ En este momento no se puede poner, ¿quiere que le diga algo?

► Si es tan amable. Tenía consulta esta tarde pero al doctor Fernández le va a ser imposible recibirle porque tiene quirófano. Dígale que nos llame para concertar otra cita.

▷ De acuerdo, gracias, adiós.

► Adiós, gracias.

Diálogo 6

► ¿Hola?

▷ Buenos días, ¿hablo con la Clínica Virgen de la Salud?

► Sí, ¿qué desea?

▷ Necesito hablar con el doctor Álvarez.

► ¿De parte de quién?

▷ Hugo Wingeyer.

► Espere un momento, por favor, ya le paso la comunicación.

▷ Bueno, gracias.

Diálogo 7

► Hola, ¿está Samuel?

▷ Sí, ¿quién eres?

► Soy Jaime.

▷ ¡Ah!, hola, un momento, ahora se pone.

► SAMUEL.

[8]
Tengo una moto estropeada
y tengo un coche que no anda,
tengo un pez que no sabe nadar
y tengo un perro que no sabe ladrar.
Tengo una radio estropeada
y tengo un loro que no habla,
tengo un mono que no sabe imitar
y una mosca que no me deja en paz.
Todos me dicen: "¿Qué te pasa?"
y yo no sé qué contestar.
Todos se piensan que estoy triste
desde que tú te fuiste de casa
y me preguntan: "¿Qué te pasa?"
y yo no sé qué contestar,
y yo no sé qué contestar.
Tengo el *blues* de la mañana
y tres relojes que se atrasan,
tengo un amigo que no sabe soñar
y una guitarra que no puedo afinar.

Todos me dicen: "¿Qué te pasa?"
y yo no sé qué contestar.
Todos se piensan que estoy triste
desde que tú te fuiste de casa
y me preguntan: "¿Qué te pasa?"
y yo no sé qué contestar,
y yo no sé qué contestar.
Tengo una casa sin ventanas
y una tristeza enamorada,
tengo un disfraz, pero no es carnaval
y esta locura que no puedo parar.
Todos me dicen: "¿Qué te pasa?"
y yo no sé qué contestar.
Todos se piensan que estoy triste
porque tampoco volviste a casa
y me preguntan qué me falta
y yo no sé qué contestar,
y yo no sé qué contestar.

[9] 1. Hola, me llamo Rosa y trabajo como voluntaria de la *Cruz Roja*. Empecé en esto por una amiga del cole que no paraba de darme la lata para que nos apuntáramos para ser voluntarias. Nunca me he arrepentido. Hay quien dice que por qué lo hago, que nos explotan porque trabajamos sin cobrar. Es verdad que "perdemos" muchas horas de nuestro tiempo, pero después hay momentos que lo compensan todo. Por ejemplo, en el tema de socorro, cuando estás atendiendo a una persona y le salvas la vida.

2. Buenos días. Me llamo Gonzalo. Debido a mi profesión, no puedo dedicar todo mi tiempo a *Médicos sin fronteras*. Soy oftalmólogo y trabajo en un hospital público a tiempo completo. Sin embargo, cada año pido un mes sin sueldo y me voy con la organización a países del tercer mundo donde la cirugía oftálmica está al alcance de muy pocos. Para mí, es una cuestión de justicia social. He tenido la oportunidad de estudiar para dedicarme a hacer lo que más me gusta en este mundo. Estoy en deuda, por tanto, con aquellos que no pueden tener las mismas posibilidades.

3. Hola, soy Susana. Yo me he criado con mis abuelos. Mis padres se tenían que ir a trabajar muy temprano y volvían a casa cuando ya estaba dormida. Mi abuelo me contaba miles de historias de su juventud y yo aprendí lo que es la vida gracias a él. Cuando murió, me sentí vacía, huérfana. Entonces oí hablar del teléfono dorado. Es un servicio que ofrece la organización *Mensajeros de la Paz* y su función es servir de apoyo a las personas mayores que viven solas. No se trata solo de resolverles problemas prácticos sino, sobre todo, de darles consuelo, amistad, compañía... En realidad, no lo hago por ellos. Mis motivos son egoístas. Cuando hablo con las personas mayores, me siento bien, soy otra. En realidad, vuelvo a mi infancia.

4. Yo me llamo Ramón. Soy del norte, de Cantabria, de un pequeño pueblo que se llama Olea, al lado de la sierra de El Bardal. Me he criado en plena naturaleza y pienso que es posible vivir respetando los recursos naturales, que son limitados. No solo contribuyo económicamente con *Greenpeace*, sino que también colaboro como voluntario. Me gustaría que la gente se diera cuenta de la situación de peligro en la que se encuentra nuestro planeta. Yo hago todo lo que está en mi mano y hay ya mucha gente comprometida, pero no es suficiente...

[10] 1. Pues no sé qué quieren porque con los precios que tienen las copas... Vamos, yo, que todavía no curro, no puedo permitirme gastar 30 ó 40 euros cada noche con una paga de 120 euros al mes. No me da para mucho y, claro, hay que economizar y entre varios colegas podemos entonarnos un poco con calimocho, que es barato, sin quedarnos pelados.

2. El problema es que con la música tan alta, tanto "mogollón", se convierte en un calvario estar en la disco, no estamos a gusto. En la calle, al menos, podemos oírnos sin tener que chillar y quedarnos afónicos. A mí, por lo menos, me gusta dialogar, no aguanto estar en un garito como borregos.

3. El problema del botellón no es tanto la suciedad de las calles, ni el ruido, es lo fácil que les resulta a los jóvenes ponerse hasta arriba. Eso conduce a muchos de ellos a caer, sin darse cuenta, en el alcoholismo y ahí es donde empieza el problema. A mí no me mola beber, pero como no hay grandes alternativas, siempre acabas haciendo lo mismo y encima, al día siguiente, con el resacón, no apetece hacer nada.

4. Alternativas culturales, no solo beber por beber. Se puede pasar el rato de forma más enriquecedora, promoviendo centros de reunión para jóvenes con bebidas sin alcohol, entradas gratuitas a polideportivos, cines, bibliotecas operativas por la noche, qué sé yo... con buen rollo.

5. Irme de voluntaria a Galicia ha sido una de las mejores experiencias de mi vida. Me he sentido útil, he conocido a cantidad de basca maja. Lo prefiero mil veces a emborracharme tontamente. Me he puesto hasta arriba de "chapapote", pero ha merecido la pena.

6. Parece que los jóvenes somos unos golfos y que solo nos dedicamos a armar bronca. Yo creo que eso es generalizar mucho. Lo que pasa es que de noche todos los gatos son pardos. En los locales no hay quien esté; además, a la gente le gusta la calle, especialmente en verano. Todo se solucionaría con un poco de educación y respeto a los demás: no tirar desperdicios, no hacer ruido, no molestar a los vecinos... Y eso se aprende desde pequeño, en la escuela y en casa.

[11] **Locutor:** Seguimos con vosotros en Cinemás y seguimos hablando con una de nuestras actrices de moda: María Mayo. María, dentro de su vida personal y profesional, ¿qué cosas ha dejado de hacer y qué cosas ha tenido que hacer para conseguir lo que quería?

Actriz: Bueno, cosas que he hecho o que he dejado de hacer en mi vida hay muchas... Yo creo que he tenido que luchar mucho, pero al final he acabado haciendo los papeles que yo quería, ¿no?

Yo creo que al principio de mi carrera, los directores no acababan de ver las posibilidades que yo tenía como actriz. Siempre me daban el mismo tipo de papel, ¿no? La típica mujer de negocios, agresiva, fría, cruel, ¿verdad? En fin, dejé de hacer muchas películas por culpa de este tema, hasta que un día conocí a Amenóvar en los Goya.

Locutor: Sí, eso marcó un antes y un después en su carrera, desde luego.

Actriz: Puede ser, sí... Yo creo que cuando lo conocí, llevaba sin rodar una película dos años..., sí, dos años; en ese tiempo decidí volver a hacer teatro y la verdad es que estaba feliz...

Locutor: Sí. Todos recordamos el papel de Bernarda Alba, fue impresionante, lo bordó... Pero, cuéntenos, ¿qué pasó la noche de los Goya?

Actriz: Pues nada, me invitaron a la fiesta que tiene lugar después de los premios y allí fue donde me presentaron a Amenóvar, que, parece ser, estaba interesadísimo en conocerme. Y, la verdad es que nos caímos fenomenal, fue un flechazo, no paramos de hablar en toda la noche, me contó sus proyectos y me ofreció el papel de mi vida.

Locutor: Nunca olvidaremos su interpretación, fue increíble. Muchas gracias por estar con nosotros; el tiempo se nos acaba, espero que vuelva a venir muy pronto a nuestro programa porque nos encanta tenerla con nosotros.

Actriz: Y a mí que me invitéis, encantada.

Locutor: Queridos oyentes, nos despedimos hasta el próximo programa con la banda sonora de ese peliculón que todos conocéis...

[12] Queridos oyentes, una noche más con todos vosotros en Cinemás para hablaros esta vez de una de nuestras actrices más conocidas: Penélope Cruz. Una joven actriz que ha llegado a ser la más conocida de nuestras actrices a nivel internacional.

Dicen que esta actriz está de nuevo en pie de guerra. ¿Por qué será?

¿Qué distancia hay entre una ferretería de San Sebastián de los Reyes y un jet privado esperando a las faldas de la colina de Hollywood? Quizá ni la propia Penélope Cruz sabe los ingredientes exactos de la fórmula para dar el salto y convertirse en una de nuestras actrices españolas más internacionales, pero a estas alturas a quién le importa.

Hoy por hoy, los proyectos de esta actriz son un sueño. De momento, comparte rodaje nada menos que con Charlize Theron en *Head in the clouds*. También rueda junto a Halle Berry *Gothika* y es posible que vuelva a trabajar con Pedro Almodóvar en *Tarántula*. Ella quería hacerse bailarina, como su hermana Mónica, pero en 1991, con apenas 17 años, participó en un videoclip del grupo musical Mecano con un título premonitorio, *La fuerza del destino,* que la sacó del anonimato. Tras esto, presentó el programa musical *La quinta marcha*. Un año después, la llevaba a la pantalla grande Bigas Luna con el film *Jamón, jamón* junto a Javier Bardem.

Este fue su salto a la fama como jamona nacional, lo que no pareció gustarle, y se propuso dar el callo como actriz. Quizá quedó tan harta de jamones que por eso se volvió vegetariana y se hizo budista influida también por el que era su novio en aquella época, novio que la llevó a la India.

Ese mismo año, 1992, fue crucial, con un nuevo estreno, *Belle Époque*, de Fernando Trueba, que consiguió el Oscar a la mejor película extranjera y supuso un cambio de imagen para Penélope, que se convertía en una actriz vista en todo el planeta en su papel de personaje ñoño.

Por fin, en 1997, vemos otra faceta de Penélope en *Abre los ojos* de Amenábar, y *Carne trémula*, primer contacto con Almodóvar. El 98 fue el año de *Don Juan* y de *La niña de tus ojos*, año de ganar un Goya y de dar el salto definitivo a Estados Unidos con *Hi-lo Country*.

Penélope, además, ha llegado a ser imagen de la marca Ralph Lauren y portada en revistas importantes. Pero sus verdaderos éxitos estaban por llegar. 1999 fue el año en que se estrenó *Todo sobre mi madre*, en donde participa, y año en el que Pedro Almodóvar ganó su primer Oscar; Pe, como la llaman sus íntimos, fue la que le entregó el Oscar junto con Antonio Banderas. Pe, bellísima, se puso tan contenta que no pudo evitar gritar: "¡Peeedro!" delante del glamuroso público de la gala. Ella ya hacía papeles protagonistas, como *Woman on Top* (1999), *All the pretty horses*, del 2000 –durante la cual, por cierto, Matt Damon cortó su relación con Winona Ryder, dicen que a causa de ella– o *Blow*, junto con Johnny Depp. Después, se fue en soledad a Grecia a rodar *La Mandolina del capitán Corelli* junto con Nicholas Cage, otro de sus atribuidos ligues.

Al final, con tanto hombre glamuroso a su alrededor terminó dando una imagen frívola; esto y las críticas poco favorecedoras le valieron el premio Rizzie (a los peores de cada categoría), pero ella volvió a España a rodar *Sin noticias de Dios* y retornó a los EE. UU. para rodar *Vanilla Sky* junto a Tom Cruise, actor del que es novia actualmente. Después de atribuirle la prensa rosa numerosos romances, nuestra actriz se ha vuelto muy desconfiada de cara a los medios de comunicación. Pe, nosotros en CINEMÁS siempre te hemos tratado muy bien y esperamos que en una de tus visitas a España vengas a nuestro programa a contarnos algo más de tu vida; ya sabemos que los medios de comunicación te ponen nerviosa, pero nosotros prometemos mimarte y tratarte muy, muy bien...

[13] **Diálogo 1**

   Periodista: Perdone, ¿puedo hacerle una pregunta para el programa radiofónico Cinemás?
   Entrevistado: ¡Sí, claro!
   Periodista: ¿El cine americano tiene más éxito que el español?
   Entrevistado: Bueno... en mi opinión, lo que pasa es que el cine estadounidense es extraordinariamente comercial, es decir, sabe llegar a cualquier tipo de espectador y además te permite desconectar de la cruda realidad y... bueno, el cine español para mí es de lo más interesante, creo que es un tipo de cine más comprometido en lo social y político, un espejo de la realidad, uhmmm, en fin, que te hace reflexionar, no sé, pensar. A mí, personalmente, me resulta mucho más atractivo.

   Diálogo 2

   Periodista: Perdona, una pregunta para el programa Cinemás.
   Entrevistado: Sí, pero rápido que tengo prisa.
   Periodista: ¿El cine americano tiene más éxito que el español?
   Entrevistado: Pues sí, es muy triste, pero cierto. Yo diría que, tal y como están las cosas, es la mar de preocupante. Está claro que el cine español está en crisis, y si solo fuera esto... Podríamos hablar de crisis en muchos temas: el paro, los sueldos, las pensiones, ¡Dios mío!, si te paras a pensar se te ponen los pelos de punta. Bueno, al grano, que ya le he dicho que tengo prisa. Yo no entiendo mucho de cine y soy un espectador fácil, no me complico a la hora de ir al cine y siempre voy a la película que está de moda y en boca de todos, ya ve usted. Pero creo que el problema del cine español es que el gobierno no da suficiente ayuda económica para apoyarlo y promocionarlo. En este país nos gusta más mirar al ombligo del vecino.

   Diálogo 3

   Periodista: Perdona, somos de Cinemás, ¿qué opinas del cine español frente al cine americano?
   Entrevistado: *Joer*, vaya preguntita espesa a esta hora de la mañana... Es broma, venga, pues mira yo he ido a ver cine español, Almodóvar y demás, pero es que algunas te dejan mogollón de mal rollo. Mira, yo voy al cine con mis colegas *pa* disfrutar a saco, a ver... *pa* reír y *pa* flipar a tope. Bueno, aunque luego está este... cómo se llama, Amenábar que me gusta también un huevo. Se le ve un tío con cantidad de talento y se lo curra mucho. Luego, algunas comedias españolas también son la tira de divertidas, vamos que te dejan buen rollo. Pero a mí y a mis colegas lo que nos mola es el cine americano, no veas lo que nos alucina ver la cantidad de acción y efectos especiales. Sales del cine como nuevo, las cuestión es desconectarte de la realidad durante dos horas, eso es lo que tiene el cine yanqui, además de mucha pasta.

   Diálogo 4

   Periodista: Perdone, una preguntita para Cinemás.
   Entrevistado: Si no es muy difícil, que no estoy yo *pa* complicaciones.
   Periodista: Es fácil, ¿cine español o cine americano?
   Entrevistado: ¡Pues me ha tocado usted un tema! Mire, me pongo negro con esto, ¡el cine español es una vergüenza, oiga! Siempre sexo, drogas, siempre lo mismo, ¿es que no hay otros temas?, ¡vaya ejemplo que dan a la juventud! Claro que el cine americano no se queda corto, es sumamente violento y fantasioso. El cine, hoy en día, es el colmo de la inmoralidad, vamos que no merece la pena gastarse ni un duro en el cine.

[14] **Locutor:** Hoy vamos a tratar uno de los temas que traen de cabeza a muchos cantantes de la actualidad en España, los nuevos recién salidos del horno. Hay programas de televisión que los introducen dentro del mundo de la música a cambio de una gran remuneración económica. Ayer planteamos la pregunta a nuestros oyentes *¿Están de acuerdo con que las productoras lancen a jóvenes cantantes al mundo de la música?* para que nos dieran sus opiniones con respecto a este tema y son muchos los que nos han dejado sus mensajes en los contestadores.

Oyente 1: ¡Claro que no! No se puede aceptar que cantantes de toda la vida estén ahora de capa caída sin hacer discos nuevos mientras otros no paran de hacer conciertos.

Oyente 2: Naturalmente. ¿Por qué no? Las productoras están al corriente de la demanda del público y es ni más ni menos lo que hacen, darnos lo que queremos.

Oyente 3: ¡Qué va! Estoy en contra porque muchos han luchado durante muchos años por estar donde están o... mejor dicho, donde estaban y que lleguen estos yogurines arrasando como si fueran divos ¡no puede ser!

Oyente 4: Hasta cierto punto sí, pero me da pena de los otros cantantes porque muchos no se comen una rosca desde hace tiempo.

Oyente 5: Sí, pero no deberíamos olvidar que los cantantes por antonomasia siempre estarán ahí.

Oyente 6: Me parece bien. Soy partidario de que se le dé una oportunidad a muchos chicos que si no fuera por determinados programas que arriesgan siempre estarían en el anonimato.

Oyente 7: Estoy totalmente en contra. Me niego a aceptar que estos listillos usen a estos pobres chicos con la excusa del éxito cuando lo único que están haciendo es aprovecharse de ellos y después se quedan con la mayoría del dinero.

[15] Músicas latinas diversas.

[16] Ella y él, Ricardo Arjona

Ella es de La Habana, él, de Nueva York.
Ella baila en Tropicana, a él le gusta el rock.
Ella vende besos en un burdel,
mientras él se gradúa en U. C. L. A.
Ella es medio marxista, él es republicano.
Ella quiere ser artista, él odia a los cubanos.
Él cree en la Estatua de la Libertad
y ella en su vieja Habana de la soledad.
Él ha comido hamburguesas, ella, moros con cristianos.
Él, el champagne con sus fresas, ella, un mojito cubano.
Ella se fue de gira a Yucatán
y él, de vacaciones al mismo lugar.
Mulata hasta los pies, él, rubio como el sol.
Ella no habla inglés, y él, menos español.
Él fue a tomar un trago sin sospechar
que iba a encontrar el amor en aquel lugar.
Lo que las ideologías dividen al hombre,
el amor con sus hilos los une en su nombre.
CORO
Ella mueve su cintura al ritmo, de un tamtan
y él se va divorciando del Tío Sam.
Él se refugia en su piel... la quiere para él

y ella se va olvidando de Fidel.
¡Qué sabían Lenin y Lincoln del amor!
¡Qué saben Fidel y Clinton del amor!
Ella se sienta en su mesa, él tiembla de la emoción.
Ella se llama Teresa y él se llama John.
Ella dice: "Hola, chico", él contesta: "Hello".
A ella no le para el pico, él dice: "Speak slow".
Él se guardó su bandera, ella olvidó los conflictos.
Él encontró la manera de que el amor salga invicto.
La tomó de la mano y se la llevó.
El yanqui de la cubana se enamoró.
Lo que las ideologías dividen al hombre,
el amor con sus hilos los une en su nombre.
CORO
Ella mueve su cintura al ritmo de un tamtan
y él se va divorciando del Tío Sam.
Él se refugia en su piel... la quiere para él
y ella se va olvidando de Fidel.
¡Qué sabían Lenin y Lincoln del amor!
¡Qué saben Fidel y Clinton del amor!
Ahora viven en París. Buscaron tierra neutral.
Ella logró ser actriz, él es un tipo normal.
Caminan de la mano, calle Campos Elíseos,
como quien se burla del planeta y sus vicios.

[17]

▶ ¡No me lo puedo creer! Es que la mato, de verdad...

▷ ¿Qué te ha pasado?

▶ Sabes que llevo soñando con ir al único concierto de Shakira todo el año, ¿no?

▷ Sí, claro, fue ayer en Barcelona, ¿no? ¿Qué tal? ¿Qué tal estuvo?

▶ ¿Que qué tal estuvo? No me hables, pasé una vergüenza horrible...

▷ ¿Ah, sí? ¿Por qué?

▶ Pues nada, que resulta que mi hermana me lavó en la lavadora los vaqueros donde tenía la entrada para ir ayer al concierto de Shakira. Mira, casi la mato, después de que me he pasado un mes haciendo horas extras en la hamburguesería para poder ir a Barcelona a verla...

▷ Vaya faena, ¿no? Encima de que te quedaste a dormir en una tienda de campaña toda una noche haciendo cola para no quedarte sin entrada...

▶ ¡Ya te digo!

▷ ¿Y qué hiciste? ¿Secarla con un secador de pelo?

▶ No, con secador de pelo no, la tendí al sol pero resulta que apenas se veían las letras... Pero es igual, me fui a Barcelona al concierto.

▷ ¿Y te dejaron entrar?

▶ No, pero conté mi historia a un reportero de un programa de radio en directo que estaba allí y me dieron, como premio a la fan más cabezota, una entrada para el concierto.

▷ ¡Qué guay!, ¿no?

▶ Ya, pero pasé mucha vergüenza.

▷ Sí, pero, desde luego, el que la sigue la consigue.

Unidad 6

[18] "Si por un instante Dios se olvidara de que soy una marioneta de trapo y me regalara un trozo de vida, posiblemente no diría todo lo que pienso, pero en definitiva pensaría todo lo que digo.

Daría valor a las cosas, no por lo que valen, sino por lo que significan. Dormiría poco, soñaría más, entiendo que por cada minuto que cerramos los ojos, perdemos sesenta segundos de luz. Andaría cuando los demás se detienen, despertaría cuando los demás duermen. Escucharía cuando los demás hablan y ¡cómo disfrutaría de un buen helado de chocolate!

Si Dios me obsequiara un trozo de vida, vestiría sencillo, me tiraría de bruces al sol, dejando descubierto, no solamente mi cuerpo, sino mi alma.

¡Dios mío! Si yo tuviera un corazón, escribiría mi odio sobre el hielo y esperaría a que saliera el sol. Pintaría con un sueño de Van Gogh sobre las estrellas un poema de Benedetti, y una canción de Serrat sería la serenata que le ofrecería a la Luna. Regaría con mis lágrimas las rosas, para sentir el dolor de sus espinas y el encarnado beso de sus pétalos...

Dios mío, si yo tuviera un trozo de vida, no dejaría pasar un solo día sin decirle a la gente que quiero que la quiero. Convencería a cada mujer u hombre de que son mis favoritos y viviría enamorado del amor.

He aprendido que un hombre sólo tiene derecho a mirar a otro hacia abajo cuando ha de ayudarle a levantarse. Son tantas cosas las que he podido aprender de ustedes; pero realmente de mucho no habrán de servir, porque cuando me guarden dentro de esa maleta, infelizmente me estaré muriendo.

Siempre di lo que sientes y haz lo que piensas.

Si supiera que hoy fuera la última vez que te voy a ver dormir, te abrazaría fuertemente y rezaría al Señor para poder ser el guardián de tu alma.

Si supiera que esta fuera la última vez que te vea salir por la puerta, te daría un abrazo, un beso y te llamaría de nuevo para darte más.

Si supiera que esta fuera la última vez que voy a oír tu voz, grabaría cada una de tus palabras para poder oírlas una y otra vez indefinidamente.

Si supiera que estos son los últimos minutos que te veo, diría "te quiero" y no asumiría, tontamente, que ya lo sabes.

[19] **Entrevistador:** De haber nacido en un pueblito africano, ¿cómo sería Borges?

Borges: Creo que la pregunta no tiene sentido porque yo no hubiera sido Borges, sino otra persona.

Entrevistador: ¿Y si hubiera nacido en el siglo XIX?

Borges: Yo nací en el XIX, que es superior a este, pero tiene un argumento muy fuerte en contra: el siglo XX.

Entrevistador: ¿Cuándo piensa volver a nacer, Borges?

Borges: Espero que mi muerte sea definitiva, ¿no? Si hubiera comenzado una generación de longevos con nosotros, yo ya tengo setenta años y mi madre noventa y tres, el único argumento en favor de nuestra inmortalidad sería la estadística. Pero, como no hemos muerto, no hay por qué suponer una cosa tan insólita. Yo aceptaría la inmortalidad, contra lo que conversaba con Unamuno, a condición de no recordar haber sido Borges y nacido en un país sudamericano. Pero ¿hasta dónde sería inmortal sin memoria? Si usted me preguntara qué soñé o qué comí ayer, no podría recordarlo porque la memoria no da para todo eso.

Entrevistador: ¿Y si le preguntara cuál es el último sueño que recuerda?

Borges: Eso sí. Cuando venía en el avión, soñé que iba en coche por la calle Moreno, y este en lugar de doblar por Santiago del Estero, seguía por Entre Ríos. Eso era un sueño porque nada tiene que ver con mi viaje a Mendoza, ¿no?

Entrevistador: ¿Y, ahora, es feliz?

Borges: La felicidad es una cosa serena y no sé hasta dónde conviene la exaltación. Hay que dejarla llegar y ser hospitalario con ella. Uno va caminando por una calle, por ejemplo, y de pronto se siente feliz. Esto puede deberse a dos cosas: un estado fisiológico o una felicidad anterior a la que responden temperatura, luz y calle.

Entrevistador: ¿Le gustaría ir a la Luna?

Borges: No. Entre Mendoza y San Rafael hay un gran desierto. También en Arizona hay uno más grande. La Luna es un gran desierto. Estas empresas y aventuras astronómicas me han interesado poco. Injustificadamente, porque han implicado un gran esfuerzo intelectual. Yo veo todo desde el punto de vista literario, porque soy un literato, ¿no? Hablar de un viaje a la Luna parece un plagio de Wells. La imaginación literaria ha ido más allá que la realidad científica.

Entrevistador: ¿Cómo debería ser un lunático?

Borges: Muy poco parecido a nosotros. Nosotros resultaríamos tan extraordinarios para ellos como ellos para nosotros.

Entrevistador: Cuando uno se acostumbra, lo diferente resulta cotidiano.

Borges: Claro. A mí de chico me llamaba la atención que los recién nacidos no se asustaran, porque se encontraban de pronto en un mundo donde hay gente con una cabeza, dos ojos y una boca. Es algo que debiera causarles espanto, ¿no?

Entrevistador: ¿Qué contestaría si alguien golpeara a su puerta y le dijera: "Vengo a matarlo, Borges, le doy un minuto para encomendarse"?

Borges: En agosto se publicará un libro mío cuyo título no me ha sido revelado. Allí estará incluido un cuento llamado "El enemigo", cuyos pormenores no puedo revelar, a pedido de los editores y que responderá a su pregunta. Por supuesto, va a tener que comprarlo.

Entrevistador: ¿Si Dios fuera malo, el mundo sería mejor?

Borges: La pregunta es muy ingeniosa y yo debiera responder ingeniosamente. Hay un arquetipo posible. Dios es tan generoso con el hombre que le da todo, hasta la posibilidad del infierno. Quién sabe si esos regalos convienen, ¿no? Pero no me voy a poner a payar con usted. Me doy por vencido de antemano.

Entrevistador: ¿En qué se parece una guerra a una obra literaria?

Borges: Son dos empresas intelectuales, pero la literaria es mucho más arriesgada.

Entrevistador: Hoy nevó en Mendoza después de mucho tiempo. ¿Le gusta la nieve?

Borges: Hace dos años estuve en Cambridge con una mujer y advertí que tenía los ojos llenos de lágrimas. Fuimos a una ventana y había una nieve ínfima. Ella nunca había visto nevar. Tres o cuatro días más tarde, estábamos bloqueados por la nieve. La primera nieve tiene una suerte de virginidad, de pureza. Es muy linda la luz cuando nieva. Yo había visto nevar en Suiza, pero allí la nieve no puede competir con la de New England. ¡Qué raro! Ese año en Escocia nevaba, pero no en Suecia. Y uno asocia Suecia con nieve. Aquí no nieva como para quedarse bloqueado y que el avión no salga, ¿no?

Entrevistador: ¿Hace mucho que no va al cine?

Borges: La última vez que fui ya no veía paisajes ni caras. Voy perdiendo la vista. Sí, y no quiero comprobarlo muy seguido.

Entrevistador: ¿Usted es psicodélico, Borges?

Borges: ¡No! Tres veces en mi vida probé la cocaína y como era menos agradable que la leche, perdone la palabra, la dejé. ¿Para qué agregar otra mala costumbre?

[20] **Camilo José Cela** nació el 11 de mayo de 1916 en la población gallega de Iria Flavia (Padrón, La Coruña, España), de padre español y madre inglesa (el abuelo, John Trulock, había sido gerente de la primera línea ferroviaria gallega). Allí vivió, aseguraba él, una infancia feliz. En 1925, cuando tenía nueve años, toda la familia se trasladó a Madrid, adonde había sido destinado el padre.

Antes de concluir sus estudios de bachillerato, cayó enfermo de tuberculosis pulmonar, y durante los años 1931 y 1932 tuvo que ser internado en el sanatorio de tuberculosos de Guadarrama. El reposo obligado por la enfermedad lo emplea Cela en leer.

En 1934, ingresa en la Facultad de Medicina de la Universidad Complutense de Madrid. Sin embargo, pronto la abandona para asistir como oyente a la Facultad de Filosofía y Letras, donde el poeta Pedro Salinas da clases de literatura contemporánea. Cela le muestra sus primeros poemas, y recibe de él estímulo y consejos. Este encuentro resultará fundamental para el joven Cela, ya que, según él mismo creía, fue lo que decidió definitivamente su vocación literaria.

En la facultad se hace amigo de Alonso Zamora Vicente, María Zambrano y Miguel Hernández y, a través de ellos, entra en contacto con otros intelectuales del Madrid de esta época, que termina con el estallido de la Guerra Civil.

Camilo José Cela luchó en el bando nacional y fue herido en el frente. Antes, en plena guerra, había terminado su primera obra, el libro de poemas *Pisando la dudosa luz del día*.

En 1940, comienza a estudiar Derecho y este mismo año aparecen sus primeras publicaciones. Su primera gran obra, sin embargo, no verá la luz hasta dos años después, en 1942: *La familia de Pascual Duarte*. A pesar del éxito casi unánime de esta novela, la aspereza del tema tratado le hace tener problemas con la Iglesia, lo que concluye en la prohibición de la segunda edición de la obra (que acabará siendo publicada en Buenos Aires). Poco después, Cela abandona la carrera de Derecho para dedicarse profesionalmente a la literatura. Los que quedan de esta década son años muy importantes en la biografía del escritor: entre 1944 y 1948 se casa con María del Rosario Conde Picavea; comienza a escribir *La colmena*; nace su único hijo, Camilo José Cela Conde; lleva a cabo dos exposiciones de sus pinturas; y aparecen *Viaje a La Alcarria* y *El cancionero de La Alcarria*.

En 1951 se publica en Buenos Aires *La colmena*, que de inmediato es prohibida en España.

En 1956 sale a la luz la revista *Papeles de Son Armadans*. Dos años antes, Cela se ha trasladado a la isla de Mallorca, donde habría de vivir buena parte de su vida. Este mismo año es elegido para ocupar el sillón Q de la Real Academia Española; el 26 de mayo, lee su discurso de ingreso, que trata de la obra literaria del pintor Solana.

Muerto el general Franco, la época de la transición a la democracia llevó a Cela a desempeñar un papel notable en la vida pública española por motivos distintos de su trabajo como escritor: entre 1977 y 1979 ocupó por designación real un escaño en el Senado de las primeras Cortes democráticas, y como senador participó en la revisión del texto constitucional elaborado por el Congreso.

En los años siguientes, Cela siguió publicando a buen ritmo, como tuvo por norma a lo largo de toda su carrera. De este período cabe destacar sus novelas *Mazurca para dos muertos* y *Cristo versus Arizona*.

Ya consagrado como uno de los grandes escritores del siglo, durante las dos últimas décadas de su vida se sucedieron los homenajes, los premios y los más diversos reconocimientos, entreverados ocasionalmente con algunas polémicas. Entre aquellos es obligado citar, en orden cronológico, los tres más importantes: el Príncipe de Asturias de las Letras (1987); el Nobel de Literatura (1989), y el Miguel de Cervantes (1995).

El 10 de marzo de 1991, se casó con Marina Castaño. En 1996, el día de su octogésimo cumpleaños, el Rey don Juan Carlos I le concedió el título de Marqués de Iria Flavia; el lema que Cela adoptó para el escudo de marquesado fue *El que resiste gana*.

Falleció en Madrid el 17 de febrero de 2002.

Texto adaptado del Centro virtual del Instituto Cervantes

Rafael Alberti Merello nacía en El Puerto de Santa María (Cádiz) el 16 de diciembre de 1902. En 1917, se trasladaba con su familia a Madrid, para dedicarse a copiar pinturas en el Museo del Prado, vocación que prefirió al bachillerato, que jamás terminaría. La nostalgia de la bahía de Cádiz y los remordimientos tras la muerte de su padre le llevaron a refugiarse en la poesía y dejar la pintura en un segundo plano. A partir de ese momento, iría introduciéndose en la Residencia de Estudiantes, donde se relacionaría con los integrantes de la Generación del 27 (Dámaso Alonso, Lorca, Gerardo Diego y Aleixandre, entre otros), un grupo extraordinario de autores que renovaría las letras e influiría de forma determinante en todas las artes. Alberti reunió, entre 1920 y 1924, sus primeros poemas bajo el título *Mar y Tierra*, que presentó al Premio Nacional de Literatura de 1924-1925, y ganó, junto al poeta santanderino Gerardo Diego. El libro se titularía definitivamente *Marinero en tierra*.

Por esos años, entabló amistad con poetas como Juan Ramón Jiménez, Pedro Salinas, Jorge Guillén, Emilio Prados y Manuel Altolaguirre, el compositor gaditano Manuel de Falla, y los genios de la pintura y el cine Dalí y Buñuel (también mantendría fuertes vínculos con Pablo Neruda y el francés Louis Aragon). Intervino como activista en las protestas estudiantiles contra el general Primo de Rivera y, en 1929, publicó una de sus obras maestras, *Sobre los ángeles*, de fuertes tintes surrealistas. Se casó en 1930 con la escritora María Teresa León, con la que compartió los años de su exilio por Buenos Aires y Roma, y con la que tuvo una hija, Aitana. En 1931, estrenó su primera obra de teatro, *El hombre deshabitado*. Ese mismo año comenzó a relacionarse en Francia con Picasso y escritores sudamericanos como César Vallejo, Miguel Ángel Asturias y Alejo Carpentier. Becado por la Junta para la Ampliación de Estudios de la Segunda República Española, viajó en 1932 a la Unión Soviética y trató con los escritores soviéticos de la época. El año siguiente conoce a Pablo Neruda y, según cuenta en sus memorias, empieza a convertirse en "poeta en la calle": en realidad, el poeta nunca separó su labor intelectual de su actividad política, desde sus primeros versos hasta su retiro en El Puerto de Santa María. Escribió multitud de poemas satíricos y de agitación, que recitaría en actos políticos, bibliotecas obreras y plazas públicas. En 1933, asistió en Moscú como invitado al primer Congreso de Escritores Soviéticos. A partir de 1934, inicia una gira por varios países americanos, y, en 1936, año de la muerte de Lorca, interviene en España en la campaña por el Frente Popular. Durante la Guerra Civil se entrevistó con Stalin en Moscú, y decidió enrolarse en la aviación republicana. En el transcurso del asedio a Madrid, participó en la evacuación de las obras del Museo del Prado, para evitar su destrucción bajo el bombardeo de la artillería nacional.

El 27 de abril de 1977 regresó a España: en junio de ese mismo año fue elegido diputado a Cortes del Partido Comunista de España por la provincia de Cádiz, pero poco después, en octubre de ese mismo año, renunció al escaño. Desde su vuelta a España, residió en su ciudad natal, El Puerto de Santa María. En 1989, la Diputación de Cádiz creó en su ciudad natal la fundación que lleva su nombre, a la que se trasladó gran parte de su archivo y biblioteca personales. Contrajo matrimonio en segundas nupcias con María Asunción Mateo, quien lo acompañó durante sus últimos años. Murió el 27 de octubre de 1999 en El Puerto de Santa María.

José Antonio Primo de Rivera y Sáez de Heredia nació el 24 de abril de 1903 en Madrid, en el seno de una familia acomodada. De su padre, don Miguel Primo de Rivera, heredó el título de marqués de Estella.

Estudio en la Facultad de Derecho de Madrid. La biografía de José Antonio está influenciada fuertemente por las vicisitudes del Gobierno de su padre, don Miguel Primo de Rivera, sobre todo por su dimisión y los acontecimientos que la acompañaron. El 2 de mayo de 1930, acepta el cargo de vicesecretario general de Unión Monárquica, con el propósito de reivindicar la memoria de su padre. Se presenta a las elecciones de 1931, pero es derrotado por su contrincante conservador Bartolomé Cossío.

Es detenido en 1932 por haber colaborado con la sublevación de Sanjurjo. En 1933, se publica el diario *Fascio* donde escribe un artículo: "Orientaciones hacia un nuevo estado". Se lanza junto al aviador Ruiz de Alda a la creación del Movimiento Sindicalista Español, que sería el embrión de Falange Española.

Así el 29 de octubre de 1933, a pesar de la persecución por parte de la Dirección de Seguridad, se celebra el acto fundacional de Falange, en el teatro de la Comedia de Madrid; en este acto intervinieron, además de José Antonio, Ruiz de Alda y Alfonso García Valdecasas.

José Antonio es elegido candidato por Cádiz y el 13 de febrero de 1934 se unifica con el grupo de Ramiro de Ledesma bajo el nombre de Falange Española de las JONS (Juntas de Ofensiva Nacional Sindicalista). Desarrolla una brillante labor parlamentaria, interviniendo en los grandes debates y pronunciando, entre otros, un discurso en contra de la Ley Agraria.

A lo largo de 1934 se suceden los enfrentamientos entre izquierdistas y falangistas, siendo acusado en el Parlamento de posesión ilícita de armas.

En 1935, José Antonio se dedica a realizar viajes por España dando mítines, también se constituye el Sindicato Español Universitario. En las elecciones generales de febrero de 1936, Falange se presenta en solitario, sin conseguir representación parlamentaria. Las elecciones las ganó el Frente Popular. La mecha de la Guerra Civil estaba encendida.

Falange Española de las JONS es declarada organización ilegal, y sus dirigentes, incluido José Antonio, son detenidos y encarcelados en la Prisión Modelo de Madrid. Esto no sería obstáculo para que José Antonio siguiera dirigiendo el movimiento desde la cárcel.

El gobierno no para de presentar cargos en contra del líder de Falange y el 5 de junio de 1936 es trasladado a la cárcel de Alicante. En la cárcel de Alicante, José Antonio escribe su manifiesto político en el que reitera su aspiración de Gobierno Nacional desde una perspectiva puramente democrática.

Conoce los planes de sublevación de los militares y da libertad a sus seguidores para unirse a la rebelión, aunque no la llega a aceptar.

A pesar de los intentos de salvarle por parte del Bando Nacional, el 17 de noviembre de 1936 José Antonio es juzgado por rebelión militar; él mismo asumió su propia defensa, la de su hermano Miguel y la esposa de este, Margarita Larios.

José Antonio es condenado a muerte, mientras que la pena de su hermano Miguel y su cuñada es conmutada por reclusión.

A pesar de la interposición del Presidente de la República, Manuel Azaña, y adelantándose los dirigentes locales a la orden de Madrid, José Antonio era fusilado la mañana del 20 de noviembre en el patio de la cárcel de Alicante, junto a otros cuatro jóvenes del pueblo alicantino de Novelda.

Sus restos mortales yacen en la actualidad en el Valle de los Caídos de Madrid, monumento levantado a los caídos del bando nacional durante la trágica Guerra Civil Española.

Revisión (1)

[21] 1. Local de 550 metros cuadrados, con salida de humos y almacén, situado en polígono industrial. 2500 euros al mes.

2. Piso en planta baja con salida directa a la calle, 150 metros cuadrados, reformado para oficinas, en zona comercial y bien comunicado. 2000 euros al mes.

3. En pleno centro de la ciudad y por solo 1851 euros al mes, local de 75 metros cuadrados, climatizado y con plaza de garaje.

4. En zona residencial, local de 220 metros cuadrados, con entrada para vehículos y salida de humos. 2350 euros al mes.

5. Dúplex con salida a la calle, 80 metros cuadrados y 20 de almacén, junto a zona universitaria. 1980 euros al mes.

6. Local climatizado de 400 metros, en zona sur, con buena comunicación de metro y autobuses. 3000 euros al mes.

Unidad 7

[22] *Accidente* es un dibujo a lápiz de 1926. En él, Frida representa su accidente, acaecido cuando tenía 19 años, en forma de pintura votiva popular. A causa de este accidente, nuestra pintora padeció secuelas graves a lo largo de toda su vida. El cuadro *Frida y Diego Rivera*, pintado en 1931, representa su matrimonio con Diego Rivera, quien le llevaba más de 21 años. Se casan el 21 de agosto de 1929. Con él, descubre la mexicanidad, o sea las raíces de la identidad mexicana de hoy. Y al seguir ella con la pintura de sus propios dolores, su obra se completa con la expresión del "mexicanismo". En el cuadro *La columna rota* (1944), Frida pintó su autorretrato. Al empeorar su salud debido al accidente, se vio obligada a llevar un corsé de metal. Este lienzo viene a simbolizar el sufrimiento y la soledad de la artista. *El tiempo vuela. Autorretrato*, de 1929: como estuvo meses encamada, le instalaron un espejo para que se pudiera ver a sí misma. Dice: "Me pinto ya que estoy mucho tiempo solita y que soy el motivo que mejor conozco."

[23] UNA VIDA DEDICADA AL ARTE

Magdalena Carmen Frida Kahlo y Calderón (1907-1954), pintora mexicana que realizó autorretratos en los que utilizaba una fantasía y un estilo inspirados en el arte popular de su país. Frida nació en Coyoacán, en el sur de Ciudad de México. Hija de una mexicana y un alemán.

La niñez de Frida fue muy triste. A los seis años tuvo la polio que la dejó con una pierna mucho más corta y delgada que la otra para el resto de su vida, minusvalía que ella intentaba ocultar de joven bajo pantalones y más tarde bajo largas faldas mexicanas. A los 16 años, sufrió un accidente de tráfico al chocar un tren con el autobús que la llevaba, junto a su amigo Alejandro Gómez Arias, de la escuela a su casa, iniciándose en la pintura durante su recuperación.

Más tarde, le llevó a Diego Rivera algunos de sus cuadros para que los viera y este la animó a continuar. Tres años después se casaron.

Al igual que su marido, quería que su obra fuera una afirmación de su identidad mexicana y, por ello, recurría a técnicas y temas extraídos del folclore y del arte popular de su país. Sus cuadros representan su experiencia personal, los aspectos dolorosos de su vida, gran parte postrada en una cama. Expresa la desintegración de su cuerpo y el terrible sufrimiento que padeció en obras como *La columna rota* (1944), en la que aparece con un aparato ortopédico de metal y con el cuerpo abierto mostrando una columna rota en lugar de una columna vertebral. Su dolor ante la imposibilidad de tener hijos lo plasma en el cuadro *Hospital Henry Ford* (1932), en el que se ven un bebé y varios objetos diseminados alrededor de una cama donde yace.

Durante su matrimonio, se sucedieron los amantes por parte de ambos cónyuges. Frida y Diego se divorciaron, pero antes de que transcurriera un año, se volvieron a casar. En abril de 1953, expuso por primera vez en la galería de Arte Contemporáneo de Ciudad de México. Su vida terminó en una silla de ruedas. Murió el 13 de julio de 1954. Su casa de Coyoacán fue transformada en museo y lleva su nombre.

Texto adaptado de http://www.publispain.com/fridakahlo/biografia.htm

[24]

Eres tanta gente, que dime
con quién hablo ahora.
¿No veis que no sois iguales?
¿Eres la de *Quédate conmigo,
prometo darte tormento, darte malos ratos...?*
Yo te prometo, si me escuchas niña,
darte arte,
que no es lo mismo que:
*Quédate y ya veremos,
quédate y ya veremos.*

No es lo mismo **ser** que **estar**.
No es lo mismo **estar** que **quedarse**, ¡qué va!
Tampoco **quedarse** es igual que **parar**.
No es lo mismo.
Será que ni somos, ni estamos,
ni nos pensamos quedar.
Pero es distinto conformarse o pelear.
No es lo mismo... es distinto.

No es lo mismo **arte** que **hartar**.
No es lo mismo **ser justo** que *¡qué justo te va!*...
verás.
No es lo mismo tú que otra, entérate.
No es lo mismo
que sepas que hay gente que trata de confundirnos.
Pero tenemos corazón que no es igual.
Lo sentimos... es distinto.

Estribillo
   Vale, a lo mejor lo merezco,
   bueno, pero mi voz no te la vendo.
   Puerta, y lo que opinen de nosotros...

Léeme los labios, yo no estoy en venta.
Vale, que a lo mejor lo merecemos,
bueno, pero la voz no la vendemos.
Puerta, y lo que opinen de nosotros...
Léeme los labios, a mí me vale madre.

Puerta y aire que me asfixio,
que no se trata del lado que quieras estar,
que **estar de un lado** o **echarte a un lado**... verás.
No sé como decirte, no es lo mismo.
Vivir es lo más peligroso que tiene la vida.
Que digan por televisión
que hay suelto un corazón.
Que no es igual,
que es peligroso... que es distinto.

No es lo mismo **vasta** o **bastar**.
Ni es lo mismo, **decir**, **opinar**, **imponer** o **mandar**.
Las listas negras, las manos blancas... verás.
No es lo mismo.
No gana el que tiene más ganas...
No sé si me explico.
Que hoy nadie quiere ser igual.
Que más te da.
No es como un "ismo"... es instinto.

Estribillo

Tengo pomada "pá tó" los dolores.
Remedios para toda clase de errores.
También recetas "pá" la desilusión.

Alejandro Sanz, *No es lo mismo*, 2003.

[25] Diálogo 1

► ¿Se puede pasar?

▷ Sí, adelante, pasa, pasa.

► Necesito el balance de siniestralidad laboral del año pasado.

▷ Sí, cógelo, está en el segundo cajón. No necesitas la llave está abierto.

► Bien, ya lo tengo, aquí está. Bueno, me marcho.

▷ Espera un momento. ¿Qué te parece tu nuevo compañero de despacho?

► Es un chico muy trabajador y abierto, se ha integrado rápidamente y todo el mundo le aprecia.

Diálogo 2

▷ ¿Sí?

► ¡Hola, Juan! Soy María. ¿Qué tal? ¿Haces algo esta noche? Es que estoy aburrida aquí en casa sin hacer nada, ¿vamos al cine?

▷ Genial, porque ha venido a pasar unos días a casa un tío de mi padre que es muy aburrido y así me libro de él por unas horas. Paso a recogerte en 30 minutos.

► Estupendo, te espero en mi casa entonces. ¡Hasta ahora!

▷ ¡Hasta ahora!

Diálogo 3

► Adelante, puede pasar.

► Soy Juan López, el padre de Damián López y querría saber cómo va mi hijo en su clase.

► Mire, estos son los últimos trabajos de su hijo. Como puede comprobar, ninguno de ellos está aprobado. Su hijo nunca está atento en clase, siempre está distraído. Aunque tengo que reconocer que es un chico muy atento y siempre se presta a ayudarme.

Diálogo 4

▷ Hablando de gente rara, ¿te has fijado en la nueva compañera de piso? No habla nada, es muy callada. Yo creo que oculta algo.

► Podrías aprender un poquito de ella y estarte callada, porque no me dejas escuchar el telediario.

Diálogo 5

▷ Bueno, chico, yo me voy porque estoy cansado, hoy he tenido un día duro de trabajo. Que lo dicho. Me ha encantado volver a veros después de tantos años.

► Espera que yo también me voy.

► ¡Dios mío! ¿Te has fijado en que Marcos no ha cambiado nada después de tantos años? Es tan cansado como lo era hace quince años. Cada vez que se ponía a contar sus historias y sus viajes por África creía que me moría del aburrimiento.

Diálogo 6

► Hoy no viene a trabajar Mario porque hoy termina el Ramadán y se ha pedido el día para celebrar Eid Mubarak.

▷ ¿Ah, sí? No sabía que fuera musulmán, pensaba que era católico.

► Su mujer es musulmana y cuando se casó se convirtió al islamismo.

▷ Chica, ¡tú no estás muy católica! Yo en tu lugar me iría a casa y terminaría el trabajo mañana.

Diálogo 7

▷ ¡Me encanta la nueva asistenta! Es dispuesta, nunca pone una mala cara y todo lo hace con una sonrisa.

► Sí, estoy de acuerdo. Es una mujer fantástica, nos está ayudando mucho. Siempre está dispuesta y, desde que llega por la mañana, no para.

Diálogo 8

▷ Hola, Laura, ya estoy aquí. Mira el besugo que he comprado para la cena, ¿a que está fresco?

► Sí, ¡tiene una pinta...! Venga, ayúdame a prepararlo todo, que están a punto de llegar Manuel y Roberto.

▷ No me dijiste que fuera a venir Roberto. Ese chico no me gusta nada, es un fresco, se toma demasiadas confianzas con la gente sin conocerla.

Diálogo 9

▷ ¡Hola, Silvia! ¿Cómo está la abuela?

▶ El tema es muy grave.

▷ ¿Sí? ¿Qué tiene?

▶ Los médicos dicen que está grave, creen que no podrá volver a andar. El accidente ha sido muy aparatoso y ha recibido un golpe muy fuerte.

Diálogo 10

▷ ¿Has hecho los deberes de gramática? ¿Podrías dejar que los viera? Es que estoy interesado en saber cuánto has escrito.

▶ Lo siento, pero no. Tú no estás interesado en nada. Tú lo que eres es un interesado. Solo me hablas cuando quieres pedirme algo y cuando estamos fuera de la escuela ni me diriges la palabra.

Diálogo 11

▷ ¡Venga, vámonos! ¿Estamos listos?

▶ Sí, solo falta coger los billetes de avión y salimos.

▶ Papá, como este fin de semana vais a Barcelona y no vais a necesitar el coche, ¿podrías dejarme que lo cogiera?

▷ ¡¿Que quieres el coche este fin de semana?! ¡Estás tú listo! Si nosotros no estamos en la ciudad, tú no coges el coche. Utiliza el metro.

▶ Anda, déjale el coche. Es listo y no se meterá en líos.

Diálogo 12

▶ Juan, tenemos que hablar, no puedo soportarlo más. Estoy molesto contigo por invitar a tu madre a pasar unos días en casa. No para quieta, lo cambia todo de sitio, está intentando imponernos su orden. Es muy molesta, deberías hablar con ella para que respete mi espacio.

▷ De acuerdo. Lo haré, pero mi madre no lo hace con mala intención. Solo quiere ayudar.

Diálogo 13

▶ Acabo de recibir un mensaje de Julián diciéndome que si vamos a cenar mañana a su casa. Le digo que no, ¿vale? Es que es un muerto el tío, estar con él es un verdadero aburrimiento.

▷ A mí sí que me apetece. Además, quiero que me cuente lo de su vecino.

▶ ¿Qué vecino?

▷ El del quinto. He oído que su hija se lo encontró metido en la bañera y estaba muerto, llevaba cuatro días muerto.

▶ Cada día eres más igualita a tu madre, ¡vaya cotilla!

Diálogo 14

▶ ¡Hola! ¿Cómo estás?

▷ Estoy negra, me llevan los demonios.

▶ Pero, ¿qué te pasa?

▷ Pues que el otro día me compré estos zapatos pensando que eran negros y resulta que son gris marengo y ahora no encuentro el ticket y no puedo cambiarlos.

Diálogo 15

▷ ¡Hijo! Estas notas son estupendas, has sacado un sobresaliente de media. Estoy orgulloso de ti, se nota que has trabajado duro.

▶ Gracias, papá.

▷ Anda, Alejandra, felicita a tu hermano por sus buenas calificaciones.

▶ De eso nada, para una vez que saca buenas notas...

▶ ¡Mira que eres orgullosa!, no puedes soportar que nadie sea mejor que tú en nada, ¿verdad?

Diálogo 16

▶ ¡Agh! ¡Esta manzana está verde! No hay quien se la coma. ¿Ya estás aquí? ¡Qué pronto! Yo pensaba que ibas a cenar con tu padre.

▶ No, solo quería hablar conmigo y me ha dicho que se va a casar otra vez. Sí, como lo oyes, se nos casa y esta vez con su secretaria, una chica de 26.

▶ No te molestes por lo que te voy a decir, pero tu padre es un viejo verde. ¡¿Qué hace a sus 78 años con una chica de 26?!

Diálogo 17

► Tranquila, cariño, mi familia es muy amable, te gustará.

▷ Lo sé, pero cuando estoy en este tipo de situaciones, suelo estar violenta.

► Vamos, relájate, no voy a dejarte sola. Únicamente procura no acercarte al marido de mi hermana, boxea en sus ratos libres y a veces es un poquito violento.

▷ i¿Qué?!

► Es una broma, venga, que no pasa nada.

Diálogo 18

► Mira, María, el perro ha vuelto a casa, está en el jardín.

▷ ¡Qué bien! Está vivo, yo creía que nunca más volveríamos a verlo, llegué a pensar que lo había atropellado un coche. ¡Es tan vivo!, fíjate como menea el rabo.

Diálogo 19

▷ Silvia, estoy buscando las peras que compré ayer. ¿Dónde las has puesto?

► Las he guardado en la nevera porque estaban muy maduras, pero... i¿Dónde vas tan guapa?!

▷ He quedado para tomar algo con un chico que conocí el fin de semana pasado.

► i¿Sí?! Cuéntame, ¿cómo es?, ¿qué hace?

▷ Bueno, se llama Diego y es muy guapo. El único problema es que tiene 23 años, cinco menos que yo, aunque el otro día me dio la sensación de que era bastante maduro.

► Por muy maduro que sea, tú tienes 28 años, es lógico que tengáis diferentes posturas ante la vida.

Diálogo 20

▷ Me encanta el restaurante al que me has traído para celebrar nuestras Bodas de Plata pero debe ser carísimo. Fíjate en la gente que nos rodea. Creo que la mayoría se dedica al negocio de la banca, seguro que son muy ricos.

► No te preocupes por nada, mujer, un día es un día. Lo importante es que disfrutemos de la noche y de la comida.

▷ ¿Has probado los *Milhojas de hígado de pato*? ¡Um! Están muy ricos.

Diálogo 21

▷ ¿Estás despierto?

► Sí, no puedo dormirme, estoy preocupado por mi sobrino. Mañana empieza sus clases en un colegio bilingüe y, aunque es muy despierto, tiene algunos problemas para establecer relaciones sociales. Tengo miedo de que no consiga integrarse en un grupo y que esto le frustre y termine abandonando sus estudios.

▷ No te preocupes. El niño es un poco tímido, pero no creo que sea para tanto. Venga, duerme, que ya verás cómo no va a pasar nada.

Diálogo 22

▷ ¿Puedes ayudarme a mover este mueble a la otra habitación? Es que es muy pesado y no puedo solo, me voy a partir por la mitad.

► ¡Mira que estás pesado con el mueblecito! ¿No puedes esperarte un poco a que termine el partido de fútbol? Juegan el Valencia y el Real Madrid y está muy interesante.

▷ i¿Pesado?! ¿Me estás llamando pesado? ¡Tú sí que eres un pesado con el fútbol de las narices!

Unidad 8

[26] Antonio Skármeta es escritor, guionista y director de cine. Su producción literaria es abundante y es conocido, sobre todo, por las dos adaptaciones al cine de su novela *El cartero de Neruda: Ardiente paciencia,* dirigida por él mismo y *El cartero y Pablo Neruda,* de Michael Radford, que fue candidata al Oscar de Hollywood a la mejor película de 1995. Skármeta nació en Antofagasta (Chile), en 1940. Estudió Filosofía y Letras en su país y en Nueva York. De 1967 a 1973 impartió clases en Chile hasta que se exilió a Berlín. En esta ciudad ha escrito el grueso de su obra en la que destacan títulos como *Soñé que la nieve ardía, No pasó nada, La velocidad del amor* o el libro de relatos *Desnudo en el tejado.* Este escritor chileno, que sedujo a miles de lectores con la tierna historia de *El cartero de Neruda,* se ha ganado el galardón mejor dotado de las letras españolas –el Premio Planeta 2003– por su nove-

la *El baile de la Victoria*, una historia agridulce protagonizada por un triángulo singular: un joven que acaba de salir de la cárcel y planea un gran golpe, una adolescente que sueña con ser bailarina y un afamado ladrón que quiere colgar los guantes.

[27] Los jóvenes uruguayos muestran trayectorias de emancipación diferentes. Una, extremadamente tardía y con muy baja fecundidad, propia de los sectores medios y altos, y otra, caracterizada por un abandono temprano de los estudios, maternidad adolescente y mayores tasas de fecundidad, propia de los sectores menos pudientes. Más del 80% de los nuevos hogares que se forman con jóvenes entre 20 y 28 años son conformados por personas de menos de 9 años de educación formal.

Un estudio reciente realizado en Chile sostiene que los jóvenes perciben que las relaciones familiares atraviesan por dificultades y sienten que eso les afecta negativamente. Atribuyen los problemas a las actitudes de los padres: autoritarismo, desconfianza, descuido y falta de expresión afectiva son las quejas más reiteradas de los hijos respecto de sus ambientes e historias familiares.

Un estudio realizado en Ciudad de México y en Monterrey señala, en comparación con estudios anteriores, que las mujeres tendrían un mayor poder de decisión sobre asuntos reproductivos (usar anticonceptivos, ir a las clínicas) que en otros ámbitos de la vida familiar. En la división del trabajo doméstico por sexo, se aprecian pocos cambios; persistirían distintos tipos de violencia doméstica así como la fuerte tendencia de los hombres a restringir la libertad de las mujeres para realizar diversas actividades. Un porcentaje significativo de mujeres debe pedir permiso para trabajar, pertenecer a asociaciones o visitar a amigas y parientes, y siguen existiendo áreas en que la decisión es exclusivamente masculina, como la compra de bienes y el lugar en que se vive.

En Argentina, un estudio que analiza dos generaciones de familias concluye que la división del trabajo se alejó del modelo tradicional de roles segregados para seguir uno transicional... Los varones han incrementado su participación en el cuidado de los niños mucho más que en la atención de la casa, que sigue definida como femenina. Las mujeres no han disminuido su elevada participación en la domesticidad y la maternidad y además han invadido actividades del hogar tradicionalmente masculinas.

En España, hace tan solo una década, ser soltero era sinónimo de fracaso a partir de los 25 años, especialmente en el caso de las mujeres. Ser soltero es ahora una opción y no una imposición. Los más de cinco millones de españoles de entre 25 y 49 años que no están casados, según el Instituto Nacional de Estadística, se han convertido en un fuerte grupo económico que es, sobre todo, consumidor del mercado de lujo y, por lo tanto, de gran interés para las empresas. Según los sociólogos, su aumento, paralelo al crecimiento de los hogares unipersonales, es indicador de la buena marcha económica del país, porque muestra el nivel de independencia económica y emocional de las personas.

[28] Y aquí tenemos los anuncios que esta mdrugada nos han enviado las personas que quieren contactar con gente nueva.

Guillermo García. Soy un chico de Toledo. No tengo más que 17 años, pero ya he empezado la carrera de ingeniero informático. Como me apasiona la naturaleza, también practico los deportes que en ella se pueden realizar, como el alpinismo, el esquí y la pesca en verano. Soy de estatura normal, muy moreno y normalmente llevo patillas. ¡Ah!, olvidaba que una de mis aficiones favoritas es bailar el rock clásico y el chachachá. Ahí van estos versos de Garcilaso de la Vega: *Cuanto tengo confieso yo deberos; / por vos nací, por vos tengo la vida, / por vos he de morir y por vos muero.*

Marta Cuevillas. Soy una mujer de cuarenta y pocos, aunque me siento a veces con la misma ilusión que cuando fui a una fiesta por primera vez a los 16 años. Desarrollo un tipo de trabajo en el que ejerzo mi creatividad a tope. Me gusta aprender de las diferentes culturas viajando o leyendo y siempre encuentro un rato al día para leer a mis poetas favoritos. He estado casada y en estos momentos no tengo más que el deseo de conocer a gente nueva con sentido del humor con quien disfrutar del momento. Ahí va este fragmento de un poema de Reina María Rodríguez: *Que se inquieten los incrédulos / los desconfiados... los pesimistas, / tú y yo / vamos a iluminar toda la sombra.*

Raúl Deza. Soy un actor secundario cuarentañero que dedico mis ratos libres a la carpintería en una pequeña serrería que tengo en un pueblecito de la provincia de Segovia. Además, me apasiona participar en espectáculos teatrales que se organizan en la localidad de mi secreto remanso así como asistir a conciertos de música folk que se celebran en los pueblos de los alrededores. En la actualidad, no tengo más que la compañía de mi fiel perro "Zas" y de algunas gallinas y palomas porque estoy separado y no tengo niños. Esta es la estrofa que he elegido de Gerardo Diego: *Déjame acariciarte lentamente, / déjame lentamente comprobarte, / ver que eres de verdad, un continuarte / de ti misma a ti misma extensamente.*

Mercedes Valls. Soy una chica veinteañera. Trabajo de dependienta de ropa en una tienda de moda muy famosa en el mundo entero. Además, me gustan el cine, salir de marcha a las discotecas y escuchar las últimas novedades musicales que aparecen en los programas de televisión. Mi apelativo cariñoso en el amor es llamarte "Mi osito de peluche". Estos son los versos de Luis Cernuda que he elegido: *Tú justificas mi existencia: / Si no te conozco, no he vivido; / Si muero sin conocerte, no muero, porque no he vivido.*

[29] ► ¡Mira! Este es el disfraz... ¿A que me queda bien?

▷ ¡Qué pasada! ¡Estás explosiva! ¡Ni que fueras la mujer pantera! ¡Se va a quedar de una pieza!

► Eso es lo que quiero que se quede, boquiabierto, y caiga definitivamente rendido a mis pies.

▷ Y él, ¿de qué se va a disfrazar?

► ¡De cazador! Estoy supercontenta, Teresa. Iñaki es el mejor tío que me he encontrado hasta ahora. Y estoy con él como si nos conociéramos de toda la vida.

▷ ¡Ni que llevarais meses! Isabel, por favor, eres una exagerada, contrólate porque si las cosas van mal, no habrá quien te aguante, como con Miguel, o con Jordi...

► ¡Vas a comparar! Con Iñaki todo es diferente, de verdad, nunca me había pasado... tan rápido...

▷ ¡Como si fuera la primera vez que te cuelgas de alguien en dos días! Isabel, lo que pasa es que se te olvida, pero siempre te ocurre lo mismo, y luego lo pasas de pena. Disfruta todo lo que puedas pero, por favor, contrólate, que se te va la olla.

► Vale. Pero tampoco es para tanto. ¡Ni que quisieras que me saliera mal! Ya sé que a veces pierdo el control pero es que cada vez que un tío me gusta es como si nunca hubiera estado con nadie...

▷ Si eso está bien, solo que después te disparatas...

► ¡Quién fue a hablar! ¡Ni que tú fueras de piedra! Sabes perfectamente lo difícil que es mantener la cabeza fría cuando alguien te gusta.

▷ Ya, Isabel, ya. Es muy difícil, pero hay que intentarlo, y tú no lo intentas, te dejas llevar y terminas como terminas. ¡Ni que te hubiera prometido la Luna!

Unidad 9

[30] **1.** A mí lo que me gusta hacer en el tiempo libre es cuidarme, o sea, tres horas de aeróbic al día, sauna, *jacuzzi*... ah, y voy a darme masajes tres veces a la semana para combatir el estrés. Ahora, quiero hacerme un cambio de *look*, pero antes quiero hablar con Rupert, mi peluquero.

2. Pues hoy no sé qué hacer, si quedarme en casa o salir porque todavía no me ha llamado el chico que tenía que llamarme, y no sé si me llamará porque con la hora que es... Si no, podría ir de compras, seguro que encuentro algo por ahí.

3. No me gusta que salgas por ahí hasta tan tarde. Aunque tengas 25 años, vives en esta casa y tienes que estar aquí a las 10. Y por supuesto, nada de chicos, que aún eres muy joven para pensar en esas cosas...

4. ¿Mi ropa preferida? Me encanta llevar vestidos de colores chillones (fucsia, naranja, amarillo...), combinados con medias de rayas y zapatillas de deporte.

5. La mejor forma de ahorrar es no gastar. Por ejemplo, si salgo con mis amigos, siempre pago lo mío. A veces, no llevo dinero, me invitan y digo que pago yo la próxima vez, pero nunca lo hago...

6. ¿Ah, pero mañana hay examen? ¿Pero desde cuándo se sabe? ¿Qué hay que estudiar? Y... ¿de qué libro?

7. Cuando llego a casa, me gusta encontrarlo todo en perfecto orden. Limpio la casa a fondo todos los días, también el baño y la cocina, los cristales, las baldosas... y tengo mi casa como los chorros del oro.

8. Mi madre siempre me dice que salgo demasiado, que mi vida es un poco caótica, y que debería concentrarme un poco más en mis estudios. Pero yo hago todo lo contrario...

9. Creo que, a veces, quizás insisto demasiado en que las personas hagan algo determinado. Por ejemplo, las llamo constantemente para ver si salimos a tomar algo, para hablar... me encanta el contacto humano.

10. Cuando llega el fin de semana, lo que me apetece es quedarme en casa y descansar. No me gustan las fiestas, ni salir a divertirme, como hace la mayoría de jóvenes.

11. A mí, lo que me gusta es decir o hacer cosas para que la gente se ría, sobre todo, en clase, mientras el profesor explica. A veces, cuando se gira para escribir algo en la pizarra, le tiro pelotas de papel o empiezo a imitarle... Y muchas veces me han castigado por eso...

12. Si quieres hacer bien tu trabajo, hazlo como lo hago yo. Mi método siempre funciona y no vas a equivocarte nunca. Tienes mucho que aprender, es normal, llevas poco tiempo y todos hemos empezado alguna vez.

13. ¿A mí me vas a decir dónde tengo que aparcar? Mira, no me toques las narices que de la leche que te pego vas a salir volando. Y ya puedes quitar tu coche de ahí, que tengo prisa.

[31] ▶ ¿Has visto a Jorge cómo está? Parece una momia, ¡Será raro el tío!

▷ Sí la verdad es que sí, yo creo que va de estrella y, claro, tiene que hacer de todo para destacar.

▶ Sí, es verdad. Debe de estar de moda porque mira lo que me dijo Mercedes el otro día, que su boca es la más sexy del planeta. ¡Mira que es egocéntrica esta tía!, ¿eh? No la soporto.

▷ No me extraña, es una pedazo de subnormal, y siempre le ha gustado hacerse la original.

▶ ¡Yo alucino con la gente! Me dijo Fátima el otro día que va a dejar de hacer pases de modelo porque su marido se lo ha pedido.

▷ ¡Hombre! Por amor todo es posible.

▶ ¡Ya! Pero no es muy inteligente que digamos, primero, porque está ganando muchísimo dinero ahora y segundo, porque la carrera de una modelo es muy corta. Su marido debería tener un poquito de paciencia, ¿no crees?

▷ Sí, pero fíjate en lo del amor, es increíble. Ángel se pasa el día diciendo que María es la mujer de su vida y que se va a hacer otro tatuaje con su nombre.

▶ Este chico es un poco plasta con su mujercita, siempre está hablando de lo mismo.

▷ Sí, parece que tiene miedo de que se la quiten.

[32] **Elena:** Hola, Claudio, ¿qué tal? Mira, te presento a Simona, una compañera de trabajo.

Claudio: Hola.

Simona: Hola, ¿qué tal?

Elena: Vamos a tomar algo, ¿no? ¿Os apetece ir a una pizzería?

Simona: Bueno, la verdad es que fui ayer... ¿Y si vamos a un mexicano? Unos nachos con queso, fajitas...

Claudio: A mí me parece buena idea, hace tiempo que no voy a ninguno.

Elena: Vale, además hay uno aquí detrás, muy cerca.

(...)

Claudio: ¿Y, entonces, Simona, qué haces exactamente? ¿También trabajas en marketing como Elena?

Simona: Sí, pero hacemos un trabajo diferente. Yo me encargo de los contactos con los clientes, ventas...

Claudio: ¡Ah, qué interesante! Me parece fascinante el mundo de la economía. ¿Y qué tal en el trabajo?

Simona: Bueno, bien... bien...

Elena: Sí, claro, si no fuera por el plasta de Ignacio, que te da todo el día el coñazo... ¡Qué tío! Se pasa las horas mirándola desde su mesa, y le escribe más de diez correos al día. Yo creo que está obsesionado contigo, no te deja ni respirar...

Simona: Bueno, tampoco es para tanto, Claudio. Ni que yo fuera Miss Mundo o algo así...

Elena: Vamos, Simona, no seas modesta, que sabes que es verdad lo que digo...

Claudio: Bueno, habría que ver cómo se comporta exactamente. He oído que hay casos de acoso en el trabajo, y que parece que hay límites a los que uno puede llegar. A partir de ahí, se considera que entra en el espacio íntimo de la otra persona.

Elena: ¿Que entra en el espacio íntimo? Sí, es una forma de llamarlo, pero la verdad es que no es entrar, es invadir.

Claudio: Elena, creo que exageras, como siempre. No creo que sea tan fuerte la cosa... ya has oído antes a Simona.

Elena: Que no, Claudio, que te digo que es así, te lo juro. Solo tienes que hablar con otros compañeros míos, te dirán lo mismo.

Claudio: Bueno, Simona, si es así quizás sería mejor que hablaras con tu jefe del tema. Es posible que encuentre una solución rápida, como alejarlo de tu mesa, por ejemplo. No estaría mal, así no te sentirías tan observada...

Elena: Sí, me parece una idea genial. Simo, habla con tu jefe cuanto antes y no dejes pasar ni un día más. Es que él me preocupa...

Simona: Claudio, te agradezco el consejo, voy a ver qué puedo hacer... Pero será peor si se entera de que he hablado con mi jefe, ¿sabéis lo que quiero decir?

Claudio: En eso tienes toda la razón, habría que mantenerlo en secreto, decirle a tu jefe que no lo comente con nadie...

Elena: ¡Qué dices, Claudio! ¿Cómo quieres que no lo comente? En el trabajo, antes o después, todo se sabe, la gente es muy cotilla y lo cuenta todo.

Claudio: No, Elena, en eso no estoy de acuerdo. No creo que vaya hablando por ahí de un tema tan delicado.

Simona: Sí, Elena, yo estoy con Claudio. Creo que lo mejor será que hable con mi jefe...

[33] **Maruja:** Oye, ¿has visto a los vecinos nuevos del quinto?

Consuelo: Sí, sí. Bueno, he visto solo a la chica.

Maruja: Chica, yo ya he visto a los dos. Una pareja joven de recién casados. Van siempre de la mano.

Consuelo: ¿Recién casados? ¡Vaya! Parece ser que ella es enfermera, por lo que me ha dicho la del segundo.

Maruja: ¿Enfermera? No, es profesora.

Consuelo: ¿Profesora?, ¿tú crees?

Maruja: Sí, sí, seguro. Es profesora de español para extranjeros. Me lo ha dicho la vecina de al lado, que habló con ella el otro día.

Consuelo: ¡Ah!, da clase a los guiris... De todas formas, no te fíes de esa vecina porque siempre va borracha y nunca se entera de nada.

Maruja: Quizás solo algunas veces, no creo que siempre...

Consuelo: Yo siempre la he visto haciendo eses. Oye, ¿y esta noche, qué vais a hacer? ¿Vais a venir con nosotros?

Maruja: No sé. Carlos está muy cansado. Seguramente no saldremos, pero tengo que hablar con él.

Consuelo: Sí, quizás sería mejor que se lo comentaras antes, no sea que cambie de opinión. A lo mejor, lo que le apetece es tomar un poco de aire fresco y desconectar.

Maruja: Puede ser. Este hombre siempre me sorprende, aunque llevemos veinticinco años casados.

Consuelo: ¡Ah, otra cosa! Y de lo de la cena del sábado, ¿qué piensas?

Maruja: Bueno, creo que es mejor salir a tomar algo por ahí, en vez de montar la cena en casa, que uno cree que es mejor, por lo del ahorro, digo, y luego se encuentra con todo por limpiar... A no ser que quieras organizarla en tu casa.

Consuelo: ¿En mi casa? ¡Imposible! Tengo a mi suegra que se va a dormir cada día a las ocho, ¿cómo quieres que organice algo? Además, ya sabes que mis vecinos de abajo son bastante tiquismiquis con los ruidos después de las diez, y comprenderás que no quiero tener problemas.

Maruja: Vale, vale, lo que tú digas. Entonces, hablamos mañana de lo del sábado. Voy a ver qué me dicen los demás.

Consuelo: Vale, vale, hasta luego.

Maruja: Adiós.

[34] **Entrevistador:** ¿Cómo se lleva eso de ser "chica Almodóvar"?

Loles León: Yo lo llevo divinamente, me parece maravilloso. Creo que seré "chica Almodóvar" hasta que me muera, es algo que llevo con mucho orgullo. Me siento privilegiada por llevar esa etiqueta que, en su día, puso la gente de prensa. Bendito sea el que la inventó. Yo digo por ahí que él es el mago que me sacó de las tinieblas y me llevó a la luz.

Entrevistador: ¿Qué consejo darías a alguien que empieza ahora?

Loles León: Ninguno, yo no soy nadie para dar consejos. Solo digo que este oficio, si tiene algo bonito, es que siempre se está aprendiendo, porque acabas una película, se estrena, está en las pantallas, la quitan de ahí, y ya no estás. Eso ya está hecho y tienes que hacer otra cosa, otra película, otra obra de teatro, otro programa de televisión... Para que te valoren, para que te vean, para que estés ahí.

Entrevistador: Normalmente, tú has permanecido un tanto distante de la prensa del corazón. ¿Qué opinas de ese tipo de prensa?

Loles León: Creo que no tendría que haber llegado a los extremos que ha llegado. Una cosa es que salgas en la prensa del corazón porque has hecho un buen trabajo o, incluso, se puede anunciar que una persona se ha casado o ha tenido un hijo. Pero lo que no entiendo –ni entenderé– es la historia esta de las persecuciones y eso de meterse en tu vida íntima así, por las buenas, porque se creen con ese derecho; eso me parece una falta de respeto. El precio de la fama no quiere decir que tú sepas con quién me acuesto yo. ¿Pero dónde está eso escrito? Es anticonstitucional.

Entrevistador: ¿Hay que pensar lo que se dice o decir lo que uno piensa?

Loles León: Yo me he pasado la vida diciendo las cosas sin pensar. Así me ha ido. Me ha ido muy bien, claro, pero también me ha dado quebraderos de cabeza. La espontaneidad y la sinceridad, el buen rollo, y que, en un momento dado, pienses que no lo haces de mala fe, te pueden ensalzar pero te pueden hundir, es un arma de doble filo. Ahora pienso un poquito más las cosas, aunque sigo siendo espontánea. Creo que está muy bien decir las cosas sin pensar, pero, por otra parte, creo que no está mal que se piensen un poquito.

www.mujeractual.com (adaptado)

[35] Diálogo 1

► Fíjate, igualito que su padre... Siempre se levanta temprano para ir al huerto antes de ir a trabajar; luego va a hacer la compra al supermercado, cocina, siesta, y por la tarde va al bar a echar una partida de cartas con los amigos y hablar un poco.

▷ Si ya lo dice el refrán...

Diálogo 2

► ¿Y qué tal la reunión de ayer con Ana?

▷ Pues nada, le dijimos todo lo que pensábamos del tema y lo que tenía que cambiar. Todos mostramos nuestra indignación con Ana, pero Pedro no dijo nada en contra de ella, se quedó callado...

► Ya se sabe...

Diálogo 3

► Mírala, hace dos días que lo dejó con su novio y ya la ves, con otro. Ayer también los vi juntos, vi cómo él llegaba a su casa, por lo visto salieron a cenar. Y hoy he hablado con una vecina que me ha dicho que él es el hijo de un político muy importante.

▷ Hace bien...

Diálogo 4

▷ Fíjate, hace una semana le pedí a María que si podía ir por mí a hablar con el médico, que era urgente y me ha dicho que ha ido hoy, ¡a buenas horas!

► Bueno, mujer, no te pongas así...

Diálogo 5

▷ Pobrecillo, no da ni una en el amor. Primero, tuvo aquella novia de Sicilia, que lo dejó y se volvió a su tierra; después, otra del trabajo, que se fue con otro; y ahora esta, que lo planta en el altar...

► Sí, es verdad, pero seguro que le toca la lotería porque...

Diálogo 6

▷ ¿Sabes cómo ha decorado la casa Juanita? Ha comprado todos los muebles de un diseñador italiano, de esos modernos y minimalistas. ¡Con lo bonitos que son los muebles antiguos, hechos a mano, trabajados!

► Bueno, mujer, déjala. Si le gusta. Ya se sabe...

Unidad 10

[36] ► Hoy entrevistamos para nuestra sección de gastronomía a Anjel Lertxundi que, aunque hizo cine y produce programas para ETB*, se considera, por encima de todo, escritor. Ha publicado más de una veintena de libros desde 1970, año en que firmó su primera novela: *Hunik arrats artean*. Su obra ha sido escrita, casi al completo, en euskera, y traducida al castellano, inglés, francés e italiano.

*ETB: Euskal Telebista. Radio Televisión pública vasca

¿Le gusta cocinar?

▷ Me gusta mucho; es una actividad que hago siempre que puedo. Diría que cocino casi a diario; sobre todo, las noches y los fines de semana. Mi mujer ya sabe que, en esos momentos, la cocina es cosa mía. Practico una cocina sencilla, lo más natural posible, e improviso mucho. Como soy bastante apañado, cocino con lo que encuentro al abrir la nevera o la despensa.

▶ ¿Qué es lo último que ha preparado?

▷ Un panaché de verduras para cenar ayer. Cocí aparte las verduras frescas; concretamente eran unos guisantes, habitas, unos espárragos trigueros y un poco de patata. Luego, dispuse las verduras agrupadas en montoncitos en una fuente y las gratiné un instante en el grill. Finalmente, aliñé las verduras con sal fina, unas gotas de vinagre de Módena y aceite de oliva virgen de Jaén.

▶ ¿Consulta libros de cocina?

▷ En alguna ocasión, y si es para preparar algo por primera vez y no estoy muy seguro de cómo guisar tal o cual género, no tengo inconveniente en hacerlo. No obstante, soy de los que piensan que la cocina es una actividad relajante donde la creatividad da paso, al menos, en mi caso, a experimentar e improvisar, haciendo de esa dedicación una tarea donde procuro pasar un buen rato.

▶ Dígame un aroma que le sea especialmente sugerente y agradable.

▷ El de los productos frescos y naturales que se respira en los mercados. Me agrada el olor del apio.

▶ Y un sabor rico-rico.

▷ El sabor a mar que se manifiesta, por ejemplo, en los percebes, mejillones o la kabrarroka .

▶ Un recuerdo gastronómico de su niñez.

▷ Las natillas, que en casa llamábamos 'ahia', a base de harina de trigo cocida en leche. Mi madre solía poner una 'galleta maría' en el plato.

▶ ¿Tiene algún hábito curioso en la mesa?

▷ Suelo pasar del segundo plato al café. Creo que es una mala costumbre que viene de atrás, cuando fui un fumador empedernido y enseguida quería acabar para fumar un cigarro. Ahora ya no fumo, pero sigo saltándome el postre.

▶ No parece muy amigo de lo dulce.

▷ Ciertamente, no soy goloso para nada. Como postre, me gusta la clásica 'bomba' de bollería rellena de crema. En ocasiones, suelo tomar queso. Sobre todo, en las cenas.

▶ Además de la cocina vasca, ¿qué otras culturas gastronómicas le interesan?

▷ La cocina catalana me parece muy interesante. Destacaría cómo preparan la escalivada.

[37] **1.** En mi viaje a Ghana comí una especie de rata salvaje; al principio, cuando vi al pobre animal en mi plato, me dio un asco tremendo, pero, en cuanto la probé, estaba para chuparse los dedos.

2. Un día, mis tíos me invitaron a comer y me sirvieron sesos de cordero rebozados en huevo; yo, por educación, los probé y ¡aghhh! estaban asquerosos, aquello sabía fatal.

3. En mi viaje a Australia probé por primera vez el canguro, ¡sí, sí!, esos animales tan graciosos que van saltando de un lado a otro; mi anfitrión no me comentó de qué carne se trataba hasta que la probé; esa carne estaba de muerte así que la volví a comer en otras ocasiones.

4. Cuando estuve en Zimbawue, estuve en un pequeño poblado en medio de la nada y comí nada más y nada menos que carne de serpiente; la verdad es que a mis amigos les encantó, pero para mí es una carne que no hay bicho que se la coma.

5. Cuando vivía en Corea, tuve la oportunidad de probar la carne de perro; por allí dicen que tiene propiedades nutritivas muy saludables; me costó decidirme, sobre todo porque me parecía que aquello tenía muy mala pinta, pero, por no ofender a mis anfitriones, me lo comí. La verdad es que estaba deliciosa esa carne; tanto es así que, al final, me puse como el quico porque repetí, ¡vamos! que no se me puso cara de perro de milagro.

Unidad 11

[38] Hola, llamo desde Madrid y soy preparador físico. Solo quería decir que, últimamente, a todo el mundo le ha dado por hacer deportes de riesgo. Creen que porque han hecho un cursito de quince días ya están preparados y aunque hagan cursos, no saben que hay que prepararse muchísimo si no quieren sufrir una desgracia. Además, estos deportes deben hacerlos solamente jóvenes y no personas mayores.

Buenos días, soy de Sevilla y me gustaría decir que, aunque tengo 65 años, siento que mi cuerpo está muy ágil, a lo mejor más que el preparador físico que acaba de llamar. Desde hace dos años, hago paracaidismo todos los sábados y, en verano, esquí acuático. ¿Creen ustedes que con 65 años debo dejar de hacer estos deportes? Aunque me dijeran los médicos que sí, yo no lo haría, porque es lo que me hace feliz. Antes de que todo el mundo los practicara, ya lo hacía yo... Gracias por escucharme.

¿Qué hay? Soy Conchi, de Zaragoza. Llamaba para decirles que quiero que mi hijo de siete años haga algún tipo de deporte. El problema es que los de agua me dan un miedo terrible, los de aire me dan pánico, en general, los de riesgo no me gustan nada, aunque mi marido practica el Ala Delta pero no, yo creo que estos deportes no son para los niños aunque estén de moda ahora, no sé. ¿Podría alguien que escuche el programa aconsejarme alguno?

Hola, soy profesora de gimnasia en un colegio de León y me gustaría decirle a Conchi mi opinión; yo, francamente, creo que los niños deberían evitar los deportes de mar o aire y elegir otros de grupo, con pelota, como el baloncesto o el fútbol. Es mucho mejor para ellos, a pesar de que últimamente se estén promocionando otro tipo de deportes que, además de ser más caros, son mucho más peligrosos.

[39] Para Antonio Martínez su obsesión era el *base jumping* (paracaidismo de tierra) y se fue al mejor salto del mundo para hacerlo, el macizo de Kjerag (Noruega). Pero las cosas no salieron según lo previsto.

Primero. Antonio Martínez coge velocidad y se lanza al vacío.

Segundo. Comienza el descenso en caída libre muy próximo a la pared rocosa Kjerag.

Tercero. A los ocho segundos su velocidad de caída supera los 170 km / hora. Tira de la anilla de apertura del paracaídas prematuramente.

Cuarto. El paracaídas no se despliega totalmente. Antonio se acerca a gran velocidad a la montaña, golpeándose los pies en la roca.

Quinto. Tras rodar varios metros, se aferra a una rama, deteniendo su caída. Se desprende del paracaídas.

Sexto. Ve una cornisa de unos veinte centímetros y trepa hasta ella manteniendo esa posición hasta la llegada del equipo de rescate, ocho horas después.

Séptimo. Sus cuatro compañeros, que habían saltado con anterioridad, observan que Antonio les hace señas. Está sano y salvo.

[40] Diálogo 1

► Aunque se necesita una barca hinchable y un montón de cosas que no tengo, me apetece apuntarme al curso de *rafting*.

▷ ¡Apúntate! Aunque se necesiten muchas cosas ya encontrarás a alguien que te las deje.

Diálogo 2

► Aunque tengo un poco de vértigo, a mí también me apetece hacer parapente. ¡Tiene que ser la bomba!

▷ No me extraña, porque, aunque al principio te dé un poco de miedo, verás qué sensación... Da un subidón...

Diálogo 3

► Este año me apetece mucho ir a pescar, aunque todavía no me he comprado la caña.

▷ Tienes la licencia, ¿no? El problema sería si no la tuvieras; aunque todavía no te hayas comprado la caña nueva, puedes seguir pescando con la de siempre.

Diálogo 4

► Voy a hacer un curso de vela, aunque no tengo ni idea de astronomía.

▷ ¡Qué más dará! Aunque no sepas nada de astronomía, puedes aprender a navegar perfectamente con un cursito. A no ser que quieras hacerte una experta...

[41] ► Siempre polémico y controvertido, ha sido acusado de ególatra e indiferente, aunque le obsequió a un compatriota con una botella de oxígeno por arriba de los 8400 m en el Everest y eso, por poco, le cuesta la vida. Le han acusado de egoísta, pero ha compartido los recursos que ha obtenido con sus patrocinadores para invitar a algún montañista mexicano a sus expediciones siempre que ha podido. Le han acusado de inhumano, a pesar de que ayudó a bajar desde el campo II hasta el campo base a un compatriota en el Everest y, después, le cedió su lugar en un helicóptero para que pudieran atenderlo pronto de sus congelaciones, regalándose para sí mismo un largo e incómodo regreso. Se le ha acusado de dominante, perfeccionista, irritante y autoritario, aunque, tanto a sus clientes como a los miembros de NUVALP, los ha puesto siempre en las metas que se proponen. Hoy, creo que de lo único que podemos acusar a Andrés Delgado es de ser un montañista apasionado, honesto y fiel a sus ideales. De ser un buen ejemplo del montañismo mexicano.

Andrés, ¿cuánto tiempo tienes practicando el montañismo?

▷ Desde que tengo memoria, mis padres y mi abuelo practicaban el montañismo de modo amateur y desde muy pequeño estuve relacionado con la montaña. Crecí entre cuerdas y mochilas, fue algo muy natural, pero puedo dividir mi carrera montañista en dos etapas: mis comienzos y la segunda etapa, cuando comencé a escalar ya profesionalmente, que parte de 1991, así que son once años.

► Todo aquel que conoce un poco de la trayectoria de Andrés Delgado sabe que, por poco, mueres en el Everest, en 1996.

▷ Me llevó un año recuperarme de mis congelaciones. Afortunadamente, me pudieron salvar los dedos, y, una vez recuperado, comencé a entrenar y a conseguir el dinero como fuera para volver al Everest.

► ¿Qué te dejó esta experiencia?

▷ Lo que me dejó esta expedición fue un crecimiento como montañista pero, sobre todo, como persona, independientemente de si los errores que cometí fueron por una causa o por otra.

► Tu trayectoria nos habla de que eres un alpinista extremo, de que te gusta llevar la escalada a sus límites. Pero, ¿qué te llevó a pertenecer al selecto grupo de personas que practican el alpinismo extremo?

▷ Yo no busco un beneficio a través del alpinismo, yo busco escalar porque me gusta, busco una satisfacción; para mí no es un fin el escalar, es una búsqueda; no es un medio para conseguir lana, es un medio para estar a gusto conmigo. Escalo porque me gusta, y no por fama o por decir que hago algo distinto.

► ¿Qué le dirías a los alpinistas jóvenes que están mirando al alpinismo serio?

▷ Que crean que sí se puede hacer carrera en el alpinismo, pero para vivir de esto tienes que ser el mejor y, para ser el mejor, tienes que sacrificar muchísimo; primero, que entiendan eso y que sean honestos con ellos mismos, que definan si escalan por placer o, si en verdad, quieren vivir de esto, y que hagan las cosas con pasión; no se puede ir por la vida sin ser un apasionado porque acabas siendo del montón, de la gente que nunca hace nada. Que definan bien su camino.

Audición basada en una entrevista extraída de:
www.vertimania.com.mx/8000s_mexicanos/entrevistas/entrevista_a_andrés_delgado.htm

[42] 1. El fútbol da vida.

2. Cualquier sitio es bueno para jugar al fútbol.

3. El fútbol no me gusta, pero me lo tengo que tragar por mis hijos.

4. Todo lo que genera audiencia es negocio.

5. El fútbol es una pasada.

6. Cuanto más, mejor.

7. No sabe, no contesta.

8. A nosotras lo único que nos interesa son los futbolistas.

9. De todos los deportes, el fútbol se lo come todo, pero a mí me es indiferente.

10. Hay mucho fútbol y mucho dinero, todo es un negocio.

11. En el *Telediario* se pasan media hora hablando de fútbol. ¿Y los otros deportes?

12. El fútbol está corrompido, los jugadores no valen lo que pagan por ellos.

13. El fútbol... ¡Guau!

14. A mí el fútbol me produce sueño.

[43] ► Oye, Diego, ¿qué te pasa? Te veo un poco cabreado... ¿Te has levantado con el pie izquierdo o qué?

▷ Calla, calla, no me hables, que llevo una semanita que no veas... Estoy hasta el gorro de este asunto.

► ¿Por qué? ¿Qué te pasa?

▷ Bueno, sabes que la semana pasada volví de Barcelona, ¿no? Pues bajo del avión, voy a la sala de recogida de equipajes y me pongo a esperar la maleta. Diez minutos, quince, veinte, veinticinco, y nada, la maleta que no sale.

► ¿Y qué hiciste?

▷ Pues, imagínate, estaba que trinaba. Fui al mostrador del aeropuerto y la señorita, sin mirarme, me dice que si quiero algo, que coja el folleto de "Derechos del pasajero"... y yo solo le había dicho que no sabía dónde estaba la maleta...

► ¿No te miró?

▷ Bueno, no al principio; luego, sí, porque empecé a toser para que me hiciera caso... Si las miradas mataran, te juro que ya estaría muerto... Entonces, va la tía y me sale con que por qué le preguntaba a ella eso, que tengo que ir al mostrador de pérdida de equipajes o a hablar con la compañía, que ella no pintaba nada en ese tema.

► Quizás tenía un mal día, le pasa a todo el mundo...

▷ No sé, la cuestión es que le solté un "Muchas gracias y adiós", bastante borde, y me dirigí al mostrador de pérdida de equipajes. No te digo la cola que había, y yo, con un montón de prisa, pero claro, tenía que ver qué pasaba con la maleta...

► Claro, claro...

▷ Total, después de esperar una hora de reloj, me toca. El tío del mostrador ya estaba harto de escuchar historias, gente cabreadísima que le gritaba y todo el rollo. Me contuve y fui muy amable con él, y él conmigo. Es mejor ir de buenas, consigues más cosas. Enfadarte no sirve de nada... Le expliqué al chico en qué vuelo iba y todo eso, y él comprobó en el ordenador que el vuelo seguía para Cuba, así que muy probablemente mis maletas se habían ido también a la isla. Me pidió el resguardo de las maletas, el que te dan en facturación. Menos mal que lo tenía porque nunca sé dónde pongo los papeles que ya he utilizado...

► Ya, a mí también me pasa, menos mal, ¿no?

▷ Sí, sí, esta parte muy bien. Luego me enseñó un papel lleno de tipos de maletas y me pidió que identificara la mía, que eso les ayudaría a encontrarla.

► ¿Y luego?

▷ Pues nada, que rellené el PIR, que es el impreso que te dan cuando pierdes tu equipaje, luego me dieron el resguardo con el número de identificación y un número de teléfono para que fuera llamando... Y aún no ha aparecido.

► ¿Aún? Pero... ¿cuánto tiempo ha pasado?, ¿una semana?

▷ ¡Exactamente, siete días! Y no te digo cómo estoy con esta situación... Después de rellenar el PIR, me dieron un resguardo con un código. Entonces, tengo que llamar a un teléfono y preguntar por mis maletas. He llamado no sé cuántas veces y cada vez me pongo más de los nervios. Primero, que me parece alucinante que el teléfono ese al que tienes que llamar no solo no sea gratis sino que encima es un novecientos dos, que cuesta una pasta; y, luego, que siempre me saltan con lo de que tienen mucho trabajo y no sé cuántas maletas perdidas, y a mí eso me la refanfinfla. Yo, lo que quiero es mi maleta de una vez. Estoy que echo chispas...

[44] **Isra:** ¡Ya era hora de que quedáramos! A ver, contadme qué tal el viaje y ¡dadme un poco de envidia! Fuisteis a Santiago de Chile, ¿no?

Jaime: Sí, estuvimos un par de días en la capital. Hicimos un "tour" por la ciudad. Vimos la Iglesia de San Francisco; el Club Hípico –realmente increíble, nos dijeron que era uno de los más bonitos de Hispanoamérica–; el Palacio de la Moneda, que es la sede del gobierno...

Ruth: Y luego vimos también barrios muy bonitos: el de la Providencia, el de Vitacura.

Isra: ¡Guau, estoy impaciente por ver las fotos!

Ana: Yo el mejor recuerdo que me llevé de Santiago es el rodeo que vimos, ¿os acordáis?

Isra: ¡Un rodeo! ¡Como en las películas!

Isaac: Sí, pero no tiene nada que ver. Estar allí viendo cómo el hombre lucha por domar al animal es otra cosa. Y luego el público, animando...

Ana: Je, je... me estoy acordando de otra cosa, ¿recordáis la cara que puso Ruth cuando oyó la palabra "polla"?

Isra: ¿Qué pasó?

Jaime: Pues que una le dijo si quería jugar a la polla o algo así y Ruth se pensó que le estaba tomando el pelo.

Ruth: Oye, que tú tampoco sabías lo que significaba...

Jaime: Sí, es verdad, pero, por cómo lo dijo, deduje que no podía significar lo mismo que en España. ¿Sabes, Isra? Lo dijo la mar de natural, era imposible que fuera "eso".

Isra: ¿Y qué era?

Isaac: ¡Pues la lotería nacional!

Todos: Je, je, je.

Isaac: Sí, la verdad es que nos sorprendió mucho lo de esa palabra.

Isra: Bueno, y luego, ¿adónde fuisteis?

Ana: Cogimos otro avión para Puerto Montt, que está a unos 1000 km al sur de Santiago. Allí hicimos varias excursiones, entre ellas a la isla de Chiloé.

Isaac: Sí, ya me acuerdo. Fue allí donde me puse morado de curanto.

Isra: ¿Cu... qué?

Isaac: Curanto, es la comida típica de la isla de Chiloé. Es un cocido de carne, pescado, marisco y verdura. Llena un montón. Comí tanto que luego me dolía el estómago...

Ruth: Calla, no me lo recuerdes, que aún me acuerdo de la nochecita que nos diste...

Isaac: Vaaaale, lo siento... oye, ¿y tú? ¡Quién fue a hablar! La que no podía dormir después de lo de la leyenda...

Isra: Ruth, ¿qué leyenda?, ¿qué pasó?

Ruth: No si... ya tenía que saltar con eso... pues, nada, que una noche nos reunimos todos para hablar en uno de los salones del hotel y allí un hombre nos explicó la leyenda del Caleuche.

Isra: ¿Del Caleuche? Nunca la había oído. ¿Y qué dice?

Ruth: Claro, porque es típica de la zona. Por lo visto, hay varias versiones, pero el hombre nos contó una. El Caleuche estaba casado con una loba. Unos pescadores en la isla de Tenglo, que está frente a Puerto Montt, mataron a la loba. El Caleuche, muy enfadado por lo que habían hecho los pescadores, juró vengarse, mandando a Puerto Montt grandes males, y llevándose a la niña más guapa del puerto. Algunos de los males fueron, por ejemplo, las erupciones del volcán Calbuco y unos incendios que destruyeron...

Ana: A mí lo que me gustó fue lo de ver bailar el costillar a los chicos...

Jaime: No, Ana, no cuentes eso... ¡Qué vergüenza!

Isaac: ¡Dioooooooooos!

Ana: Te lo explico, Isra. Es un baile típico de la zona. Ponen una botella en el centro de la pista. Es un baile de parejas masculinas. Es una competición, tienen que bailar y quien tira la botella queda eliminado y gana el otro.

Isaac: A mí, lo que más me impresionó fue el Parque Nacional Torres del Paine y toda esa zona del sur. A ti que te gusta tanto la montaña te encantaría, de verdad.

Isra: Pero ¿el paisaje de la isla de Chiloé no era bonito? Una amiga de mi hermana estuvo allí el año pasado y me dijo que hab...

Ana: Sí, Isaac, acuérdate del lago Todos los Santos, el que había cuando hicimos la excursión hacia Puerto Varas. Y luego, el volcán Osorno, con la cima nevada, era impresionante.

Isaac: Sí, pero nunca olvidaré las montañas del Parque... y luego, ¿no os acordáis del guanaco o qué?

Ruth: Ah, sí, qué bonito... tuvimos mucha suerte de verlo.

Isra: ¿Qué es el guanaco?

Ruth: Es un animal de montaña, típico de la zona, como una llama, pero un poco más grande. La llama es doméstica, mientras que el guanaco es salvaje.

Isra: ¡Chica, sí que estás puesta!

Ruth: No, no teníamos ni idea de lo que era, pero cuando vimos uno, le preguntamos al guía y él nos lo explicó.

Isra: Ah, vale..

Ana: Y también vimos un ñandú que es el avestruz de América.

Isra: Tuvisteis mucha suerte. Es muy difícil ver animales en las montañas porque siempre se esconden cuando hay gente.

Isaac: Bueno, esperamos bastante, sin hacer nada de ruido. Hay que tener mucha paciencia. Tenemos una foto del ñandú, pero no del guanaco...

Jaime: Lo que fue una idea genial es ir a las Termas de Quitralco. Fue perfecto para relajarnos un poco y recargar las pilas.

Ruth: Sí, es verdad, era como estar en el paraíso...

Ana: ¡A mí me encantó beber whisky con hielo del iceberg!

Isra: ¿Con hielo del iceberg? ¿Y eso?

Ana: Pues los tripulantes de las barcas lo arrancan y te lo dan y...

Isra: Vaya, debe ser toda una experiencia.

Isaac: Bueno, dadle el regalo ya, pobrecillo.

Isra: ¿Un regalo? A ver... Es que no puedo abrirlo, está muy bien envuelto...

Jaime: Es una taba. ¿Ves que tiene cuatro caras? Estas se llaman: hoyo, tripa, carne y culo. Los jugadores apuestan y dicen la cara que va a salir. Luego, la tiran y gana el que ha acertado. ¿Sabes? Su origen es muy antiguo, por lo visto, ya la conocían los primitivos griegos. Nos dijeron que el juego se practica mucho entre gauchos argentinos y que de ahí pasó a Chile.

Isra: ¡Guau, qué interesante! Muchísimas gracias.

Revisión (2)

[45] Los museos, tal y como hoy los percibimos, constituyen unas instituciones culturales relativamente jóvenes, íntimamente relacionadas con la sociedad contemporánea. El desarrollo de los acontecimientos ha puesto en evidencia como una de las características definitorias de los museos su capacidad para acomodarse a los cambios sociales. Como es lógico, las fuertes mutaciones operadas en la sociedad mediática se han traducido también en la transformación de nuestros museos por la irrupción de las nuevas tecnologías así como en el desarrollo de nuevos perfiles para estas instituciones.

Junto a los museos virtuales que reproducen digitalizadas obras de arte realizadas en soportes tradicionales, están apareciendo otro tipo de museos que difunden creaciones concebidas expresamente en y para la red, que a pesar de su naturaleza objetual no se resisten a ser expuestas en nuevos espacios de exposición como son los museos y las galerías digitales. Se trata de un espacio donde el arte, la tecnología y la investigación se combinan para afrontar las nuevas tendencias artísticas que permiten al espectador convertirse en partícipe de la obra.

Tras recorrer las experiencias comentadas sobre museos virtuales y digitales, observamos que la aplicación de nuevas tecnologías informáticas y de comunicación ha potenciado la función difusora de los museos, y a su vez ha permitido desarrollar dos nuevas tipologías: los museos virtuales que exponen obras de arte convencional que han sufrido un proceso de digitalización, permitiendo el acercamiento de estas creaciones al espectador que desde un lugar remoto puede acceder a ellas, incrementando su interés por visualizarlas directamente, y museos y galerías digitales vinculados a la cibercreación que se constituyen en las únicas herramientas de difusión de este nuevo tipo de arte contemporáneo, cuya razón de ser está en la propia red.

[46] **La escena transcurre** dentro de una estancia del Alcázar de Madrid, decorada con una serie de cuadros. **Los personajes se agrupan** en un primer plano en el **que la figura principal**, la infanta Margarita, **ocupa** la parte central del **grupo**; a los lados, Isabel Velasco y Agustina Sarmiento –*las meninas*–, junto a ésta última, los enanos María Bárbola y Nicolás Percusato **en actitud de** jugar con el mastín que dormita a sus pies. Detrás de ellos, en la penumbra, **aparecen** Marcela de Ulloa y un caballero que no se ha podido identificar. En la izquierda, **se encuentra** la **figura** de Velázquez con sus instrumentos de trabajo delante de un gran lienzo que **ocupa** todo el ángulo del **cuadro**. En el fondo de la habitación, junto a una puerta abierta, **se encuentra** don José Nieto de Velázquez, aposentador de la reina, que es el centro perspectivo de la **obra**. **Preside** el muro del fondo un espejo donde aparecen reflejadas **las figuras** de los reyes Felipe IV y Mariana de Austria.

Cabe destacar diversos aspectos en esta obra: la técnica, ligera y variada; el colorido, predominantemente frío pero rico en tonos elegantemente armonizados; el complejo juego entre la perspectiva lineal y la aérea, y la luz, procedente de diferentes focos, que ambienta y ayuda a la construcción y lectura de la escena.

[47 y 48] Buenos días. Me llamo Gonzalo. Debido a mi profesión, no puedo dedicar todo mi tiempo a Médicos sin fronteras. Soy oftalmólogo y trabajo en un hospital público a tiempo completo. Sin embargo, cada año pido un mes sin sueldo y me voy con la organización a países del tercer mundo donde la cirugía oftálmica está al alcance de muy pocos. Para mí, es una cuestión de justicia social. He tenido la oportunidad de estudiar para dedicarme a hacer lo que más me gusta en este mundo. Estoy en deuda, por tanto, con aquellos que no pueden tener las mismas posibilidades.

[49]
1. Mueve el cuello!
2. ¡Gira la cabeza!
3. ¡Levanta la pierna derecha!
4. ¡Baja la barbilla!
5. ¡Pon los dedos en la mesa!
6. ¡Estira el cuello!

[50]
1. Evidentemente.
2. ¡No digas tonterías!
3. Bolero.
4. Es indudable.
5. Estoy a favor.
6. ¡Nunca en la vida!
7. Merengue.
8. Recibiría.
9. Hasta luego.
10. Hola.

[51] **Oyente 1:** ¡Claro que no! No se puede aceptar que cantantes de toda la vida estén ahora de capa caída sin hacer discos nuevos mientras otros no paran de hacer conciertos.

Oyente 2: Naturalmente. ¿Por qué no? Las productoras están al corriente de la demanda del público y es ni más ni menos lo que hacen, darnos lo que queremos.

Oyente 3: ¡Que va! Estoy en contra porque muchos han luchado durante muchos años por estar donde están o... mejor dicho, donde estaban y que lleguen estos *yogurines* arrasando como si fueran divos ino puede ser!

Oyente 4: Hasta cierto punto sí, pero me da pena de los otros cantantes porque muchos no se comen una rosca desde hace tiempo.

Oyente 5: Sí, pero no deberíamos olvidar que los cantantes por antonomasia siempre estarán ahí.

Oyente 6: Me parece bien. Soy partidario de que se les dé una oportunidad a muchos chicos que si no fuera por determinados programas que arriesgan siempre estarían en el anonimato.

Oyente 7: Estoy totalmente en contra. Me niego a aceptar que estos listillos usen a estos pobres chicos con la excusa del éxito cuando lo único que están haciendo es aprovecharse de ellos y después se quedan con la mayoría del dinero.

[52]
1. ¡Que aproveche!
2. ¡Que sueñes con los angelitos!
3. ¡Que tengas un buen viaje!
4. ¡Que tengas una buena entrada y salida de año!
5. Tengo que ir a casa.
6. Es fácil hacer esto.
7. Tengo diez errores en el examen.

[53]
1. **Maribel:** ¿Se puede pasar?
   José: Si adelante, pasa, pasa.
   Maribel: Necesito el balance de siniestralidad laboral del año pasado.
   José: Sí, cógelo, está en el segundo cajón. No necesitas la llave, está abierto.
   Maribel: Bien, ya lo tengo, aquí está. Bueno, me marcho.
   José: Espera un momento. ¿Qué te parece tu nuevo compañero de despacho?
   Maribel: Es un chico muy trabajador y abierto, se ha integrado rápidamente con todos los compañeros del sector.

2. Juan: ¿Sí?

María: ¡Hola, Juan! Soy María. ¿Qué tal? ¿Haces algo esta noche? Es que estoy aburrida aquí en casa sin hacer nada, ¿vamos al cine?

Juan: Genial, porque ha venido a pasar unos días a casa un tío de mi padre que es muy aburrido y así me libro de él por unas horas. Paso a recogerte en 30 minutos.

María: Estupendo, te espero en mi casa, entonces. ¡Hasta ahora!

Juan: ¡Hasta ahora!

[54] **Marcos:** Bueno, chico, yo me voy porque estoy cansado, hoy he tenido un día duro de trabajo. ¡Que lo dicho! Me ha encantado volver a veros después de tantos años.

José Luis: Espera que yo también me voy.

Juan: ¡Dios mío! ¿Te has fijado en que Marcos no ha cambiado nada después de tantos años? Es tan cansado como lo era hace quince años. Cada vez que se ponía a contar sus historias y sus viajes por África creía que me moría del aburrimiento.

Pedro: Hoy no viene a trabajar Mario porque hoy termina el Ramadán y se ha pedido el día para celebrar Eid Mubarak.

Rosa: ¿Ah, sí? No sabía que fuera musulmán, pensaba que era católico.

Pedro: Su mujer es musulmana y cuando se casó se convirtió al islamismo. Chica, ¡tú no estás muy católica! Yo en tu lugar, me iría a casa y terminaría el trabajo mañana.

[55]
1. ¿Qué hora es?
2. ¿Está Inma en casa?
3. La has llamado hoy, ¿verdad?
4. Vamos a hacer gazpacho.
5. Me ha invitado a su casa, pero no voy a ir.
6. Mi novio es ecuatoriano.
7. No estoy de acuerdo.
8. ¡Ni hablar! Eso no es así.

[56] Ver grabación 24, Prisma Progresa del profesor (B1), página 153.

[57] morbo, remo, amor, risa, cara, marzo, tierra, mero, morro, carta, moro, tira.

[58] Alrededor, Enrique, Israel.

[59] Rabia, enredar, sonrisa, enriquecer, agarrado, repipi, enroscar, perro, rubio, israelí.

[60 y 61] Pare, tire, Puri, cara, corazón.

[62 y 63] Carpa, carta, Carmen, amor, tener, mercado.

[64] 1. coro; 2. corto; 3. corro.

[65 y 66] Corre, reto, rima, tarro, carrito.

[67] Necesitamos crear guarderías. Necesitamos crear residencias para la tercera edad. Necesitamos pisos asequibles para jóvenes y solos. Necesitamos mejorar transportes e infraestructuras. Remunerar mejor la medicina y optimizar la sanidad... Si hay falta de medios, de recursos económicos para tanta necesidad de primer orden, ¿por qué no ahorrar en campañas electorales? Suprimir tanto letrerito, carteles y fiestas. ¿Por qué este despilfarro en fiestas mayores de distritos? Propongo apretarse el cinturón en cuestiones que —apuesto— el ciudadano vería con buenos ojos a cambio de mejorar otras cosas mucho más necesarias. Celebraría, con mi voto, al político que lo propusiera. Los ciudadanos no somos tan aborregados como piensan algunos y estamos ávidos por mejorar nuestra calidad de vida, mil veces antes que recibir un "pa amb tomàquet" por ir a un mitin.

[68] Cara, tener, carta.

Claves fichas

Expresiones coloquiales que aparecen en la esce...
expresa desagrado, descontento por algo q...
utilizamos en un contexto totalmente info...
expresión coloquial menos fuerte sería: ¡Qu...
no coloquial sería: ¡Lo siento!

¡Joder! En la primera mención es una interje...
zamos en un contexto informal. Una expres...
sión sinónima en un contexto no coloquial se...
una interjección que expresa sorpresa. La uti...
coloquial menos fuerte sería: ¡Jope! Expresion...
¡Caramba! ¡Madre mía!

¡Te lo juro! Expresión que denota deseo de conv...
coloquial serían: *¡De verdad! ¡En serio!*

¡Hijo de puta! Significa "mala persona". Es un insu...
mal y es más propio de la lengua masculina...
¡Capullo!

Pasar de algo. No querer hacer algo o mostrar de...

Un puntito, ¿no? Expresión que denota complace...
compartir con el interlocutor. También se puede us...
un contexto no coloquial sería: *No está mal, ¿no?*

...cha 11

... Encrucijadas; 2. Creando oportunidades; 3 Por mi ac...

...cha 12

... hubiera usado; 2. haber echado; 3. habría podido; 4. hu...
7. se hubiera acordado; 8. hubiera usado.

... A no ser que hubiera una mínima oportunidad, no lo in...
... haga lo que quiera; 3. Si llega a aprobar podría haber h...
...sen sus condiciones laborales, harán huelga. 5. Siempre ...
...drá ninguna pega; 6. De haber hecho lo que tenías que h...
... me obligaran no lo dejaría; 8. Siempre que tuviéra...
...quedábamos en casa. 9. Siempre que tenga ganas iré a l...
...Excepto si no hay plaza, estudiaréis matemáticas.

...ha 14

... más contento que unas castañuelas.

...ar tan rojo como un tomate; 2. Ser tan fiero como un león; 3. Se...
...lanco como la leche; 5. Ser tan ágil como una ardilla; 6. Estar tan...
...claro que el agua; 8. Ser ta...

Ficha 1

A 1. c; 2. d; 3. i; 4. g; 5. i; 6. e; 7. f; 8. h; 9. a; 10. b.

Ficha 2

B 1. subjuntivo; 2. indicativo; 3. indicativo; 4. subjuntivo; 5. subjuntivo; 6. subju...
8. indicativo; 9. subjuntivo; 10. subjuntivo.

C 1. pruebes; 2. compraría; 4. está; 7. toque.

Ficha 3

A 1. e; 2. h; 3. b; 4. j; 5. k; 6. ñ; 7. i; 8. g; 9. n; 10. l; 11. f; 12. a; 13. d; 14. m; ...

B 4. ¿Cuándo acaba la película?; 5. Dos minutos y salgo; 6. Espero verte ma...
8. Mañana tengo examen; 9. Vengo de Barcelona; 10. No sé; 11. No sé si...
13. Te invito al cine; 14. Tengo sueño; 15. Un beso.

Ficha 5

A a. Solo, sin contar con otros; b. Situarse en un lugar o sobre una cosa d...
c. Persona que escribe a máquina; d. Máquina que sirve para levanta...
punto a otro; e. Planta pequeña, de tallo verde; f. Pie y pierna de los a...
trar; h. Obligatoriamente; i. Instrumento musical de metal; j. Cargar sob...
da; k. Prenda que se pone a los niños sobre el pecho para que no se e...

B 1. Cocodrilo; 2. mariposa; 3. jirafa; 4. gaviotas; 5. elefante; 6. cebra; 7. ...

Ficha 6

A Tablero, retroproyector, radiador, carpeta, grapadora, diccionario, ...
donde se ponen mensajes a la vista; un aparato en el que se pueder...
que sale calor; una cosa en la que se pueden guardar los papeles; ...
mos papeles; libro en que, por orden comúnmente alfabético, se c...
dicciones de una lengua; lugar en el que se lleva material de tra...
comunicamos con los demás.

... 1. quien; 2. Quien, la que, el que, 3. lo que, 4. en la que, donde; 5...
... 9. Quien, el que, la que; 10. los cuales, q...
... 17. cual, que.

Ficha 15

A 1. Ser tan tercos como una mula; 2. Ser más listo que el hambre; 3. Está más claro que el agua;
4. Ser tan ágil como una ardilla; 5. Sea tan grande como una casa.

Ficha 16

A 1. Doblada sobre sí misma; 2. Tocar algo con suavidad; 3. Lugar donde se cuida a los niños que
no tienen padres; 4. Que resulta bonito o gracioso; 5. Objetos que se dan a los niños pequeños
para que los chupen y que no lloren; 6. De forma alargada; 7. Proteger del frío; 8. Es la forma de
preguntar la edad de los bebés; 9. Moverse de un lado a otro en un lugar; 10. Especie de botella para dar leche y otros líquidos a los niños pequeños; 11. Poner en peligro; 12. Dedo gordo de
la mano o del pie; 13. Lugar o situación muy desagradables; 14. Quedarse embelesado, sentir
mucha admiración o cariño por alguien o algo.

B a. monada; b. monada; c. rasgados; d. ¿Y qué tiempo tiene?; e. chupetes; f. has abrigado; g. biberón; h. se revuelve; i. acurrucada; j. pulgar; k. rozando; l. orfanato; m. se arriesgaron; n. infierno;
ñ. cae la baba.

Ficha 17

B **Taco:** Palabra ofensiva, grosera o malsonante.

Blasfemia: Expresión injuriosa contra Dios o las cosas sagradas.

Ficha 19

B 1. Falso, también expresa las cosas que no le gustan; 2. Falso, las ideas se expresan de forma caótica; 3. Falso, el autor es muy concreto a la hora de detallar las cosas que le gustan; 4. Verdadero.

C **Vista:** las cunetas con papeles y botellas; ver como se besan los adolescentes; **Tacto:** el de la tela
de algodón sobre la piel; manos bladas y húmedas; **Gusto:** la sobrasada; arroz al horno; las bravas; **Olfato:** el aliento fétido; **Oído:** el clamor de las ambulancias; sirenas de policía; gritos.

Ficha 21

C 1. No querer vivir a causa de un problema grave; 2. Conseguir un objetivo; 3. No caer en un estado de ansiedad, tristeza y desilusión; 4. Rechazar a alguien; 5. Estar oculto, mantenerse escondido; 6. Alcanzar la gloria, la felicidad; 7. Obtener una medalla.

Ficha 22

A 1. b; 2. g; 3. c; 4. j; 5. d; 6. a; 7. f; 8. i; 9. h; 10. e.

¡Joder! En la segunda men...
contexto informal. Una exp...
en un contexto no coloquia...

...siones sinónimas en un conte...

...sa en un contexto totalment...
...sión coloquial menos fuer...

... por algo.

...ado por algo que gusta y s...
...y!, ¿no? Una expresión sinón...

... 4. Cargo de conciencia.

...biera visto; 5. tuvieses; 6. pr...

...entaria; 2. De aprobar los...
...hecho lo que quisiese; 4. E...
...re que se lo pidan con edu...
...e hacer, no habría pasado n...
...éramos ganas íbamos a la p...
...a a la playa, si no, me queda...

...león; 3. Ser tan bueno com...
...6. Estar tan gordo como un...
...9. Ser tan grande como un...
...12. Ser más feo que un der...
...15. Ser tan ligero como un...

Ficha 1

A 1. c; 2. d; 3. j; 4. g; 5. i; 6. e; 7. f; 8. h; 9. a; 10. b.

Ficha 2

B 1. subjuntivo; 2. indicativo; 3. indicativo; 4. subjuntivo; 5. subjuntivo; 6. subjuntivo; 7. subjuntivo; 8. indicativo; 9. subjuntivo; 10. subjuntivo.

C 1. pruebes; 2. compraría; 4. está; 7. toque.

Ficha 3

A 1. e; 2. h; 3. b; 4. j; 5. k; 6. ñ; 7. i; 8. g; 9. n; 10. l; 11. f; 12. a; 13. d; 14. m; 15. c.

B 4. ¿Cuándo acaba la película?; 5. Dos minutos y salgo; 6. Espero verte mañana; 7. Estoy en casa; 8. Mañana tengo examen; 9. Vengo de Barcelona; 10. No sé; 11. No sé si iré; 12. ¿Qué tal todo?; 13. Te invito al cine; 14. Tengo sueño; 15. Un beso.

Ficha 5

A a. Solo, sin contar con otros; b. Situarse en un lugar o sobre una cosa después de haber volado; c. Persona que escribe a máquina; d. Máquina que sirve para lenvantar pesos y llevarlos de un punto a otro; e. Planta pequeña, de tallo verde; f. Pie y pierna de los animales; g. Exhibir, mostrar; h. Obligatoriamente; i. Instrumento musical de metal; j. Cargar sobre los hombros o la espalda; k. Prenda que se pone a los niños sobre el pecho para que no se manchen al comer.

B 1. Cocodrilo; 2. mariposa; 3. jirafa; 4. elefante; 5. cebra; 6. caracol; 7. pingüino.

Ficha 6

A Tablero, retroproyector, radiador, carpeta, grapadora, diccionario, cartera, móvil. Una cosa en donde se ponen mensajes a la vista; un aparato en el que se pueden ver diapositivas; aparato del que sale calor; una cosa en la que se pueden guardar los papeles; una máquina con la que unimos papeles; libro en que, por orden comúnmente alfabético, se contienen y explican todas las dicciones de una lengua; lugar en el que se lleva material de trabajo; aparato por el que nos comunicamos con los demás.

C 1. quien; 2. Quien, la que, el que; 3. lo que; 4. en la que, donde; 5. que; 6. quien, el que; 7. que; 8. quien, al que, a la que; 9. Quien, el que, la que; 10. los cuales, quienes, que; 11. que; 12. lo que; 13. el que, lo que; 14. cuyo; 15. la que; 16. quien; 17. cual, que.

Ficha 8

D Es la escena que resume la película y, por otra parte, Almodóvar ha hecho de una escena dura y cruel un cuadro de ternura en el que el espectador no puede sino sentir simpatía hacia un secuestrador. ¡Increíble!

E Expresiones coloquiales que aparecen en la escena de *Átame*: *¡Qué putada!* En este contexto expresa desagrado, descontento por algo que ha ocurrido y afecta negativamente a alguien. La utilizamos en un contexto totalmente informal y es más propio de la lengua masculina. Una expresión coloquial menos fuerte sería: *¡Qué guarrada!* Una expresión sinónima en un contexto no coloquial sería: *¡Lo siento!*

¡Joder! En la primera mención es una interjección que expresa desagrado, descontento. La utilizamos en un contexto informal. Una expresión coloquial menos fuerte sería: *¡Jopé!* Una expresión sinónima en un contexto no coloquial sería: *¡Caramba! ¡Joder!* En la segunda mención es una interjección que expresa sorpresa. La utilizamos en un contexto informal. Una expresión coloquial menos fuerte sería: *¡Jopé!* Expresiones sinónimas en un contexto no coloquial serían: *¡Caramba! ¡Madre mía!*

¡Te lo juro! Expresión que denota deseo de convencer, expresiones sinónimas en un contexto no coloquial serían: *¡De verdad! ¡En serio!*

¡Hijo de puta! Significa "mala persona". Es un insulto que se usa en un contexto totalmente informal y es más propio de la lengua masculina. Una expresión coloquial menos fuerte sería: *¡Capullo!*

Pasar de algo. No querer hacer algo o mostrar desinterés por algo.

Un puntito, ¿no? Expresión que denota complacencia, agrado por algo que gusta y se quiere compartir con el interlocutor. También se puede usar *¡Guay!, ¿no?* Una expresión sinónima en un contexto no coloquial sería: *No está mal, ¿no?*

Ficha 11

A 1. Encrucijadas; 2. Creando oportunidades; 3. Por mi acento; 4. Cargo de conciencia.

Ficha 12

A 1. hubiera usado; 2. haber echado; 3. habría podido; 4. hubiera visto; 5. tuviese; 6. proporcionase; 7. se hubiera acordado; 8. hubiera usado.

B 1. A no ser que hubiera una mínima oportunidad, no lo intentaría; 2. De aprobar los exámenes, que haga lo que quiera; 3. Si llega a aprobar podría haber hecho lo que quisiese; 4. Excepto que revisen sus condiciones laborales, harán huelga; 5. Siempre que se lo pidan con educación, no pondrá ninguna pega; 6. De haber hecho lo que tenías que hacer, no habría pasado nada; 7. Salvo que me obligaran no lo dejaría; 8. Siempre y cuando tuviéramos ganas íbamos a la playa, si no, nos quedábamos en casa; 9. Siempre que tenga ganas iré a la playa, si no, me quedaré en casa; 10. Excepto si no hay plaza, estudiaréis matemáticas.

Ficha 14

A Estar más contento que unas castañuelas.

B 1. Estar tan rojo como un tomate; 2. Ser tan fiero como un león; 3. Ser tan bueno como el pan; 4. Ser tan blanco como la leche; 5. Ser tan ágil como una ardilla; 6. Estar tan gordo como una vaca; 7. Estar más claro que el agua; 8. Ser tan terco como una mula; 9. Ser tan grande como una casa; 10. Ser tan alto como una jirafa; 11. Estar tan duro como una piedra; 12. Ser más feo que un demonio; 13. Ser más listo que el hambre; 14. Estar tan loco como una cabra; 15. Ser tan ligero como una pluma; 16. Ser tan astuto como un zorro.

Ficha 15

A 1. Ser tan tercos como una mula; 2. Ser más listo que el hambre; 3. Está más claro que el agua; 4. Ser tan ágil como una ardilla; 5. Sea tan grande como una casa.

Ficha 16

A 1. Doblada sobre sí misma; 2. Tocar algo con suavidad; 3. Lugar donde se cuida a los niños que no tienen padres; 4. Que resulta bonito o gracioso; 5. Objetos que se dan a los niños pequeños para que los chupen y que no lloren; 6. De forma alargada; 7. Proteger del frío; 8. Es la forma de preguntar la edad de los bebés; 9. Moverse de un lado a otro en un lugar; 10. Especie de botella para dar leche y otros líquidos a los niños pequeños; 11. Poner en peligro; 12. Dedo gordo de la mano o del pie; 13. Lugar o situación muy desagradables; 14. Quedarse embelesado, sentir mucha admiración o cariño por alguien o algo.

B a. monada; b. monada; c. rasgados; d. ¿Y qué tiempo tiene?; e. chupetes; f. has abrigado; g. biberón; h. se revuelve; i. acurrucada; j. pulgar; k. rozando; l. orfanato; m. se arriesgaron; n. infierno; ñ. cae la baba.

Ficha 17

B Taco: Palabra ofensiva, grosera o malsonante.

Blasfemia: Expresión injuriosa contra Dios o las cosas sagradas.

Ficha 19

B 1. Falso, también expresa las cosas que no le gustan; 2. Falso, las ideas se expresan de forma caótica; 3. Falso, el autor es muy concreto a la hora de detallar las cosas que le gustan; 4. Verdadero.

C Vista: las cunetas con papeles y botellas; ver como se besan los adolescentes; Tacto: el de la tela de algodón sobre la piel; manos bladas y húmedas; Gusto: la sobrasada; arroz al horno; las bravas; Olfato: el aliento fétido; Oído: el clamor de las ambulancias; sirenas de policía; gritos.

Ficha 21

C 1. No querer vivir a causa de un problema grave; 2. Conseguir un objetivo; 3. No caer en un estado de ansiedad, tristeza y desilusión; 4. Rechazar a alguien; 5. Estar oculto, mantenerse escondido; 6. Alcanzar la gloria, la felicidad; 7. Obtener una medalla.

Ficha 22

A 1. b; 2. g; 3. c; 4. j; 5. d; 6. a; 7. f; 8. i; 9. h; 10. e.

Transparencia 15

A 1. d➜E; 2. a➜C; 3. e➜D; 4. c➜A; 5. f➜B; 6. b➜F.

HOSPITAL DE LA SANTA CREU I SANT PAU

Misión original: servir a los pobres y peregrinos.

Misión actual: ser un hospital competitivo y dinámico, abierto a la sociedad y a su entorno sanitario.

Actividad: asistencia, docencia e investigación.

Situación: centro de la ciudad, con acceso en transporte público.

PEDIR Y DAR CONSEJO

- **Pedir consejo**
    - *¿Qué me aconsejas?*
    - *¿Qué piensa que es mejor?*
    - *¿Cuál considera que es más apropiado?*
    - *¿Qué me recomiendas?*
    - *¿Usted qué haría?*

- **Dar consejo**
    - **a.** • Recomendar, aconsejar, sugerir + *que* + SUBJUNTIVO
        - *Te sugeriría que practicaras gimnasia.*
        - *Los especialistas recomiendan que estos ejercicios se practiquen de forma regular.*
        - • Sería + *recomendable, aconsejable...* + *que* + PRETÉRITO IMPERFECTO DE SUBJUNTIVO
            - *Sería aconsejable que tuvieras la información adecuada.*
    - **b.** • *¿Y si* + PRESENTE DE INDICATIVO?
        - *¿Y si te apuntas a yoga?*
        - • *¿Y si* + PRETÉRITO IMPERFECTO DE SUBJUNTIVO?
            - *¿Y si fueras al especialista para solucionar tus problemas de estómago?*
    - **c.** • Imperativo
        Concha: *Me han ofrecido otro trabajo, pero no sé qué hacer.*
        Daniela: *No lo dudes, acéptalo.*
    - **d.** • *Deber* + INFINITIVO
        - *No deberías tomar el sol en exceso.*
    - **e.** • *Tener que* + INFINITIVO
        - *Tienes que hablar con el director y plantearle los problemas que tanto te preocupan.*
        - *Luis tendría que hablar más despacio. Los alumnos no lo entienden.*
    - **f.** • *Si yo fuera tú/usted*
        • *Yo que tú/usted* } + CONDICIONAL SIMPLE
        • *Yo en tu lugar/su*
        - *Si yo fuera tú, me haría unos análisis de sangre.*
        - *Yo que usted practicaría más deporte.*
        - *Yo en tu lugar sería prudente.*

EL CORREO ELECTRÓNICO

• **Relaciona las palabras con su representación gráfica.**

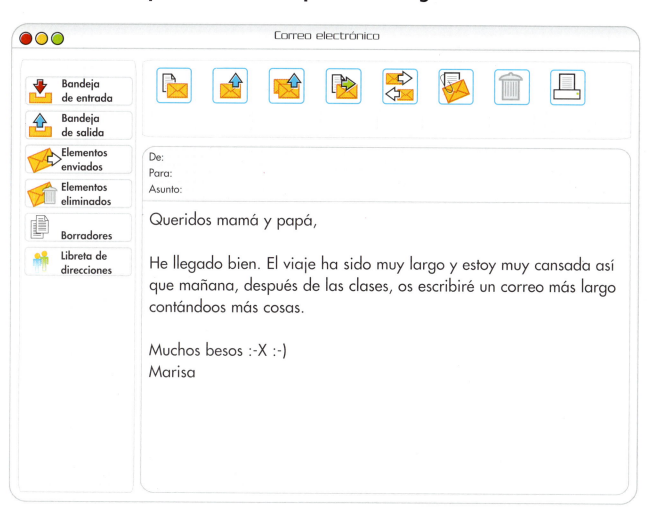

Eliminar

Responder a todos

Responder

Nuevo

Enviar y recibir

Imprimir

Adjuntar

Reenviar

LOS CAMBIOS VERBALES EN EL DICURSO REFERIDO

DECIR	REFERIR O CONTAR LO DICHO	
Tiempo original	**Dice / Ha dicho que...**	**Ha dicho / Dijo que...**
• Indicativo		
Presente	**No cambia**	**Pretérito imperfecto**
Pretérito imperfecto	No cambia	No cambia
Pretérito indefinido	No cambia	**Pret. pluscuamperfecto**
Pretérito perfecto	No cambia	**Pret. pluscuamperfecto**
Pret. pluscuamperfecto	No cambia	No cambia
Futuro imperfecto	No cambia	**Condicional simple**
Condicional simple	No cambia	No cambia
Futuro perfecto	No cambia	Condicional compuesto
• Subjuntivo		
Presente	No cambia	**Pret. imperfecto**
Pretérito imperfecto	No cambia	Pret. imp./pluscuamp.
Pretérito perfecto	No cambia	Pret. pluscuamperfecto
• Imperativo		
	Presente de subjuntivo	**Pret. imperfecto de subjuntivo**

PRONOMBRES Y ADVERBIOS RELATIVOS

- **Pronombres relativos**
  - **QUE:** es el más usado. Va precedido del artículo:
    - Si no hay un antecedente expreso: *Los que leen viven más.*
    - En construcciones enfáticas con el verbo ser: *Él <u>es el que</u> me robó.*
    - Tras preposición: *Ese es el hombre <u>con el que</u> te vi.*

  - **LO QUE:** se utiliza cuando el antecedente se refiere a un concepto o idea sin noción de género:

    No entiendo <u>lo que</u> dices.

  - **QUIEN/QUIENES:** se refiere solo a personas. Equivale a *el/la/los/las que:*

    <u>Quienes</u> leen viven más.   *Ese es el hombre <u>con quien</u> te vi.*

    - Se usa tras *haber* y *tener.*

      No <u>hay quien</u> te entienda.

  - **CUAL:** debe ir siempre con artículo.
    - Siempre lleva antecedente expreso.
    - Se usa obligatoriamente cuando no hay un verbo en forma conjugada:

      Estuvimos limpiando, hecho lo cual, nos fuimos al cine.
    - Tras preposición:

      En la cocina hay una estantería, <u>en la cual</u> están las especias.

  - **CUYO, CUYA, CUYOS, CUYAS:** es un determinante posesivo. Va entre dos nombres y concuerda con el segundo en género y número. Expresa relación o posesión con el nombre expresado anteriormente.

    Esa es la chica <u>cuyo</u> padre es escritor = el padre de la chica es escritor.

- **Adverbios relativos**

  Se pueden sustituir por **en el que** si tienen antecedente sustantivo.

PERÍFRASIS DE INFINITIVO

- ## *Llevar sin* + infinitivo (1c)
  La cantidad de tiempo que hace que alguien no realiza una acción:
  > *Llevo sin ir al cine más de tres meses.*

- ## *Dejar de* + infinitivo (2h)
  La interrupción de una acción:
  > *He dejado de tener protagonismo.*

- ## *Tener que* + infinitivo (3j)
  La necesidad u obligación de realizar una acción:
  > *Tenemos que ir al estreno para hacer la crítica.*

- ## *Deber de* + infinitivo (4b)
  La probabilidad de la realización de una acción:
  > *La gente debe de pensar que la entrada cuesta lo mismo.*

- ## *Deber* + infinitivo (5k)
  La obligación de la realización de una acción:
  > *Los protagonistas deben acudir al estreno de la película.*

- ## *Poder* + infinitivo (6d)
  La posibilidad de la realización de una acción:
  > *Puede hablar de la película, la ha visto tres veces.*

- ## *Ir a* + infinitivo (7f)
  La intención de la realización de una acción:
  > *Va a recoger el premio que ha obtenido.*

- ## *Volver a* + infinitivo (8e)
  La repetición o reanudación de una acción:
  > *El cine español vuelve a encontrarse en alerta.*

- ## *No acabar de* + infinitivo (9a)
  La realización no satisfactoria o la no realización en su totalidad de una acción:
  > *Las plataformas digitales no acaban de fusionarse.*

- ## *Acabar de* + infinitivo (10g)
  La realización de una acción inmediatamente anterior al momento en que se produce el discurso:
  > *Acabo de dirigir una película.*

- ## *Seguir sin* + infinitivo (11i)
  La constatación de la no realización de una acción ya intentada anteriormente:
  > *Sigo sin lograr la venta de 4000 ejemplares.*

PERÍFRASIS DE GERUNDIO

- ### *Llevar* + gerundio + expresión de tiempo (12m)
  La cantidad de tiempo que alguien o algo ha ocupado en realizar una acción:
  > *Llevan sufriendo mucho tiempo.*

- ### *Seguir, andar* + gerundio (13n)
  La continuidad e insistencia de una acción:
  > *Sigues intentando que la historia que rodaste le guste a la gente.*

- ### *Acabar* + gerundio (14l)
  La realización final de una acción después de un proceso largo o difícil:
  > *Tuvo tanto éxito que acabó ganando un Oscar.*

PERÍFRASIS DE PARTICIPIO

- ### *Dejar* + participio (15o)
  La realización de una acción en su totalidad:
  > *Dejó terminada la película antes de morir.*

- ### *Tener* + participio (16p)
  La finalización de una acción anterior a otra:
  > *Tiene compradas las entradas para mañana.*

- ### *Dar por* + participio (17ñ)
  La finalización de una acción que podría continuar:
  > *Ha dado por finalizado el "casting".*

- ### *Llevar* + participio (18q)
  La realización parcial de una acción:
  > *Lleva hechas 20 películas.*

A FAVOR Y EN CONTRA DE LA PIRATERÍA

 EN CONTRA *Carlos Infante*

- **Idea:**

  La música de este país se encuentra en peligro por un grupo de desalmados.

- **Argumento 1:**

  Muchos profesionales han ido al paro.

- **Argumento 2:**

  Cada vez se editan menos discos. Cada vez habrá menos autores noveles. Cada vez habrá menos intérpretes que puedan dar conciertos.

- **Argumento 3:**

  Se perderán miles de puestos de trabajo por cuatro delincuentes que se hacen de oro por la inconsciencia de un grupo de clientes que consideran abusivo el precio del disco.

- **Argumento 4:**

  Los inmigrantes ilegales cometen un delito penal al igual que los que compran los discos; mantienen toda una mafia que obtiene cuantiosos beneficios a costa del trabajo ajeno.

 **A FAVOR** *Manu Martínez*

- **Idea:**

  La música no se morirá si compramos a los top manta o pirateamos.

- **Argumento 1:**

  A las grandes compañías se les está acabando el chollo y con él las ingentes cantidades de dinero que han venido ganando.

- **Argumento 2:**

  Es posible bajar las canciones de Internet con el uso del mp3 sin pagar nada.

- **Argumento 3:**

  Los grandes músicos seguirán ganando dinero con los conciertos como siempre han hecho sin que sean las discográficas las que se enriquezcan.

- **Argumento 4:**

  Es un cambio de sistema que favorece a la mayoría de la población.

LA GEOGRAFÍA DE LOS RITMOS LATINOS

México

Cuba

Rep. Dominicana

Honduras Haití

Guatemala

El Salvador Nicaragua

Costa Rica

Panamá

Venezuela Guyana

Surinam

Guayana francesa

Colombia

Ecuador

Perú

Brasil

Bolivia

Paraguay

Argentina

Chile

Uruguay

JUEGO DE LAS CONDICIONALES

LAS CONDICIONALES EN ESPAÑOL

Primera condicional

- Condicional real de presente. La acción se lleva a cabo si se produce la condición necesaria.

  Si + presente indicativo, futuro simple

  Si + presente indicativo, imperativo

  Si + presente indicativo, presente

- Si la condición se dio en el pasado, es decir, tenemos experiencia de ello.

  Si + pretérito perfecto/ imperfecto/ indefinido/ pluscuamperfecto de indicativo, pretérito perfecto/ imperfecto/ indefinido/ pluscuamperfecto de indicativo

Segunda condicional

- Condicional irreal de presente. Para que la acción se produjese, sería necesaria una condición que no se da en ese momento.

  Si + imperfecto de subjuntivo, condicional simple

  De + infinitivo, condicional

Tercera condicional

- Condicional irreal de pasado. Hacemos referencia a una acción que nunca se produjo en el pasado, ya que no se dio la condición necesaria.

  Si + pretérito pluscuamperfecto subjuntivo, condicional compuesto

  De + infinitivo compuesto, condicional compuesto

  Si + *llegar a* + infinitivo, condicional compuesto

  Nota: En la apódosis de las condicionales puede también aparecer pretérito pluscuamperfecto de subjuntivo por condicional compuesto.

  Si hubiese llegado a tiempo, hubiéramos ido a verte.

Cuando tratamos de:

1. Identificar o definir, usamos *ser*.

   – *Esa es la pintura de la que te hablaba.*

2. Hablar de origen, nacionalidad, procedencia, usamos *ser*.

   – *Frida era mexicana.*

3. Informar sobre la profesión, se usa *ser*, y cuando queremos hablar de una actividad temporal, usamos *estar de*. Si lo que queremos es destacar que una actividad no corresponde a la profesión principal de la persona o que esta no es la más indicada, se usa *hacer de*.

   – *Mi amiga es pintora. Está de recepcionista en el Museo de Arte Contemporáneo y, cuando hay muchos visitantes, hace de guía.*

4. Informar sobre el material, usamos *ser*.

   – *Ese lienzo tiene un marco que es de madera de roble.*

5. Referirnos a un suceso o acontecimiento, se usa *ser*.

   – *La exposición es en el museo Domus.*

6. Localizar en el espacio, se usa *estar*.

   – *El museo Frida Kahlo está en Coyoacán (México).*

USOS DE *SER* Y *ESTAR* (2)

7. Describir a personas o cosas de manera objetiva, usamos **ser** y para hacerlo de manera más subjetiva, usamos **estar**.

    – *La vida de Frida **fue** bastante difícil.*

    – *Su amiga no **estaba** simpática en la cena de anoche, no hablaba con los otros artistas.*

8. Formular apreciaciones subjetivas sobre elementos de información, usamos **ser**.

    – ***Es** extraño que no hayan abierto el museo todavía.*

9. Decir que algo está hecho, se usa **ya está**.

    ▷ *¿Cuándo inauguran el museo?*

    ▶ *El museo **ya está** inaugurado.*

10. Indicar que se va a realizar una acción inmediatamente, se usa **estar a punto de**.

    – *No pude visitar el museo porque cuando llegué **estaba a punto de** cerrar.*

11. Expresar que la acción no se ha realizado todavía, usamos **estar por**.

    – *La pintura **está por** terminar.*

12. Indicar que algo o alguien está preparado para realizar una acción, usamos **estar para**.

    – *El catálogo de la exposición **está para** salir.*

UNA IMAGEN VALE MÁS QUE MIL PALABRAS

1. Relaciona los gestos y los diálogos.

a. ► Lo mejor es ser famoso, no haces nada y no tienes problemas económicos.
▷ **Hummmm, no sé**, yo no estaría tan segura de eso porque ser famoso también tiene muchos inconvenientes.

b. ► El hijo se comporta igual que ‌ padre, es increíble.
▷ **Ya lo dice el refrán, de tal palo tal astilla.**

c. ► ¿Sabes? Para mí, es muy importante saber escuchar a los demás a la hora de opinar.
▷ **Para mí, también.** Creo que es fundamental estar abierto a otras opiniones.

d. ► ¿No vas a opinar sobre el tema o qué?
▷ **La verdad es que me da igual**, lo que decidáis me va bien.

e. ► ¿Y tú? ¿Estás a favor o en contra?
▷ **Ni idea**, no puedo opinar porque no sé nada de ese tema.

f. ► A mí no me gustaría ser famoso, me da igual el dinero.
▷ **No, no te creo**. ¿A quién quieres engañar? No conozco a nadie que piense eso del dinero.

2. Ahora, relaciónalos con lo que expresan:

**A. Acuerdo B. Desacuerdo C. Desacuerdo parcial
D. Desconocimiento E. Indiferencia F. Opinión con apoyo de la tradición**

RECURSOS LINGÜÍSTICOS PARA ATENUAR LA OPINIÓN

1. Desdibujar la primera persona

• Eliminando los verbos que introducen opinión en primera persona sustituyéndolos por otros que indican opinión general:

  – ~~Creo que~~ *es peligroso que los chicos jueguen en el parque.*

• Utilizando la 2.ª persona del singular

  – *Como profesor no **puedes** dejar de contestar las preguntas de los alumnos.*

• Con *uno/una* + verbo en 3.ª persona del singular.

  – ***Una** no sabe nunca qué hacer en estas situaciones.*

• Mediante la 1.ª persona del plural ➜ uso formal

  – ***Pensamos**, pues, que este problema se puede resolver.*

2. El condicional

  – ***Habría** que tener en cuenta cuánto tiempo lleva trabajando.*

3. Elementos atenuadores

  – ***No sé mucho de este asunto, pero** creo que no se debería actuar así.*

4. Fórmulas para expresar probabilidad

  – ***Es probable que** tengan que tomar medidas para solucionar el problema.*

EXPRESIONES DE SENTIMIENTOS Y SENSACIONES

ALEGRÍA

- Me vuelvo loco por...
- Estoy loco de alegría.
- Está como un niño con zapatos nuevos.

TRISTEZA

- Estoy hecho polvo.
- ¡Cómo / cuánto lo siento!
- Me duele en el alma.

GUSTO / SATISFACCIÓN

- ¡Cómo me gusta!
- ¡Qué gustazo / gozada / pasada!
- Le estoy tomando el gusto a...

ENFADO

- Me pone enfermo /furioso.
- Me saca de quicio.
- Me revienta / repatea.

ASCO

- ¡Qué asqueroso / repugnante!
- Me revuelve el estómago.
- Es repulsivo.

INDIFERENCIA

- ¡Qué más da!
- A mí, ni fu ni fa.
- Me importa un pito / un pimiento.
- No me va ni me viene.

SORPRESA

- ¡No me digas!
- Me dejas de piedra / boquiabierto.
- Pero ¿habrase visto?
- ¿Hablas en serio?

ABURRIMIENTO

- ¡Qué aburrido / rollo / lata / muermo!
- ¡Esto no hay quien lo aguante!
- Esto es un rollo macabeo.
- Estoy harto / cansado de...

MIEDO

- Me muero de miedo.
- Se me ponen los pelos de punta.
- Se me pone la carne de gallina.
- ¡Qué miedo / pánico / horror!

EL DESPIECE DEL CERDO

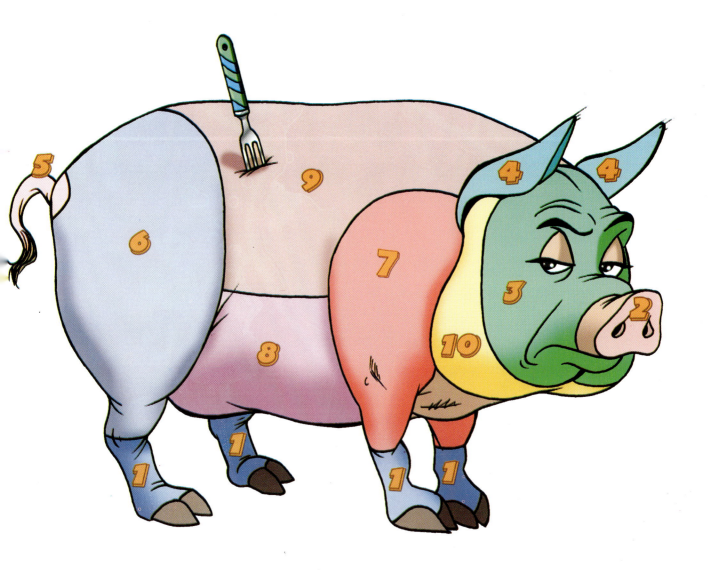

DEFENDER LA PROPIA OPINIÓN

Intentar convencer a alguien:

1. No es que quiera convencerte, pero...
2. Aunque tú digas..., yo te digo que...
3. A pesar de eso, ¿no crees que...?
4. Bueno, ¿y si lo miramos desde otro ángulo?
5. Sí, pero desde otro punto de vista...
6. Por favor, fíjate en...
7. Te puedo dar mil razones por las que creo que tú debes...

Expresar las razones de algo:

1. Como que...
2. Me baso en...
3. Deja que te explique.
4. La cosa va así, mira,...
5. Voy a exponerte una a una las razones por las que...
6. Estos son los pros y los contras que he sopesado...
7. ¿Que por qué? Pues, mira, por el simple hecho de que...

Dar la razón a alguien:

1. Sí, ahora que lo pienso, lo que dice es cierto.
2. Sí, me había olvidado de esto.
3. ¡Bueno!, me pongo de tu parte.
4. Me has convencido plenamente.
5. Perdona, no había caído en eso.
6. Sí, esto se me había pasado por alto.
7. ¡Claro, hombre, eso es de cajón!

Decir a alguien que está equivocado:

1. Vas fresco.
2. Estás arreglado.
3. Tengo la impresión de que estás equivocado.
4. Eso que dices es una aberración.
5. Te equivocas de medio a medio.
6. No digas más burradas.
7. Me parece que te has hecho un lío.

Decir a alguien que está en lo cierto:

1. Has dado en el blanco.
2. Me temo que estás en lo cierto.
3. Lo que has dicho es indiscutible.
4. Lo que has dicho no es ninguna tontería.
5. ¡Qué ojo clínico tienes!
6. Ahora has puesto el dedo en la llaga.
7. Has dado en el quid.

REPRODUCCIÓN DE SEIS OBRAS DE MUSEOS ESTATALES ESPAÑOLES

1

2

3

REPRODUCCIÓN DE SEIS OBRAS DE MUSEOS ESTATALES ESPAÑOLES

4

5

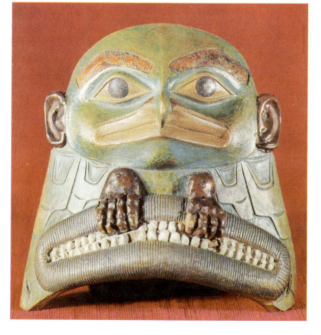

6

CLASIFICACIÓN DE LOS SONIDOS DEL ESPAÑOL POR SU SITUACIÓN BUCAL

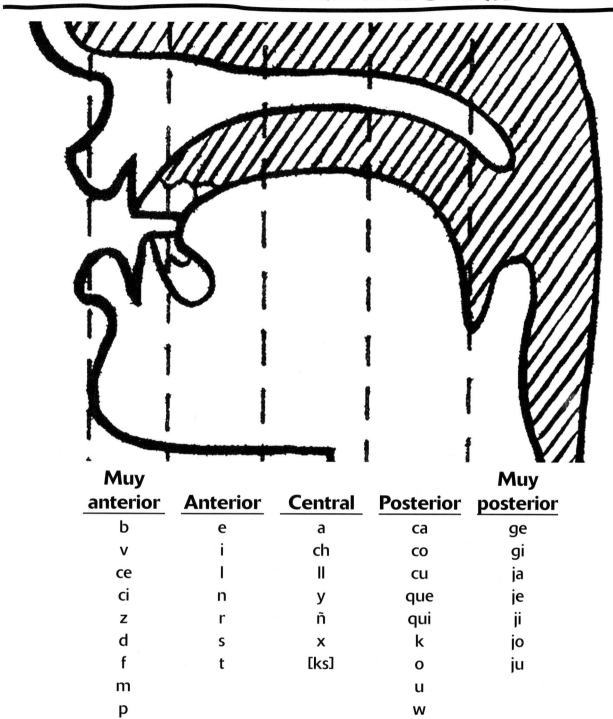

Muy anterior	Anterior	Central	Posterior	Muy posterior
b	e	a	ca	ge
v	i	ch	co	gi
ce	l	ll	cu	ja
ci	n	y	que	je
z	r	ñ	qui	ji
d	s	x	k	jo
f	t	[ks]	o	ju
m			u	
p			w	
			ga	
			gu	
			gue	
			gui	

Nota: en esta clasificación no se tiene en cuenta el fenómeno del seseo (en ese caso, *ce, ci* y *z* irían en anterior) ni del yeísmo (la *y* y la *ll* irían a anterior o muy anterior dependiendo del grado).

CONSONANTES POR EL MODO DE ARTICULACIÓN

La barrera que ofrece el obstáculo es total: obstáculo fuerte

b, v	p	d	t	g, gu	c, qu
barro	puente	diente	Toledo	Galicia	Cataluña
cambio	caspa	conde	alto	guitarra	queso
ventana				colgar	manco

- En posición inicial de sílaba o detrás de n, m, s, l.

- Cuando hablamos de **g**, nos referimos a cuando esta consonante se ve influida por las vocales **a**, **o**, **u**, o las consonantes **r**, **l**, así como al conjunto **gu**, más las vocales **e**, **i**.

- Asímismo, la barrera total en la consonante **c** se realiza cuando está influida por las vocales **a**, **o**, **u**, o las consonantes **r**, **l**, así como también el grupo **qu**, cuando le siguen las vocales **e**, **i**.

La barrera es parcial: obstáculo semi-fuerte

f	s	l	ll	y	j, g	c, z
feo	Santander	lunes	lluvia	yogur	juego	cien
			calle		Gerona	zorro

La barrera es casi inexistente: obstáculo débil

b	v	d	r	g	l
caballo	cava	cansado	caro	agua	cala

La barrera se realiza en dos fases, una total y otra parcial: obstáculo fuerte

ch
ocho
chisme

CONSONANTES POR EL PUNTO DE ARTICULACIÓN

Los labios

b	**v**	**p**	**m**
bici, amaba	verano, lavabo	poco, copa	martes, cama

Los labios de abajo y la punta de los dientes de arriba

f

frío, café

La lengua y el nacimiento de los dientes de arriba

t	**d**
taco, catorce	doce

La lengua y la punta de los dientes de arriba

c	**z**
cenicero, cinco	zapato, cazo

La lengua y los laterales de las muelas

s	**n**	**-r-**
siesta, casi	niño, cana	caro

La punta de la lengua y el nacimiento de los dientes de arriba

l	**r-**	**-rr-**
limón, cala	Ramón	carro

La lengua y el paladar

j, g	**c**	**ñ**
jueves, coger	cuerpo, cosa	caña

g + o, a, u	**gu + e, i**
gato	guisar

ch	**ll / y**
macho	pollo, oye